Puissances d'hier et de demain

SOUS LA DIRECTION DE

Bertrand Badie
et Dominique Vidal

Puissances d'hier et de demain

L'état du monde 2014

9 *bis*, rue Abel-Hovelacque
75013 Paris

▶ **Conception graphique** ▷ de la couverture **Philippe Rouy**
▷ de l'intérieur **Andréas Streiff**

Si vous désirez être tenu régulièrement informé de nos parutions, il vous suffit de vous abonner gratuitement à notre lettre d'information bimensuelle par courriel, à partir de notre site

www.editionsladecouverte.fr

où vous retrouverez l'ensemble de notre catalogue.

ISBN 978-2-7071-7698-1

Table

II. Les nouveaux acteurs de la puissance

III. Enjeux et conflits régionaux

AVANT-PROPOS

Depuis son lancement en 1981, *L'état du monde* scrute et accompagne les mutations de la planète. Son réseau d'auteurs prend appui sur de nombreuses équipes de recherche, en France et à l'étranger, dans toutes les disciplines liées à l'international [1].

Un diagnostic de la planète en 2013

L'état du monde étudie les grandes mutations politiques, économiques, sociales, diplomatiques, mais aussi technologiques ou environnementales à travers une trentaine d'articles incisifs, permettant aux lecteurs de rapprocher et de resituer dans un contexte global des phénomènes en apparence isolés. Cette édition 2014 se concentre sur la notion de « puissance » à une époque où les pays dits « émergents » – Chine, Inde, Brésil, Turquie, Afrique du Sud, etc. – font presque quotidiennement la « une » de l'actualité. La progression spectaculaire de ces pays sur la scène internationale remet-elle en cause le leadership des puissances occidentales, à commencer par les États-Unis ? Alors que la mondialisation, les mutations économiques et les révolutions numériques transforment notre quotidien, ne faut-il pas sortir des cadres anciens pour penser la « puissance » ? Telles sont les interrogations qui parcourent les deux premières parties de l'ouvrage : la première adopte un point de vue global pour étudier les métamorphoses de la puissance ; la deuxième étudie les nouvelles formes et les nouveaux acteurs de la puissance à travers diverses études de cas. Comme chaque année, la troisième partie est composée d'articles « régionaux » qui mettent en lumière les tensions stratégiques et diplomatiques majeures, illustrant l'évolution des

1 Un site Internet incluant toutes les archives de *L'état du monde* est disponible gratuitement à l'adresse <www.etatdumonde.com>.

conflits en Asie, en Afrique, au Moyen-Orient et en Amérique latine.

Un cahier cartographique, des annexes statistiques

« Qui maîtrise la carte maîtrise le monde... » Dans le roman historique de Gérard Vindt *Le Planisphère d'Alberto Cantino, Lisbonne 1502*, le souverain envoie Vasco de Gama et Alvares Cabral relever les éléments de la géographie qui lui permettront de réaliser la carte de son empire. Lorsqu'on la lui dérobe, le souverain perd son empire [1]... Le contrôle de vastes territoires, notamment grâce à la force armée, a longtemps constitué le fondement principal de la puissance. Aujourd'hui, les expressions de la puissance se sont largement diversifiées, et les cartes ne sont plus ces objets de pouvoir à l'usage excusif des autocrates. Elles servent à rendre visibles les phénomènes invisibles. La puissance et les lieux du pouvoir ne sont plus nécessairement entre les mains des États : une petite poignée d'acteurs se sont progressivement accaparé des moyens financiers considérables, des outils technologiques redoutables et une grande partie des biens et des espaces publics qui devraient être communs.

C'est pour visualiser cette nouvelle réalité de la puissance que l'équipe de *L'état du monde* a fait appel au géographe, cartographe et journaliste Philippe Rekacewicz dont le travail figure dans le cahier cartographique et dans les annexes statistiques qui complètent cet ouvrage.

1 Gérard Vindt, *Le Planisphère d'Alberto Cantino, Lisbonne 1502*, Autrement, coll. « Littératures », Paris, 1998.

INTRODUCTION

La puissance revisitée

Bertrand Badie
Professeur des universités à l'Institut d'études politiques de Paris (Sciences Po)

Il était un temps où l'on ne parlait que de puissance. La vie internationale se résumait à une rivalité entre les États les mieux dotés en la matière, et la guerre se définissait consensuellement comme l'effet paroxystique de cette concurrence entre plus forts. Aujourd'hui, on pressent qu'il en va autrement. Le contraire même semble parfois s'imposer : les faibles sont de plus en plus le nerf des nouveaux conflits, alors que, le néoconservatisme reculant, les « grands » cherchent de plus en plus à se retirer des guerres, du moins à les éviter ou à ne s'en mêler que par procuration... Ce n'est là qu'un aspect du problème : en fait, on ne sait même plus très bien comment on est puissant dans le monde qui est le nôtre. On parle partout de crise de leadership alors que semble bien éloignée l'idée, un temps avancée, d'une « hyperpuissance » qui mènerait la planète.

Comme notre regard sur la vie internationale était réglé, depuis des générations, sur une grammaire de la puissance, toutes nos interrogations quotidiennes s'en trouvent brouillées : quelle gouvernance ? Quelle diplomatie ? Quelle négociation ? Quelles sont les sources des conflits et leurs possibles solutions ? Si nul ne prétend que la puissance a disparu, il faut pourtant admettre qu'elle est triplement frappée : dans ses principes constitutifs, dans sa hiérarchie et dans son efficacité. De telles crises alimentent espoirs et inquiétudes : il est devenu banal, pour éviter les remises en question, de les ignorer, comme si la puissance d'hier permettait encore de comprendre celle de demain, alors que c'est bel et bien le contraire qui s'impose.

Comment définir la puissance ?

En son temps, le sociologue allemand Max Weber définissait la puissance (*Macht*) comme toute chance d'imposer sa volonté à autrui quels que soient les moyens employés à cette fin. L'idée est toujours allée d'elle-même dans tout enjeu interindividuel : elle était déjà plus discutable dans les rapports internationaux, puisqu'elle présupposait une volonté collective claire et affirmée. Mais, à une époque où l'État apparaissait comme l'unique acteur de la vie internationale et comme incarné par un prince-stratège, la transposition faisait sens. On n'avait alors aucun mal à mesurer le phénomène en termes de capacité d'agir, d'empêcher ou de peser : mieux encore, la mesure était presque totalement lisible en termes militaires. Les deux guerres mondiales, puis la guerre froide ont prolongé ces certitudes presque sans le moindre débat, même si la manière dont le Japon et l'Allemagne se sont reconstruits après 1945 commençait déjà à nourrir les interrogations.

Mais aujourd'hui ? Est-il encore un acteur, État ou non, qui, face à un enjeu international (crise économique, conflits proche-orientaux ou africains, révolutions arabes, flux financiers ou migratoires...), peut prétendre à une capacité d'agir avec succès ? À une capacité d'empêcher de manière efficace ou de peser de façon décisive ? Les États-Unis, « hyperpuissance » éphémère, face à Israël quand ils réclamaient, simplement mais en vain, le « gel de la colonisation » ? Face aux dizaines de milliers de morts syriens ? Face à Al-Qaida ? La vraie question transparaît très vite : une scène internationale *mondialisée* peut-elle réellement permettre à quiconque d'imposer sa volonté à tous les autres ?

La mutation s'est accomplie en trois temps. Les paramètres de la guerre froide ont d'abord occulté les formes nouvelles de compétition qui naissaient d'une économie qui allait en se globalisant. L'équilibre des têtes nucléaires a longtemps caché la pertinence des puissances économiques qui se construisaient ailleurs : on n'y prenait pas trop garde dans la mesure où les États-Unis conservaient (et conservent encore) le premier des PIB et que leur rival, du temps de la bipolarité, appartenait à un autre univers économique. Mais, coup sur coup, la crise du dollar, au début des années 1970, la montée d'une Europe qui s'imposait peu à peu comme première puissance commerciale, l'éveil des économies asiatiques, l'autonomisation des flux financiers, la privatisation de la puissance financière et le creusement du déficit américain ont suscité des interrogations : la puissance militaire ne faisait pas tout, tandis que la contre-offensive néolibérale au temps de Ronald Reagan et de Margaret Thatcher brouillait quelque peu les indicateurs en conférant aux acteurs économiques une capacité propre, indépendante des États. Le doute gagnait les esprits : la puissance militaire ne s'imposait pas en soi, mais était ainsi dépendante d'une puissance économique, elle-même composite, faite de puissance financière, commerciale et technologique, d'acteurs publics et privés.

Le deuxième temps fut plus ravageur. La puissance militaire elle-même se grippait : les Européens l'apprirent déjà à leurs dépens au cours de la décolonisation, puis les États-Unis au Vietnam, plus tard en Irak et en Afghanistan, là même où les Soviétiques eurent à le découvrir deux décennies auparavant... L'armée israélienne ne put jamais « éteindre » la résistance palestinienne aux mains nues... L'ennemi intime de la puissance militaire, hantise du diplomate et du soldat, se profilait ainsi : les sociétés, en jouant leur jeu propre, défiaient l'idée même de la puissance, et surtout son efficacité. Imposer sa volonté à l'autre n'est possible qu'à identité égale : un État fort face à un autre qui l'est un peu moins, mais pas à une société, pas à un groupe, pas à un réseau... Les armes ne sont plus les mêmes !

À peine défaits au Vietnam, les États-Unis inventèrent le concept de *soft power* qui se dilata peu à peu jusqu'à installer l'idée de diplomatie d'influence. Le lien avec la mondialisation qui perçait déjà est évident : ce monde unifié qui naît des décombres de l'affrontement bipolaire et d'une décolonisation chaotique est en passe de promouvoir une consommation universelle qui offre aux États-Unis une avance incontestable. Films venus d'Hollywood, boissons sucrées sorties d'Atlanta, jeans ou langue anglaise : la « puissance douce » – qu'on formulera précisément en anglais – va redorer les États-Unis.

Mais, décidément, la machine ne redémarre pas : on *consommera* américain au Chili, au Brésil ou en Égypte sans pour autant *penser* américain, ni encore moins *soutenir* la diplomatie américaine. L'épisode est déjà un échec confirmé lorsque l'Europe – et la France tout particulièrement – s'empare de l'idée de « diplomatie d'influence » vantée dans l'Hexagone comme un ersatz à une puissance disparue et à une grandeur qui ne fit illusion qu'à l'ombre de la haute stature du général de Gaulle... Pis encore, l'antiaméricanisme continue à progresser, au Sud surtout, au Proche-Orient et en Amérique latine tout spécialement.

Vient ainsi le troisième temps : celui du faible qui s'impose sur les ruines de la bipolarité. Au nom de la revanche des sociétés, mais avant tout du fait d'une propriété inédite de la mondialisation : l'interdépendance, si facile à comprendre quand on est désarmé, si difficile à concevoir quand on est habitué à être maître du monde... La puissance se défait à mesure que l'événement est produit par le faible de plus en plus proactif, que les conflits se font à l'initiative des plus démunis et des moins intégrés. Une décision conjointe du Fonds monétaire international (FMI) et de l'Eurogroupe a pu ainsi être mise en cause par un mouvement social spontané à Nicosie, dans la petite île de Chypre. La paix dans le monde est l'otage de bandes armées dans le Sahel, de milices à peine identifiables en République du Congo. De façon plus complexe encore, la Chine, la Turquie ou l'Inde voient leur croissance compromise par la fragilisation croissante du marché européen : quand la faiblesse de l'autre, loin de profiter aux puissants, fait la fragilité du plus fort !

La puissance disparaît-elle ? Non, bien sûr, mais elle change de sens : elle devient capacité de faire ou défaire l'événement, lui-même de plus en plus rebelle à la loi du plus fort, de modifier l'agenda, de structurer cette insécable globalité qui fait le nouvel ordre mondial. À ce jeu, on ne retrouve plus les mêmes sur le podium, même si les habitués du palmarès se pensent encore dans la course, aveuglement qui ne fait qu'accroître leur impuissance...

Vers une nouvelle hiérarchie des puissances

On croirait que le monde en est encore au temps du congrès de Vienne (1815). Le G4 de l'époque, vite devenu G5 en s'agrégeant la France alors vaincue, trouve bien son prolongement dans le G8 d'aujourd'hui, avec les États-Unis et le Japon en plus... On reste irrémédiablement dans une grammaire oligarchique. Depuis que le Japon est l'extrême ouest du monde, le club constitue bel et bien un directoire occidental qui prétend à la capacité de gérer la planète. La Russie en était déjà au XIXe siècle : officiellement, elle en est toujours, ou presque, car le G8 est en réalité un G7+1 où Moscou occupe en fait un strapontin. Aussi ne cesse-t-elle de regarder ailleurs, Vladimir Poutine se présentant habilement comme le père des BRICS, ce groupe imaginaire, pensé comme catégorie par Goldman Sachs, et que le maître du Kremlin sut transformer en réalité politique. Puissance contre puissance ? Non, il vaudrait mieux opposer alors *puissance classique* et *puissance moderne*, peut-être celle d'hier et celle de demain.

Hier ? L'Europe qui était depuis plusieurs siècles le champ de bataille du monde et qui ne l'est plus, qui se construisait un empire mondial et qui ne l'a plus. Les États-Unis, vainqueurs de la Seconde Guerre mondiale et de la guerre froide, qui ne parviennent pas à gagner une guerre ni à repenser leur leadership sans avoir face à eux un ennemi à leur taille. Demain ? Des puissances nouvelles, dotées de ressources inédites, de capacités ignorées des diplomates traditionnels. L'opposition est tentante, elle est schématique, peut-être caricaturale, mais, nuancée et amendée, elle annonce une nouvelle grammaire des relations internationales.

Le débat sur la pertinence du concept d'émergent est certes connu. Il a le mérite d'avertir sur les relents d'évolutionnisme qu'il charrie et de nous rappeler que rien n'est irréversible. Il pointe, à juste titre, l'hétérogénéité des catégories. Les économies brésilienne, chinoise ou indienne, profondément différentes, ne se ressemblent que par le chiffre flatteur de la croissance de leur PIB. Mêmes contrastes à l'intérieur de chacune d'entre elles : la Chine maritime n'a rien à voir avec celle de l'arrière-pays, comme Bangalore ne ressemble en rien au Bihar. La carte des émergents elle-même est flottante et personne ne s'entend sur la liste exacte de ceux qui en sont, à l'exception précisément des BRICS, et encore : la Russie est-elle vraiment un émergent, comme l'Afrique du Sud ?

C'est avec la première grande crise – celle commencée autour de 1973 – qu'on a reconnu l'existence des premiers « dragons asiatiques » : Singapour, Taïwan, Hong Kong et la Corée du Sud, premières exceptions à une vision monocolore de la puissance. La dérogation a été vite consentie ensuite à l'Amérique latine et aux « jaguars » mexicain et brésilien. L'entaille n'était pas négligeable, puisque l'idée de puissance venait ainsi de se mondialiser, le critère territorial perdait de sa pertinence (alors que l'énorme URSS se disloquait, Singapour et Hong Kong démontraient que la « cité virtuelle » devenait plus importante que l'immensité spatiale), le commerce et les investissements l'emportaient en sources de puissance sur la production industrielle.

L'ouverture de la Chine dès 1978, celle de l'Inde avec les réformes de 1991 et les mutations de l'Afrique du Sud avec la fin de l'apartheid, en 1994, modifiaient fortement les paysages et situaient les nouvelles puissances dans le Sud, cet ensemble hétérogène qui prenait un sens « géopolitique » d'autant plus aigu que le clivage Est/Ouest tendait à disparaître.

Quelle est donc cette nouvelle puissance ? Incontestablement, elle bouscule les palmarès. Les BRICS représentent déjà à eux seuls aujourd'hui 20 % du PIB mondial : on admet généralement qu'en 2020 ils en produiront 30 %. La Chine se hisse dès maintenant, avec toutes les précautions statistiques qui s'imposent, au deuxième rang des PIB de la planète, avec une croissance annuelle d'environ 10 %, même si la conjoncture mondiale tend à réduire ce taux. Le Brésil, moins régulier, oscille, depuis trois ans, entre une croissance légèrement négative due à un cours artificiel du réal (– 0,3 % en 2009), 7,5 % (2010) et 3 % (2011) ; l'Inde entre 8,2 % (2009) et 6,9 % (2011)...

On doit surtout noter l'ascension vertigineuse de nouvelles puissances commerciales. De 1980 à 2008, les exportations chinoises sont passées de 18 milliards de dollars à 1 200 milliards, celles de l'Inde de 8 milliards à 145 milliards et celles de la Turquie de 3 milliards à plus de 100 milliards. L'exportation brésilienne de viandes bovines s'élevait à 100 millions de dollars en 1989 pour atteindre 3,5 milliards en 2007 ; celle de soja, pour la même période, de 3,7 milliards à 11,4 milliards, tandis que celle de véhicules progressait de 2 à 12 milliards.

Incontestablement, c'est la Chine qui se distingue en créant un nouveau rapport de forces : le déficit américain se creuse dans ses échanges avec la Chine, avec un solde négatif qui dépasse les 200 milliards de dollars, tandis que Pékin capitalise des bons du Trésor américain qui atteignaient, en 2012, un avoir de 1 265 milliards de dollars ! Une évolution qui peut interroger sur l'éventualité d'une réelle inversion de puissance.

Pourtant les choses ne sont pas si simples. Ces écarts décrivent davantage une interdépendance réciproque qu'une véritable inversion. Les exportations chinoises souffrent de la crise qui sévit en Occident, tandis que les flux d'investissement régressent chez les émergents, en particulier les flux d'investissement de portefeuille. La Chine, comme les autres BRICS, est puissante à condition que ses partenaires européens et nord-américains restent eux-mêmes puissants. L'effondrement du rival ne vaut plus victoire comme ce pouvait être le cas autrefois. Se dessine ainsi une puissance plus *interactive* que souveraine.

En même temps, les émergents marquent leur fragilité, à l'instar de cette gigantesque panne électrique qui avait frappé 600 millions d'Indiens en juillet 2012, comme pour rappeler que la puissance était aussi affaire d'infrastructures solides qui ne s'inventent pas au rythme de décrets. L'émergence doit sa vigueur à des coûts de production faibles, dus en grande partie à l'arrivée d'une main-d'œuvre rurale. Celle-ci n'est pas inépuisable et tend à être de plus en plus difficile à gérer quand le choix en faveur d'une économie tertiarisée, comme en Inde, implique une formation professionnelle qui a du mal à suivre... Ajoutons une démographie qui évolue vers le vieillissement, suscitant des coûts nouveaux et des besoins d'équipements difficiles à satisfaire. Pour ces raisons et d'autres, la contestation sociale n'est pas loin : elle a déjà pénétré les sociétés brésilienne et turque dès juin 2013.

Enfin, la puissance économique n'est pas tout. Peut-être est-ce même la plus facile à atteindre. Pour être crédible, elle doit être relayée notamment par une technologie adaptée, à laquelle la Chine travaille certes avec des succès notables. Mais elle doit surtout s'appuyer sur des institutions solides qui sont également des marqueurs de puissance. Si le Brésil a considérablement progressé dans la construction d'un État de droit, depuis la chute de la dictature et après des transitions d'abord incertaines, l'Inde et la Chine occupent des rangs médiocres dans le classement mondial des États les plus stables (*Failed States Index* du Fund for Peace). La violence récurrente en Inde, mêlée au clientélisme et au népotisme, trouve son répondant dans l'autoritarisme et l'immobilisme du système politique chinois.

Les deux puissances asiatiques affirment leur ambition en augmentant de manière spectaculaire leurs dépenses militaires : la Chine en passant de 18 milliards de dollars en 1990 à 130 milliards en 2011 ; plus modestement, l'Inde partait du même niveau à la même date pour atteindre 45 milliards en 2011, se hissant quand même au niveau de l'Allemagne, 7e puissance militaire mondiale.

Et pourtant la Chine a un budget militaire cinq fois inférieur à celui des États-Unis et on s'accorde à considérer qu'il lui faudra plusieurs décennies – peut-être beaucoup plus – pour rivaliser avec la puissance militaire américaine. Autant dire que l'image ne cesse de se brouiller : les puissances émergentes s'imposent sur la scène internationale en cassant le monopole de l'Occident sur l'économie mondiale et en tissant une logique complexe d'interdépendance qui empêche toute hégémonie ; mais elles ne parviennent pas pour autant à défier la capacité militaire de l'ancien *hegemon*. Asymétrie complexe qui peut conduire à des témérités ou à des erreurs de jugement, d'autant qu'elle apparaît à un moment où les capacités réelles de l'instrument militaire sont, comme nous l'avons vu, en perte d'efficacité.

Un changement de statut pour la puissance ?

On ne peut plus tenir la puissance pour un simple effet de ressource, ni pour une banale logique de contrainte. Étant diversifiées, dans cet âge post-bipolaire, les ressources de puissance ont tendance à se contredire, s'opposer, sans que rien ne puisse plus arbitrer entre un géant financier ou commercial et un colosse militaire, surtout lorsque l'un et l'autre ont des pieds d'argile... De même, la contrainte s'affaiblit à mesure qu'elle prétend s'exercer à l'initiative d'acteurs étatiques qui ont perdu le monopole qui faisait jadis leur force, et qui, de surcroît, agissent sur des cibles de plus en plus variées et protéiformes. Fini le temps hobbesien où ne s'opposaient, sur une scène internationale réduite, que des acteurs étatiques de force comparable. On doit désormais compter avec les séquelles d'un néolibéralisme qui dissémine la puissance économique, la transfère aux acteurs non étatiques – multinationales, banques, agents financiers face auxquels les États ne peuvent plus grand-chose.

Comment donc être puissant aujourd'hui ? La question ramène à l'interprétation des cours nouveaux de la mondialisation. Dans un système dominé par une logique d'interdépendance, la *nuisance* prend évidemment une importance décisive. La capacité de bloquer ou d'empêcher, celle de créer l'événement qui dérange, de susciter des contraintes ou de peser sur l'agenda appartiennent davantage au faible qu'au fort, à celui qui prétend désorganiser plus qu'à celui qui entend imposer un ordre.

Face à de telles impasses, la « puissance de demain » doit être appréhendée d'une autre manière. Compte tenu des progrès de la mondialisation, elle doit être analysée dans sa capacité d'inclusion, tandis que la fluidité croissante des relations internationales rehausse la faculté d'influence aux dépens de celle de contrainte. Dans une situation où s'impose l'interdépendance, elle doit enfin s'apprécier dans sa qualité médiatrice. Autant de dimensions à ajouter aux contours classiques de la puissance qui ne disparaissent pas pour autant, mais dont nous avons déjà mesuré les limites.

Nul doute qu'une puissance *mondialisée* est plus qu'une puissance *mondiale*. Du temps de la bipolarité, celle-ci découlait des capacités hégémoniques des deux Grands. L'un et l'autre, par définition, rayonnaient sur un monde *de facto* soumis à leurs règles. Aujourd'hui, la mondialisation se construit aussi par le bas, sous l'effet de dynamiques issues de la pluralité des cultures et de l'entrecroisement de sociétés profondément inégales. La puissance tient donc à une capacité d'ouverture à cette diversité qui explique notamment pourquoi les puissances émergentes enrichissent leur réseau diplomatique : Brésil, Chine, Inde, Turquie se concurrencent en ouvrant des ambassades partout, et en Afrique notamment. La rétraction sur une diplomatie des clubs paraît, dès lors, contre-productive, surtout si ces clubs sont modelés sur des cultures homogènes ou proches. Dans cette même veine, l'extension et le contrôle d'une communication globalisée deviennent des enjeux de puissance dont l'issue aujourd'hui est incertaine.

Cette communication offre, en effet, une prime aux États qui disposent des ressources technologiques les plus avancées. Elle avantage aussi ceux qui disposent des relais les plus efficaces auprès d'acteurs non étatiques ou para-étatiques : ONG, universités, réseaux de recherches, médias, mais aussi acteurs religieux, instituts culturels, centres d'apprentissage linguistique. Instituts Confucius ou réseaux de prêcheurs reproduisent aujourd'hui, en faveur de la Chine ou de l'Arabie saoudite, ce que le British Council ou les missions presbytériennes apportaient jadis à la Grande-Bretagne et aux États-Unis. Avec pourtant deux différences de taille : les progrès de la communication les rendent infiniment plus opératoires, plus diffus et moins localisables. Davantage virtuelle et dématérialisée, la puissance est moins réductible au jeu stratégique et infiniment plus autonome des institutions. Elle s'insère plus en profondeur dans les sociétés, donnant à celles-ci une pertinence internationale renforcée.

S'agit-il, pour autant, d'un recyclage du *soft power* ? Il convient d'être prudent à ce sujet : l'échec imputé à celui-ci réengage en fait la puissance dans deux directions distinctes. La première s'impose aux États-Unis. Dès 2004, et chacun de leur côté, Joseph Nye et Suzanne Nossel militaient, dans une sensibilité libérale de « gauche », pour un *smart power*, tentant de combiner *hard* et *soft power* de manière assez subtile pour se dégager des échecs du néoconservatisme qui dessinaient déjà les limites de la conception classique de la puissance. Il s'agissait en fait de concilier puissance et intelligence, ressources matérielles et communication, inventivité, *capacity-building* et mondialisation. Avec l'arrivée au pouvoir de Barack Obama, le concept se précise : lors de l'audition d'Hillary Clinton devant le Sénat, en janvier 2009, puis à l'initiative du président lui-même lorsqu'il s'exprima sur le « printemps arabe » devant le département d'État, en mai 2011. La stratégie alors prônée est bien celle d'une « puissance intelligente », attentive au partenariat et à la réévaluation de certains enjeux clés : le renforcement des institutions des États concernés, la prise en compte des potentialités coopératives à tous les niveaux, la mise en avant des impératifs de développement.

Cette nouvelle lecture de la puissance irrigue dans les milieux intellectuels et les *think-tanks*. Il suffit de prendre en compte le rapport publié en 2009 par le *Center for Strategic and International Studies*, intitulé *Investing in a New Multilateralism*, et inscrivant ce *smart power* précisément dans le contexte d'une unipolarité qui a failli avant même de réellement s'installer. On comprend alors que cette forme nouvelle de puissance est déjà une correction des lubies hégémoniques portées par le néoconservatisme, un retour discret vers un multilatéralisme dont on croyait naguère pouvoir s'affranchir, voire une reconnaissance prudente de la fragmentation du monde post-bipolaire.

S'agit-il pour autant d'une restauration de la puissance américaine ? Le concept est trop imprécis pour annoncer un nouveau projet de domination. Il apparaît surtout comme cherchant à ménager la chèvre et le chou, à atténuer l'usage immodéré de la force qui marqua les deux mandats de George W. Bush, sans pour autant rompre avec le *hard power*. Il semble prendre acte de la mondialisation et de la fin de la guerre froide tout en tentant de sauver un leadership de plus en plus compromis. La pratique elle-même révèle des retraits, mais jamais de ruptures, des initiatives ponctuelles, mais jamais de plans d'ensemble (on pense ici au voyage effectué par Barack Obama en Israël et en Palestine en mars 2013), des efforts d'*accompagnement* (dans les premiers mois du « printemps arabe »), mais jamais de projets proactifs.

Aussi faut-il accueillir ce nouveau concept en creux : il en dit plus sur ce que la puissance américaine ne peut plus faire que sur ce qu'elle peut réellement accomplir. Il cherche à sortir des échecs par le haut, plutôt qu'à entrer dans une ère nouvelle. Il est un discours sur les impasses – voire les apories – de la puissance classique plus que l'expression d'une forme opérationnelle de nouvelle puissance.

En réalité, cette compensation rhétorique, dans laquelle la politique étrangère américaine se trouve comme bloquée, nous confirme que la puissance de demain ne se décrète pas, mais ne peut s'imposer que par son adéquation au contexte. Celui-ci est fait d'un élargissement de l'international à la planète tout entière, d'une revanche marquée des sociétés sur les États, du poids énorme de l'humiliation dans les rapports internationaux, de contrastes sociaux dramatiques, d'une très forte rétraction de l'Occident sur lui-même et d'une baisse d'efficacité de l'instrument militaire.

Autant de paramètres qui paralysent les puissances classiques, les privent de victoire et rendent la guerre incertaine, en tout cas incapable de distinguer, comme jadis, le vainqueur du vaincu. Un tel état de fait reconstruit la puissance dans ses vertus médiatrices davantage que dans ses prétentions militaires. En se détachant de celles-ci, la puissance se renouvelle en profondeur et fait incontestablement le jeu des émergents. Le Brésil parle ainsi, depuis Lula da Silva, d'une « diplomatie de paix » comme marque de sa politique étrangère, ne dissimulant pas la faiblesse de ses dépenses militaires, et affichant son renoncement à tout programme nucléaire militaire.

Très en flèche dans la conception de cette puissance médiatrice, le Brésil dispose en fait des mêmes atouts gagnants que bien d'autres émergents. À cheval entre le Nord et le Sud, un pied dans l'espace hégémonique et un autre dans le monde des humiliés et des souffrants, il s'impose naturellement, comme l'Inde, la Turquie et même la Chine, à l'articulation de deux espaces séparés par la fracture de la mondialisation. Bourgeois paulistes, ingénieurs informatiques du Karnataka par ailleurs diplômés des universités californiennes et entrepreneurs stambouliotes rejoignent la nouvelle classe moyenne chinoise pour regarder en direction de New York, Londres ou Los Angeles. Paysans de la vallée du Gange ou usagers des *jhugis* de Bombay, fermiers anatoliens, résidents de *gecekondus* d'Istanbul, cariocas des *favelas* : tous ces bidonvilles sont totalement dans le Sud, non loin du petit peuple de Lagos, Karachi ou du Caire...

Cette position intermédiaire est génératrice d'une très grande *capacité diplomatique*. D'abord, parce qu'elle crée une aptitude plus grande à la compréhension de l'autre et à l'inclusion, au lieu de camper dans un occidentalocentrisme qui devient illusoire et contre-productif dans ses ambitions de rayonnement. Ensuite, parce qu'elle engendre la confiance : les BRICS affichent volontiers une communauté de souffrances et une mémoire partagée de dominés, ce qui les rend plus acceptables, notamment en Afrique. L'Inde peut faire valoir les humiliations essuyées par Gandhi quand il résidait en Afrique du Sud. Le Brésil peut arguer de son appartenance humaine au continent noir.

Plus d'un million de Chinois sont aujourd'hui installés en Afrique. Les échanges commerciaux entre la Chine et le continent africain sont passés, ces dix dernières années, de 10 milliards à 200 milliards d'euros. Plus de 800 entreprises chinoises sont installées en Afrique et les investissements ne cessent de grimper, au Nigéria, en Angola, en RDC, en Zambie, au Ghana... Tandis que les achats de terres et de matières premières s'envolent. Certes, plusieurs signes indiquent des premiers comportements de rejet, tant le processus s'accélère : ils ne touchent pourtant la Chine que de manière modérée, si on prend en compte le rythme vertigineux des implantations ; mais ils ne menacent pas en revanche les autres émergents, plus prudents, qui creusent néanmoins leur sillon de manière efficace, menaçant les positions postcoloniales des anciennes puissances européennes...

Surtout, on se situe désormais au-delà de la simple influence. Derrière cette capacité diplomatique en progrès saisissant, révélant des politiques étrangères hier marginales, aujourd'hui mondiales, apparaît une aptitude rare à la médiation. Lula da Silva pouvait se vanter d'embrasser George W. Bush et Mahmoud Ahmadinejad au cours de la même semaine, alors que la diplomatie occidentale se piège en affirmant son refus de parler à ceux qui lui sont trop éloignés ! Ainsi Brésil et Turquie parviennent-ils à un accord, en mai 2010, avec Téhéran sur la question sensible du nucléaire iranien. Même si celui-ci fit long feu en étant boudé par les Occidentaux, il révélait une potentialité inédite, là où les anciennes puissances étaient enfermées dans une impasse totale. Il en va de même sur le dossier palestinien, avec le refus occidental de tout dialogue avec le Hamas.

Cette *puissance médiatrice* en gestation tend à se prolonger sur la scène multilatérale, où les émergents apparaissent, dans les grandes négociations thématiques, comme dans les débats au Conseil de sécurité, en situation d'arbitres. Même si cet arbitrage n'est pas toujours porteur de propositions précises, même s'il concerne davantage l'IBAS (Inde, Brésil, Afrique du Sud) que la Chine – qui préfère se limiter à un activisme diplomatique essentiellement centré sur son propre développement –, même s'il est encore porteur d'un tiers-mondisme parfois critiqué, il devient de plus en plus un paramètre décisif du jeu international, en rappelant l'exigence de souveraineté, en considérant l'intervention comme un recours seulement exceptionnel, en forgeant le concept de « *responsibility while protecting* », soit la responsabilité de celui qui prétend protéger et qui doit lui-même s'abstenir de comportements susceptibles de mettre à mal, directement ou non, les populations concernées : les « gendarmes du monde » seraient à leur tour mis sous surveillance et empêcher tout débordement. Le Brésil, comme ses partenaires de l'IBAS, contribue, par ces initiatives, à façonner la scène diplomatique et clôt le cycle du monopole diplomatique occidental.

Puissances économiques encore fragiles, puissances institutionnelles inégales et puissances diplomatiques complexes, parfois imprévisibles, mais toujours attentives à tirer parti d'une mondialisation qui défait les certitudes occidentales, les puissances émergentes ne *sont* peut-être pas les puissances de demain, mais elles *font* sûrement la puissance de demain. Certainement plus capables de se définir face à la nouvelle « tectonique des sociétés », elles sont plus promptes à façonner le cours de la mondialisation dans un sens qui, à terme, leur est plus favorable. La puissance y perd ce caractère d'extrême simplicité qui faisait jadis sa vertu et sa visibilité : elle en gagne en subtilités.

I. Les métamorphoses de la puissance

- Puissance et « leadership » américains dans un monde en mutation
- Vers une privatisation de la puissance économique ?
- Permanences et métamorphoses de la puissance militaire à l'horizon 2020
- Démographie et puissance : le nombre fait-il la force ?
- L'économie de la connaissance, avenir de la puissance ?
- Internet, les réseaux et la puissance sur la scène internationale

Puissance et « leadership » américains dans un monde en mutation

Philip S. Golub
Professeur, Université américaine de Paris (AUP)

La fin de guerre froide a paru conférer aux États-Unis une position singulière de centralité, de puissance et d'autorité. La dissolution de l'Union soviétique leur avait assuré un quasi-monopole stratégique ; dans le même temps, elle ouvrait la voie au deuxième grand cycle de mondialisation capitaliste depuis la fin du XIXe siècle. Source principale de la révolution des technologies de l'information, les États-Unis étaient au cœur des réseaux de communication et d'échanges planétaires. Leur « modèle » de société semblait triompher. Comme l'explique Stephen M. Walt, au cours des années 1990, les autorités américaines « ont vu dans la puissance incontestée dont elles disposaient l'occasion de modeler l'environnement international, de renforcer plus encore la position américaine et de récolter des bénéfices encore plus importants à l'avenir », en usant d'un mélange de persuasion et de coercition pour amener « le plus de pays possible à embrasser leur vision particulière d'un ordre mondial libéral capitaliste ». Puis, au début de la décennie suivante, sous une administration privilégiant la force, les États-Unis se sont efforcés d'affirmer unilatéralement leur « primauté ».

Or on constate aujourd'hui une diffusion de la puissance et un éclatement de l'autorité dans un monde en voie de décentrement. Ce mouvement systémique centrifuge est mis en évidence au plan économique par le rééquilibrage mondial « Nord-Sud » et « Est-Ouest » au profit des grands pays postcoloniaux réémergents, phénomène structurel accentué par la crise économique frappant les sociétés occidentales depuis 2008. Il l'est au plan politique par l'autorité déclinante des clubs et alliances autrefois dominants (G7, OTAN), la voix croissante du Sud global dans les institutions internationales, et des évolutions régionales sur lesquelles les États-Unis et l'Europe n'ont pas de prise (notamment en Amérique du Sud et au Moyen-Orient). Si les États-Unis occupent toujours une place majeure dans le système mondial, leur capacité à façonner l'environnement international et à affirmer leurs préférences s'est érodée au cours de la décennie passée, d'autant plus qu'ils font face à des contraintes économiques lourdes et sont encore loin d'être sortis de la « grande récession » qui a débuté en 2008.

S'interrogeant sur la puissance et le leadership américains, cet article en propose une analyse critique, historique et théorique, mettant l'accent sur les représentations collectives construites au fil de l'ascension des États-Unis et sur les structures de pouvoir internationalisées de la *Pax Americana*. Ce cadrage permet de mieux saisir les changements actuels en les mettant dans une perspective historique longue. La première partie de l'article esquisse l'ascension des États-Unis et une généalogie de l'idée de « leadership » américain, il aborde ensuite les dimensions structurelles de la puissance d'après 1945, et finalement examine les mutations actuelles du système mondial et leurs implications pour les États-Unis.

L'ascension américaine : forces matérielles et représentations

Devenus un État-nation au tout début de la révolution industrielle, les États-Unis ont connu une ascension rapide au cours des XIXe et XXe siècles. Composante essentielle du système économique transatlantique avant et après l'indépendance (1776), ils se sont engagés dans un cycle d'expansion économique et territorial qui participait de la dynamique d'ensemble d'expansion et de globalisation de l'« Occident ». Entre 1800 et 1880, ils ont acquis un territoire continental et leur part dans la production manufacturière mondiale est passée de 0,8 % à 14,7 % dans un système euro-atlantique en constante expansion. En 1900, leur part (23,5 %) dépassait largement celle de la Grande-Bretagne (18,5 %) et était près du double de celle de l'Allemagne. À la veille de la Première Guerre mondiale, elle s'établissait à 32 %. Cette dynamique a été favorisée par les flux migratoires et financiers transatlantiques.

À la fin du XIXe siècle, les États-Unis étaient la première puissance manufacturière mondiale, le pays le plus peuplé de l'« Occident » et une force dynamique de la première mondialisation capitaliste aux côtés des pays européens. Premiers destinataires des flux de capitaux transnationaux (24 %), ils étaient aussi une source nouvelle de crédit et d'investissement – après la Première Guerre mondiale New York était, aux côtés de Londres, un centre mondial du crédit. Quelques décennies plus tard, à la faveur de la destruction de l'Europe, ils supplantèrent le « Vieux Monde » pour devenir en 1945 le cœur de l'économie mondiale capitaliste et l'ordonnateur d'un nouvel ordre international recentré.

Cause et conséquence de l'expansion économique et territoriale au XIXe siècle, les élites américaines développèrent un imaginaire expansif de leur place et de leur rôle dans le monde. Dans un univers d'empires concurrents, elles affirmèrent tôt la domination des États-Unis sur l'hémisphère Ouest (doctrine Monroe, 1823), puis naturalisèrent l'expansion territoriale continentale, accomplie par la négociation ou la force, à travers l'idée de « destinée manifeste », celle d'un pays promis à se « déployer sur le continent confié par la Providence pour le libre développement de [sa] grandissante multitude ». Énoncée en 1839 puis popularisée en 1845 lors de l'annexion du Texas et la guerre du Mexique (1846), la notion de « destinée manifeste » devait être reformulée dans la seconde moitié du siècle pour légitimer des ambitions plus vastes.

Une vision du rôle historique des États-Unis comme puissance mondiale en devenir allait présider à la phase d'expansion internationale des années 1890, phase précédée par un interventionnisme croissant en Amérique du Sud, en Asie et dans le Pacifique. La guerre contre l'Espagne (1898) conduisit à l'établissement d'engagements stratégiques et territoriaux s'étendant du Groenland au Brésil, du Canada à l'Argentine, et de l'Alaska aux Philippines. Une nouvelle conscience de puissance mondiale s'affirma. « Je souhaite que les États-Unis deviennent la puissance dominante sur les rives du Pacifique... [Notre peuple] est impatient d'accomplir la grande tâche qui revient à une puissance mondiale », déclarait l'expansionniste Teddy Roosevelt. En 1900, un de ses intimes, Brooks Adams, publiait *America's Economic Supremacy* (« La suprématie économique de l'Amérique ») où il écrivait : « Il n'y a pas de raison que les États-Unis ne deviennent pas un centre de richesse et de puissance plus grand que ne le furent jamais l'Angleterre, Rome ou Constantinople. » Réfléchissant cinquante ans plus tard sur ce moment d'expansion, l'historien et diplomate George Kennan écrivit : « Les porte-parole les plus influents [du peuple américain] ont ressenti le besoin de se ranger parmi les puissances coloniales de leur temps [...] et [d'être reconnus comme] l'une des grandes puissances impériales du monde. »

La guerre de 1898 constitua un moment de transition entre l'expansion essentiellement continentale du XIXe siècle et la « globalisation de l'Amérique [1] » au cours du siècle suivant. La faillite du projet wilsonien d'une nouvelle architecture internationale fondée sur la Société des nations puis la

1 Akira IRIYE, *The Cambridge History of American Foreign Relations. The Globalizing of America 1913-1945*, vol. 3, Cambridge University Press, Londres, 1995.

Grande Dépression freinèrent ce mouvement. Mais la Seconde Guerre mondiale l'accéléra fantastiquement.

En 1939, deux ans avant l'entrée en guerre des États-Unis, Walter Lippmann, journaliste et essayiste influent, écrivit : « Dans la durée de vie de la génération à laquelle nous appartenons, il s'est produit l'un des événements les plus importants de l'histoire de l'humanité. La puissance qui contrôle la civilisation occidentale a traversé l'Atlantique. » L'Amérique, ajouta-t-il, « est au monde de demain ce que Rome fut à l'Antiquité et la Grande-Bretagne au monde moderne ». L'année suivante, dans un célèbre essai paru dans le magazine *Life*, Henry Luce prophétisait l'avènement du « Siècle américain », du « premier siècle de l'Amérique, puissance dominante dans le monde ». En 1944, alors que se profilait la défaite de l'Axe, Lippmann affirmait que les États-Unis se trouveraient désormais « au centre, et non plus aux marges [...] du premier ordre universel depuis l'époque classique ». S'il ne fut pas universel du fait de la division bipolaire de guerre froide, les États capitalistes d'Europe et d'Asie du Nord-Est (Japon, Corée du Sud, Taïwan) furent effectivement intégrés à un nouvel ordre international dont les États-Unis étaient le centre et la source d'autorité.

En fin de guerre, les États-Unis comptaient pour près de la moitié de la production mondiale et du commerce international et jouissaient d'avantages comparatifs décisifs. La guerre ayant permis la mobilisation des immenses capacités productives du pays, leur produit intérieur brut (PIB) avait crû de 50 %. Le dollar était devenu la seule monnaie de réserve internationale, New York la seule source du crédit. Au niveau stratégique, la guerre avait ouvert la voie à l'internationalisation du nouvel appareil de sécurité avec la constitution d'un réseau d'alliances et d'un archipel mondial de bases militaires fixes et flottantes qui délimitèrent la nouvelle spatialité de la souveraineté américaine. Les États-Unis devinrent le gestionnaire des équilibres en Asie, en Europe et au Moyen-Orient, et un acteur dans le (re)modelage de la politique extérieure et intérieure de nombreux États. En 1946, Harry Truman résumait la situation, telle que la percevait alors Washington : « Depuis la Perse de Darius Ier, la Grèce d'Alexandre, la Rome d'Hadrien, la Grande-Bretagne de Victoria... aucune nation ni groupe de nations n'a été investi de nos responsabilités. »

Structures internationalisées de puissance

Ainsi, l'expansion au XIXe siècle a nourri, et été nourrie par, un récit historique qui transformait la contingence en destin et interprétait l'histoire mondiale comme un procès ascendant de sélection et de successions impériales progressant depuis l'Antiquité jusqu'aux États-Unis, en passant par l'Europe. Cette vision téléologique était couplée à un imaginaire spatial né de l'expansion territoriale, celui d'une frontière mouvante et expansive, donc d'une souveraineté en constante extension. Les imaginaires historiques et géopolitiques, le temps et l'espace furent ainsi fusionnés dans un récit sur la « destinée » américaine comme puissance en devenir devant s'étendre pour atteindre les sommets. Ayant rattrapé puis supplanté l'Europe, les États-Unis, comme les Européens avant eux, en sont venus à se prendre pour le centre nécessaire du monde avec d'autres sociétés en orbite autour d'eux. Cette cosmologie impériale, qui assimile intérêts nationaux et universels et naturalise les différentiels de puissance et de souveraineté dans l'espace mondial, sous-tend la notion de « leadership » américain après 1945, la rendant ambiguë.

La *Pax Americana* différait de l'ordre mondial impérial du XIXe siècle. Elle était caractérisée par une architecture institutionnelle forte – l'ensemble des organisations ou alliances internationales (Organisation des Nations unies, Fonds monétaire international, Banque mondiale, Organisation du traité de l'Atlantique nord, etc.) dans lesquelles les États-Unis avaient une voix prépondérante. Dans une optique théorique libérale, cela a favorisé la « constitutionnalisation » des rapports entre alliés, le tissage de l'interdépendance et la mise en place de « régimes » de gouvernance favorisant la coopération. Les interprétations critiques soulignent plutôt la construction de rapports de dépendance et les dimensions disciplinaires et hiérarchiques de l'institutionnalisation entre acteurs inégaux. On privilégiera ici cette dernière approche sans toutefois nier l'apport novateur de l'institutionnalisation, ni la dynamique développementale favorisée par l'hégémonie américaine en Europe de l'Ouest et en Asie du Nord-Est.

La *Pax* reposait sur deux structures sociales internationalisées qui assurèrent l'ascendant continu, quoique souvent contesté, des États-Unis après 1945 : la structure de sécurité créée pendant la Seconde Guerre mondiale et consolidée pendant la guerre froide, et la structure monétaire, c'est-à-dire le système dollar. Bien que fonctionnellement distinctes, elles furent les composantes enchevêtrées d'un système de pouvoir façonnant le comportement des acteurs et délimitant leur autonomie. Ce « pouvoir structurel » explique pourquoi il n'y eut pas déconcentration du pouvoir au sein de la Triade pendant la guerre froide en dépit du redressement économique relativement rapide du Japon et de la Communauté économique européenne (CEE). Depuis 1945, la puissance des États-Unis s'exerce à travers des combinaisons variables de ces deux structures qu'il convient d'examiner de plus près.

La guerre froide a reconfiguré l'État américain. L'existence d'un contre-système hostile au capitalisme libéral et la perception de la menace qui en découlait avaient ouvert la voie à la constitution de l'« État de sécurité nationale », dont fait partie le « complexe militaro-industriel », et permis l'extraction à grande échelle de ressources consacrées à l'appareil de sécurité et de défense internationalisé. De 1948 à 1991, les dépenses militaires américaines totalisèrent 13 000 milliards de dollars (dollars 1996). Mise en évidence avec acuité par le sociologue Charles Wright Mills dans *L'Élite du pouvoir* (1956), la reproduction de l'appareil de sécurité deviendrait un but en soi rendu possible par « un état d'urgence sans fin prévisible », dans lequel « la guerre, ou un haut niveau de préparation à la guerre sont ressentis comme la situation normale et apparemment permanente aux États-Unis ». Notant l'expansion des engagements internationaux après 1945, Mills ajoutait que les « décisions internes [...] sont de plus en plus justifiées, sinon prises en rapport étroit avec les dangers et les occasions qui se présentent à l'étranger ». Nonobstant les transformations systémiques d'après-guerre froide, ces remarques restent pertinentes aujourd'hui.

La guerre froide justifia ainsi les engagements stratégiques planétaires des États-Unis et l'interventionnisme dans les « tiers mondes » qui en découlait. Elle servit aussi d'« unificateur du système international [non communiste] derrière les États-Unis » (Z. Brzezinski). Les alliances de sécurité, multilatérales et bilatérales, leur donnaient prise sur les préférences et les choix des États insérés dans le « parapluie » américain. En Europe de l'Ouest et en Asie du Nord-Est, les deux frontières stratégiques clés de la guerre froide, les États-Unis avaient une voix prépondérante dans la définition et la mise en œuvre des politiques étrangères et de sécurité. Dans le premier cas, les États-Unis se comportèrent généralement en État hégémonique, au sens étymologique du terme, c'est-à-dire en leader d'une coalition de pays dont les élites dirigeantes partageaient avec eux certains intérêts fondamentaux – notamment assurer le maintien de l'économie libérale mondiale et endiguer l'Union soviétique – et qui, dans l'ensemble (de Gaulle étant l'exception confirmant la règle), voyaient dans Washington une source légitime d'autorité et de sécurité. Dans le second, l'emprise américaine était plus forte et son caractère disciplinaire plus marqué du fait de la pénétration et de la domination des États régionaux par l'appareil américain de sécurité.

La dépendance des alliés induite par la structure de sécurité produisit des effets allant bien au-delà des questions de défense. L'Europe et le Japon acceptèrent ainsi « les déficits chroniques de la balance des paiements américains et un système monétaire dollar [...] comme une facette de plus du parapluie américain de sécurité [1] ». Pendant les deux premières décennies de la guerre froide, la plupart des alliés européens et asiatiques, dont la reconstruction économique fut favorisée par les États-Unis, « payèrent » leur sécurité par une perte d'autonomie, souvent consentie, en politique étrangère. À partir des années 1970, du fait de décisions monétaires unilatérales prises

1 Marina V.N. WHITMAN, « Leadership without hegemony. Our role in the world economy », *Foreign Policy*, Washington, n° 20, automne 1975, p. 140.

par les États-Unis – le découplage du dollar et de l'or en 1971 et l'abandon définitif en 1973 du système de changes fixes –, il y eut externalisation des coûts d'ajustement des déséquilibres macroéconomiques américains et extraction indirecte de ressources par le biais de la monnaie. Justifiant le choix de dévaluer le dollar, le secrétaire au Trésor de l'époque, John Connally, explicita le lien entre la structure de sécurité et le régime monétaire en imputant aux « dépenses militaires nettes à l'étranger » occasionnées par la défense du « monde libre » la nécessité de corriger le déséquilibre de la balance des paiements américains. Dans une phrase restée célèbre, il expliqua à une délégation européenne de passage que « le dollar est peut-être notre monnaie, mais c'est votre problème ». Richard Nixon fut tout aussi explicite le 15 août 1971 lorsqu'il affirma que « le temps est venu [pour les grands pays industriels d'Europe] de porter leur part du fardeau dans la défense de la liberté partout dans le monde ».

N'ayant ni les moyens ni la volonté de remettre en question l'architecture de sécurité transatlantique, les pays européens ne purent que constater le fait monétaire accompli. L'Europe ne s'affranchit véritablement, au plan monétaire, qu'après la fin de la guerre froide avec la création de l'euro – avec les résultats ambivalents que l'on sait aujourd'hui. Le Japon, deuxième économie mondiale dès les années 1970, dont la double dépendance commerciale et stratégique était cependant plus profonde que celle de l'Europe, fut soumis dans les décennies suivantes à d'intenses pressions mercantilistes ; l'Archipel y résista mollement tout en finançant les déficits américains en constante augmentation.

De la « prééminence américaine »...

Ces dimensions structurelles de la puissance expliquent la capacité des États-Unis à changer les règles du jeu ou à faire défection en abandonnant des régimes qu'ils avaient eux-mêmes institués ; cela sans porter atteinte à leurs alliances stratégiques ni même souffrir d'effets pénalisants au plan économique puisque leur dette était (et reste) libellée dans leur propre monnaie. Elles expliquent aussi les effets, intentionnels ou non, produits sur le reste du monde par des décisions souveraines, par exemple le choix de relever brutalement les taux d'intérêt à partir de 1979, qui conduisit à la crise de la dette en Amérique latine et à la « décennie perdue ». Elles rendent compte, enfin, de la capacité qu'ont eue les États-Unis, en conjonction avec les organisations internationales de gouvernance économique mondiale, d'autres États occidentaux et une constellation d'acteurs privés transnationaux, de mettre en place l'agenda de libéralisation financière globale (le « consensus de Washington ») dans les années 1980 et 1990. Ensemble, ils ont exercé des « pressions intenses sur les pays en développement » qui, à des degrés divers selon leur degré d'ouverture et de vulnérabilité, virent leurs systèmes économiques nationaux « remis en question » [1].

La fin de la guerre froide a confirmé et approfondi la domination américaine sur la structure de sécurité internationale tout en ouvrant la voie à un nouveau cycle de mondialisation. Elle fut interprétée comme créant « l'opportunité spectaculaire de redéfinir le rôle global » du pays. Dans « une phase de transition de la politique internationale comparable à la période 1789-1815 », écrivit un haut fonctionnaire en 1992, les États-Unis devaient agir pour « éviter la décentralisation et l'anarchie » en maintenant « un équilibre global des forces favorables aux États-Unis et à leurs alliés », en s'opposant aux « tentatives de la part d'États hostiles de parvenir à l'hégémonie régionale » et en promouvant un « système commercial et monétaire international favorable à la prospérité économique américaine » grâce à la libre circulation des capitaux et des biens [2].

Du point de vue américain, la guerre du Golfe de 1990-1991 fut une démonstration de force permettant aux États-Unis d'affirmer leur autorité, de réaffirmer l'utilité décisive et persistante de l'outil militaire et d'« utiliser le centre pour mettre la périphérie en ordre, tout en utilisant la périphérie pour maintenir leur influence sur le centre [3] ». Nonobstant la baisse importante du budget militaire dans les années 1990, la part mondiale des dépenses des États-Unis a considérablement crû du fait de la chute des dépenses ailleurs. Après 2001, le budget de la défense connut une très forte augmentation. Aujourd'hui, la part américaine oscille selon les sources et les méthodes de calcul entre 41 % et 48 % (si on y ajoute les dépenses de pays alliés, le pourcentage approche les 80 %). Il y eut en même temps expansion de l'OTAN en Europe centrale et orientale. Au plan économique, les États-Unis furent au cœur de la révolution des technologies de l'information et connurent dans les années 1990 une période de croissance soutenue alors que le Japon et l'Europe étaient entrés dans une période longue respectivement de stagnation et de croissance molle. Semblant remettre en cause les modèles de développement dirigistes concurrents, la « crise financière asiatique » de 1997-1998 confirmait la supériorité intrinsèque du système américain. Elle aurait « détruit la crédibilité du modèle de croissance économique japonais ou est-asiatique » et souligné, selon la formule d'Alan Greenspan, alors président de la Réserve fédérale, en 1998, le mouvement « inexorable en faveur du capitalisme de marché ».

---

1 Helen V. Milner et Robert Keohane (dir.), *Internationalization and Domestic Politics*, Cambridge University Press, New York, 1996, p. 24.

2 Alberto R. Coll, « America as the Grand Facilitator », *Foreign Policy*, n° 87, été 1992, p. 47-65.

3 David Hendrickson et Robert W. Tucker, *The Imperial Temptation. The New World Order and America's Purpose*, Council on Foreign Relations, New York, 1992.

En fin de décennie, l'ascendance américaine paraissait telle que les élites de politique étrangère envisageaient une nouvelle période longue de primauté. En 2001, Henry Kissinger écrivait ainsi, de façon emblématique : « À l'aube du nouveau millénaire, les États-Unis jouissent d'une prééminence qui n'a jamais été égalée, même par les plus grands empires du passé. De l'armement à l'esprit d'entreprise, de la science à la technologie, de l'éducation supérieure à la culture populaire, l'Amérique exerce un ascendant sans parallèle sur la planète. » La « prééminence américaine » serait « un fait avéré dans un avenir proche et quasi certain à moyen terme [1] ».

... au monde post-atlantique

Ce pronostic s'est révélé erroné. En effet, on constate aujourd'hui un relatif relâchement de l'emprise des structures évoquées plus haut, et une érosion de la capacité des États-Unis à fixer par la persuasion ou la force des agendas internationaux reflétant leurs préférences. Les raisons, domestiques et externes, conjoncturelles et structurelles, en sont multiples et ne peuvent toutes être déclinées ici.

Soulignons-en trois, essentielles, imbriquées. D'abord, la défaillance des États-Unis qui n'ont pas su ni voulu saisir l'occasion historique présentée par la fin de la guerre froide pour rénover et renforcer les institutions internationales et le droit international et d'en étendre l'emprise. Or les conditions de l'après-guerre froide requéraient précisément une refondation institutionnelle mondiale qui, à l'image de la construction institutionnelle de 1944-1945, aurait légitimé la puissance des États-Unis en l'insérant dans un univers de règles et de disciplines multilatérales. Comme l'écrit Jean-Christophe Graz, « la guerre froide fut une des rares structures historiques à disparaître sans que ne soit défini sur ses cendres un nouvel ordre mondial [2] ». Ensuite, dans le prolongement de ce qui vient d'être dit, la tentation impériale et martiale de l'administration George W. Bush eut des effets contradictoires. Le recours à la force pour discipliner des États indociles ou pour affirmer la primauté a fini par mettre en lumière ce que Bertrand Badie a appelé l'« impuissance de la puissance » dans des conditions de mondialisation postcoloniale. La guerre en Irak, aux coûts directs et indirects dépassant 3 000 milliards de dollars, a non seulement endommagé les finances américaines mais aussi porté atteinte à l'image et l'autorité des États-Unis, accentuant les forces centrifuges sous-jacentes qu'elle était censée prévenir. Au cours de la décennie 2000 on a ainsi constaté l'autonomisation de l'Amérique latine, où des gauches plurielles se sont presque partout

---

1 Henry Kissinger, *Does America Need a Foreign Policy ?*, Simon & Schuster, New York, 2001.

2 Jean-Christophe Graz, « Les pouvoirs émergents dans la mondialisation », *Annuaire français de relations internationales*, vol. 9, 2008, p. 749-762.

affirmées, et un approfondissement de la régionalisation en Asie orientale, s'accompagnant de l'affranchissement de la région par rapport aux institutions financières internationales. En fin de décennie, les mobilisations de masse dans le monde arabe disloquèrent l'« ordre » régional longtemps assuré par les États-Unis.

Enfin et surtout, on a assisté au cours de la période à un rééquilibrage graduel mais historiquement rapide de l'économie mondiale en faveur d'États « développeurs » de taille continentale du « Sud global » (Chine, Brésil, Inde). Ce mouvement s'inscrit dans une temporalité plus longue mais il s'est accéléré dans l'après-guerre froide et a été accentué par la profonde crise économique occidentale de ces dernières années. Comme le Japon et les États-Unis à la fin du XIXe siècle, pays alors « émergents », ces États ont su s'insérer de manière contrôlée dans les flux d'investissement et commerciaux transnationalisés de manière à promouvoir leur développement économique endogène et assurer leur mobilité ascendante dans le système mondial. Contrairement à ce que prévoyait et prescrivait Greenspan, ce sont les États développeurs du « Sud » qui sont en train de réussir leur ascension alors que le « capitalisme de marché » a révélé ses vulnérabilités et ses contradictions.

Tournant historique, la réémergence de plusieurs grandes régions postcoloniales entraîne une remise en question des rapports pyramidaux « Nord-Sud » nés de la révolution industrielle et de l'expansion quasi universelle de l'« Occident ». Très longtemps centré dans et ordonné par le monde euro-atlantique, le système mondial est en voie de décentrement. Ce mouvement de fond est mis en évidence au plan économique par la part croissante du « Sud global » dans le PIB mondial (32 % en parité de pouvoir d'achat en 2010 contre moins de 10 % en 1980), leur rôle de créditeurs mondiaux, et l'augmentation rapide des échanges Sud-Sud. En 2010, un quart du commerce mondial, dont 40 % du commerce mondial des marchandises, concernait les échanges « Sud-Sud », contre 7 % en 1985. L'Asie est au cœur de cette restructuration des flux, représentant à elle seule 80 % des échanges Sud-Sud. La Chine a supplanté les États-Unis comme premier partenaire commercial de nombreux pays du « Sud » et la monnaie chinoise est en voie d'internationalisation. Si le poids politique des pays réémergents reste en deçà de leur poids économique, leur voix au sein des institutions internationales et des clubs (G20) croît graduellement.

Décentrement et éclatement de l'autorité

La transition vers un monde post-atlantique ne signifie pas un « déclin » américain. Les États-Unis restent et resteront sans doute pour longtemps « un État très particulier doté d'une puissance énorme [1] ». Ils possèdent toujours des avantages importants en matière de savoirs et savoir-faire scientifiques et technologiques, et possèdent une économie qui représente plus d'un cinquième du PIB mondial, soutenue par une démographie en expansion. Le dollar demeure pour le moment la monnaie de réserve dominante du monde. Cependant, on est loin aujourd'hui des visions expansives de 1945 ou de l'immédiat après-guerre froide. À l'idée du « leadership global » de la décennie 1990, ou de la vision impériale néoconservatrice extravagante de la première moitié de la décennie suivante, s'est substituée celle, plus modeste et réaliste, d'une gestion pragmatique des évolutions internationales qu'ils ne maîtrisent qu'en partie. Les segments raisonnables et responsables des élites américaines – il en est de très déraisonnables à droite qui rêvent toujours d'un nouveau « siècle américain » fondé sur la force – savent que les États-Unis doivent faire évoluer leur action. Le comportement prudent de l'administration Obama, que ce soit vis-à-vis de la Chine ou des transitions politiques difficiles dans l'aire arabo-musulmane, reflète un constat, réaliste, des limites de la puissance et du besoin incontournable de revitalisation économique du pays. Les États-Unis se sortent certes mieux que l'Union européenne de la « grande récession » grâce aux programmes de relance destinés à soutenir la demande, mais la croissance reste molle, le niveau du chômage élevé, et l'inégalité sociale criante – problèmes aggravés par les clivages idéologiques et politiques profonds et persistants de la société.

L'impératif économique interne, la lassitude de la population devant les aventures martiales extérieures et l'absence de leviers permettant de transformer diverses donnes régionales conditionnent aujourd'hui les choix internationaux. L'administration Obama a ainsi décidé de « diriger par derrière » (*leading from behind*), de réduire la voilure des engagements militaires et de limiter l'interventionnisme aux conflits qui affectent les intérêts « vitaux » américains. Ainsi, en Libye en 2011 comme au Mali en 2013, les États-Unis apportent une aide logistique et de renseignement à des alliés plus directement impliqués, tout en évitant une exposition militaire en première ligne. Suivant une logique conséquentialiste, ils se sont aussi abstenus jusqu'ici de s'impliquer dans la guerre civile syrienne, où ils recherchent une solution diplomatique. Cette politique de limitation du risque et du coût découlant des engagements massifs, qui implique cependant un recours plus fréquent et plus intense aux opérations clandestines (drones, forces spéciales), sera testée au cours des mois et des années à venir en Iran. Sur le dossier stratégique hautement sensible du nucléaire, qui implique d'autres

1 Michael Cox, « The Empire's back in town. Or America's imperial temptation-again », *Millenium : Journal of International Studies*, vol. 32, n° 1, 2003.

acteurs régionaux (Israël, Arabie saoudite), l'administration veut manifestement éviter une guerre aux conséquences imprévisibles, mais n'a pas exclu le recours à la force. Les événements pourraient la dépasser.

Les États-Unis doivent ainsi gérer les effets de leurs propres interventions et engagements passés. Héritiers des empires européens dans le Golfe et le Moyen-Orient, ils ont pendant plus d'un demi-siècle façonné l'« ordre » régional : leur « problème » iranien trouve sa source lointaine dans le coup d'État de 1953 organisé par la CIA et l'allié britannique. Du fait de la résolution improbable des divers conflits dans lesquels ils sont imbriqués au Moyen-Orient et dans le Golfe, ils ajustent leurs politiques au gré des circonstances. Au-delà, la grande question d'avenir est celle de leur adaptation au changement tectonique en cours en faveur des grands pays développeurs du « Sud », de la Chine en particulier. Le « pivot stratégique » vers l'Asie annoncé par l'administration Obama implique un resserrement des liens stratégiques avec le Japon et les alliés, traditionnels et nouveaux (Vietnam), d'Asie du Sud-Est. Il conforte la présence américaine dans l'Asie-Pacifique mais ne constitue pas une réponse durable à la réémergence de la Chine à laquelle les États-Unis sont liés dans une configuration d'interdépendance économique forte.

Le problème que pose la diffusion de la puissance et le mouvement irréversible vers le polycentrisme est celui de l'organisation future du monde. Si les États-Unis ne peuvent plus définir à eux seuls l'agenda global, le manque de leadership et d'autorité de l'Union européenne est encore plus flagrant. Empêtrée dans une crise dont on ne perçoit pas l'issue, prise dans la contradiction persistante du supranational et de l'intergouvernemental, elle erre dans la mondialisation. Pour leur part, les grands acteurs réémergents ne forment pas un ensemble cohérent et sont confrontés à des défis internes importants. Faiblement autonomes, les institutions internationales ne disposent pas de l'autorité et des moyens de se saisir efficacement des divers problèmes globaux. Cet éclatement de l'autorité pose un problème d'action collective et requiert une refondation, une réinvention des règles d'organisation et de régulation mondiales pour asseoir la coopération.

Pour en savoir plus

Andrew Bacevich, *The New American Militarism*, Oxford University Press, New York, 2005.

Philip Golub, *Une autre histoire de la puissance américaine*, Seuil, Paris, 2011.

Charles Wright Mills, *The Power Elite*, Oxford University Press, New York, 2000 [1956].

Stephen M. Walt, *Taming American Power. The Global Response to US Primacy*, W.W. Norton, New York, 2006.

Vers une privatisation de la puissance économique ?

Dominique Plihon
Économiste, Centre d'économie de Paris-Nord

La crise qui a débuté aux États-Unis en 2007, pour se propager à l'économie mondiale, a montré l'existence d'un déficit de régulation dans cette dernière. On peut y voir l'incapacité des marchés à s'autoréguler, ainsi que la perte de pouvoir des États face à la mondialisation. C'est-à-dire un échec conjoint de la régulation privée et de la régulation publique. Ce qui pose la question du pouvoir économique et politique dans le capitalisme mondialisé. L'objet de ce chapitre est d'analyser les transformations et les formes du pouvoir dans le contexte des logiques de mondialisation, de privatisation et de financiarisation.

L'idéologie néolibérale au pouvoir

Pour comprendre cette crise de régulation, il faut analyser les ressorts de la puissance économique actuelle. Les bases de celle-ci ont été posées lors du « grand tournant » des années 1970-1980 qui a marqué le passage des capitalismes nationaux gouvernés par les États à un capitalisme mondialisé, dominé par la finance et les marchés. Ce « grand tournant » a pour fondement idéologique la doctrine néolibérale qui peut être définie comme un ensemble « de discours, de pratiques, de dispositifs qui déterminent un nouveau mode de gouvernement des hommes selon le principe universel de la concurrence [1] ». La doctrine néolibérale est ainsi dénommée car elle se situe dans le prolongement du libéralisme classique défendu par François Quesnay (1694-1774) en France et par Adam Smith (1723-1790) en Angleterre. Le succès du néolibéralisme est la conséquence d'un double effondrement : d'une part, la crise du capitalisme de l'après-guerre, qui remet en question le rôle de l'État et des politiques publiques ; d'autre part, l'effondrement des oppositions organisées, qu'il s'agisse du syndicalisme (le taux de syndicalisation passe de 34,5 % en 1956 à 14,5 % en 1997 aux États-Unis ; il

1 Pierre Dardot et Christian Laval, *La Nouvelle Raison du monde. Essai sur la société néolibérale*, La Découverte, Paris, 2009.

est divisé par trois en France) ou du marxisme, qui a perdu son influence après la destruction du mur de Berlin en 1989.

La doctrine néolibérale va servir de fondement au consensus de Washington, défini au début des années 1990 par les pays du G7 et les organisations internationales (Fonds monétaire international, Banque mondiale et Organisation mondiale du commerce) [1]. L'idée centrale du consensus de Washington est que le mieux-être des peuples passe par l'ouverture des frontières, la libéralisation du commerce et de la finance, la déréglementation et les privatisations, le recul des dépenses publiques et des impôts au profit des activités privées, la primauté des investissements internationaux et des marchés financiers ; en somme, le déclin du politique et de l'État au profit des intérêts privés. C'est dans le domaine monétaire et financier que les effets des politiques néolibérales ont été les plus puissants, conduisant à un renforcement considérable du pouvoir des marchés et des acteurs privés dans l'économie mondiale.

Les relations monétaires internationales sous l'emprise des marchés

Chronologiquement, le processus de libéralisation et de privatisation du pouvoir économique a commencé par affecter les relations monétaires internationales. Dès le début des années 1970, les autorités nationales et internationales ont décidé d'assouplir les règles du système monétaire international jugées trop contraignantes, ce qui a entraîné la fin du régime de Bretton Woods instauré en 1944. Ces règles étaient fondées sur trois principes fondamentaux qui donnaient un rôle important aux États et aux banques centrales : les changes fixes, les contrôles de capitaux et le respect de l'équilibre des balances des paiements. L'abandon progressif de ces règles à partir de 1971 a engendré un nouveau régime monétaire international dans lequel la régulation par les marchés supplante les politiques publiques. L'alimentation en liquidités monétaires internationales est principalement le fait des banques privées installées à la City de Londres (euro-devises). Les taux de change des principales monnaies (dollar, euro) sont fixés par l'offre et la demande sur un marché des changes mondialisé [2]. L'équilibre des balances des paiements n'est plus un objectif des politiques économiques. Aujourd'hui, les relations monétaires internationales sont dominées par les mouvements spéculatifs de capitaux, l'instabilité des taux de change et les déséquilibres parfois abyssaux des balances des paiements. La concurrence et, parfois, la guerre entre les monnaies ont remplacé la coopération monétaire internationale.

1 Joseph Stiglitz, *La Grande Désillusion*, Fayard, Paris, 2002.

2 Dominique Plihon, *Les Taux de change*, La Découverte, coll. « Repères », Paris, 2012.

Le pouvoir exorbitant de la finance

Le capitalisme d'après guerre s'était caractérisé par une régulation publique forte, et par un compromis social qui avait permis un partage négocié des gains de productivité entre salariés et détenteurs du capital. Alors qu'il avait favorisé la croissance et l'emploi pendant la période des « trente glorieuses », ce système économique s'essouffle à partir des années 1970 avec, d'une part, une baisse des gains de productivité et de la rentabilité du capital, et, d'autre part, un processus de « stagflation », c'est-à-dire un ralentissement de la croissance économique couplé à une accélération non maîtrisée de l'inflation. La « révolution néolibérale » des années 1970-1980, dont les grands hérauts furent Margaret Thatcher et Ronald Reagan, a entraîné un changement radical des politiques économiques et a transformé en profondeur les ressorts du pouvoir économique. La libéralisation de l'économie, couplée à la privatisation des entreprises et des banques publiques, a constitué l'axe principal de la réforme des politiques économiques, jugées impuissantes face à la stagflation, avec l'objectif de « libérer l'initiative privée » et de faire du marché et de la concurrence, supposés plus efficaces, les mécanismes principaux de régulation économique.

La montée en puissance de la finance à l'échelle internationale a été l'une des conséquences majeures des politiques néolibérales. On assiste à un basculement systémique vers un nouveau capitalisme dominé par la finance [1]. La taille des marchés financiers internationaux explose : le ratio du volume échangé sur le marché des changes par rapport au commerce mondial des biens et services passe de 2 pour 1 en 1973 à 10 pour 1 en 1980, et à 100 pour 1 en 2010. Autre indicateur du poids de la finance : celui des investisseurs institutionnels qui est devenu considérable dans l'économie mondiale. L'encours global de leurs actifs s'élevait à plus de 65 000 milliards de dollars en 2009, ce qui dépasse le PIB total des principaux pays industrialisés [2]. La croissance de ces actifs, qui a progressé de plus de 100 % de 1990 à 2009, a été extrêmement rapide. La propriété de ces actifs est très inégalement répartie en faveur des pays riches et du premier d'entre eux, les États-Unis, qui en détiennent près de la moitié.

La domination de la finance s'exerce sur l'ensemble des acteurs économiques : les salariés, les entreprises et les États. Cette domination est assurée par une mise en concurrence de ces acteurs à l'échelle internationale par les détenteurs du capital. Dans le capitalisme d'après guerre, les salaires étaient déterminés dans le cadre de négociations de branches entre syndicats et employeurs (privés et publics) à l'échelle nationale. Dans le nouveau

1 Dominique Plihon, *Le Nouveau Capitalisme*, La Découverte, coll. « Repères », Paris, 2009.

2 Selon les statistiques publiées par l'Organisation de coopération et de développement économiques (OCDE) et le Fonds monétaire international.

capitalisme, l'évolution des salaires est très largement conditionnée par la mise en concurrence à l'échelle internationale des travailleurs soumis aux menaces de délocalisation du capital vers les pays à bas salaires. Ce changement de régime salarial, dans le contexte de la mobilité internationale du capital, est à l'origine de la modification du partage de la valeur ajoutée entre salaires et profits, au détriment des salariés, observée dans la plupart des pays anciennement industrialisés. Les politiques de libéralisation du marché du travail, jointes à l'affaiblissement du pouvoir syndical, ont laissé le champ libre à la concurrence et au pouvoir des détenteurs du capital pour la détermination des salaires. Dans le capitalisme financier, le rôle dominant des actionnaires est devenu la règle dans la gouvernance des entreprises.

Paradis fiscaux, paradis réglementaires : les États mis en concurrence

Le pouvoir de la finance s'exerce également sur les États. Il se traduit par un affaiblissement de leurs prérogatives dans les domaines de la fiscalité, des services publics, de la politique industrielle et de la politique monétaire. Il y a d'abord le canal de la concurrence fiscale. Selon un rapport sénatorial français, la concurrence fiscale ferait apparaître plusieurs dangers majeurs [1]. Le premier d'entre eux est l'atténuation de la souveraineté réelle des États : contraints par la concurrence des autres États, les pouvoirs publics ne peuvent plus librement déterminer leur structure de prélèvements obligatoires. La perte de capacité à financer les fonctions collectives, du fait de l'assèchement des recettes publiques, constitue un deuxième danger : la diminution des recettes fiscales rend plus difficile le financement des services publics et des infrastructures. Troisième problème : le risque de voir les systèmes fiscaux nationaux se réformer aux dépens des bases économiques les moins mobiles (salariés, agriculteurs). Enfin, la fiscalité tend à favoriser les revenus thésaurisés (mobiles) au détriment des revenus consommés et de l'investissement, ce qui donne une prime à la rente financière.

On assiste à une tendance générale dans le monde à la baisse de la taxation du capital. L'évolution la plus spectaculaire dans ce domaine concerne la fiscalité des sociétés. Le taux d'imposition sur les bénéfices des sociétés a été réduit de plus de dix points de PIB dans les principaux pays européens de 1990 à 2012. On sait que, avec l'« optimisation fiscale », terme utilisé pour désigner l'évasion fiscale, les entreprises multinationales échappent largement à l'imposition. En déplaçant leurs capitaux vers les pays où les prélèvements obligatoires sont les plus faibles, notamment les paradis fiscaux, les entreprises et les investisseurs contribuent à l'érosion des recettes publiques

---

1 Philippe Marini (rapporteur), *La Concurrence fiscale en Europe : contribution au débat*, rapport d'information, Sénat, 1999.

et à l'affaiblissement des politiques publiques et sociales. Ces stratégies sont une cause majeure de la crise des finances publiques : elles créent, comme on le verra plus loin, les conditions d'une privatisation des services publics.

L'une des prérogatives majeures des États de droit est la régulation de la société et de l'économie. On assiste à un spectaculaire renversement de perspective : non seulement la mise en concurrence des États par les détenteurs du capital tend à affaiblir leur pouvoir réglementaire, selon un processus comparable à celui de la concurrence fiscale, mais ce sont aujourd'hui les marchés financiers et leurs acteurs principaux – investisseurs, agences de notation – qui évaluent les États et contraignent ces derniers à respecter leurs propres normes.

Les investisseurs affaiblissent le pouvoir de régulation des États en pratiquant les « arbitrages réglementaires » qui consistent à placer leurs capitaux dans les territoires où les contraintes réglementaires sont les plus faibles, qualifiés de paradis réglementaires. Ainsi les pays – tels que la Suisse – qui imposent des règles minimales à leurs banques en matière de transparence (secret bancaire) vont-ils attirer des capitaux et contribuer notamment au blanchiment de l'argent sale. D'autres pays – comme les Pays-Bas – qui proposent une réglementation minimale concernant la création des sociétés vont attirer sur leur sol les sièges de nombreuses firmes multinationales qui échapperont ainsi au contrôle exercé par leur pays d'origine.

Banques : la discipline de marché supplante la régulation publique

La régulation des banques est l'un des domaines où le renoncement, souvent volontaire, des États face au pouvoir des marchés apparaît le plus flagrant. Au début des années 1980, dans le contexte des politiques de libéralisation financière, les pays de la Triade – États-Unis, Europe, Japon –, bientôt suivis par certains pays dits « émergents », décident de mettre fin aux réglementations qui administraient l'activité bancaire. C'est ainsi qu'en France ont été supprimés dans les années 1980 l'encadrement du crédit, le contrôle de changes et les taux d'intérêt administrés [1]. La régulation bancaire change de nature et prend la forme de la « supervision prudentielle », dont l'objectif est la prévention des risques bancaires. La supervision prudentielle vise non plus à administrer l'activité des banques mais à l'orienter vers plus de « prudence ».

Cette philosophie néolibérale de la régulation bancaire illustre le basculement des systèmes financiers, largement administrés par les autorités publiques nationales dans le capitalisme d'après guerre, vers un système

1 Dominique Plihon, *La Monnaie et ses mécanismes*, La Découverte, coll. « Repères », Paris, 2013.

financier principalement régulé par les marchés, et qui présente trois différences majeures avec le précédent système. En premier lieu, les normes prudentielles sont désormais édictées au niveau supranational. La principale autorité est le Comité de Bâle sur le contrôle bancaire, créé en 1974 et rattaché à la Banque des règlements internationaux (BRI). Mises en place à partir du milieu des années 1980, les normes du Comité de Bâle – dont la plus importante concerne le niveau minimal des fonds propres des banques – exercent une grande influence sur le fonctionnement des institutions bancaires. Le rôle des autorités nationales de tutelle des banques tend à se réduire progressivement. C'est ainsi que la supervision des banques dans la zone euro vient d'être confiée à la Banque centrale européenne (BCE) à la suite de la mise en place de l'Union bancaire européenne, décidée par le Conseil européen de décembre 2012.

Deuxièmement, le principal ressort de la régulation des banques est la « discipline du marché », c'est-à-dire le contrôle exercé sur ces dernières par les investisseurs, dont une large proportion est internationale [1]. Enfin, les banques sont supposées s'autoréguler. Les grandes banques internationales, très critiques à l'égard des normes prudentielles qui accroissent leurs coûts, ont mené une offensive pour réduire les contraintes imposées par les autorités publiques. C'est ainsi qu'a été institué le « contrôle interne » qui donne aux banques une grande latitude pour gérer elles-mêmes leurs risques avec leurs propres règles. Cette approche néolibérale de la supervision bancaire revient à une privatisation des prérogatives publiques dans la mesure où elle a consisté à transférer la régulation bancaire aux marchés et aux banques elles-mêmes. La crise financière internationale qui a débuté en 2007 n'est pas sans rapport avec ce recul de la régulation publique...

Les États évalués par les marchés

L'aspect le plus spectaculaire de l'affaiblissement du pouvoir des autorités publiques face à la finance est le rôle de « gendarme » que cette dernière exerce désormais sur les États. En sanctionnant les États qui ne mènent pas les politiques conformes à leurs intérêts, les marchés s'érigent en juges et amènent les États à renoncer à des politiques pourtant choisies par les électeurs. La montée des dettes souveraines consécutive à la crise bancaire a mis les États dans la main des marchés. Cette situation est paradoxale, car les acteurs financiers sont les principaux responsables de la crise financière et de la montée des dettes souveraines ! Les agences de notation, qui sont au service des investisseurs et se sont arrogé le droit d'évaluer les dettes souveraines avec des critères purement financiers, décident du bien-fondé de la

1 Le capital des principales banques françaises (BNP Paribas, Société Générale, Crédit Agricole société anonyme) est détenu à plus de 50 % par des actionnaires étrangers.

politique des États et obligent ceux-ci à se conformer à l'orthodoxie financière, au mépris de la démocratie.

Pourtant, il y a beaucoup à dire sur ces gendarmes de la finance internationale. Tout d'abord, le marché mondial de la notation est dominé par deux agences américaines – Moody's et Standard & Poor's – qui jugent les États en fonction des intérêts des investisseurs états-uniens. En 2012, au plus fort de la crise des dettes souveraines, ces deux agences avaient baissé la note de tous les pays de la zone euro, sauf l'Allemagne et la Slovaquie, ce qui a contribué à approfondir la crise de confiance dans l'euro. Pourtant, les agences de notation se sont largement discréditées à l'occasion des crises récentes qu'elles ont été incapables d'anticiper. Ainsi en 2006, à la veille de la crise des *subprimes*, les agences attribuaient la meilleure note – AAA – aux produits financiers structurés fondés sur les créances immobilières des ménages américains dont la valeur allait s'effondrer avec l'implosion de la bulle immobilière...

La construction européenne, laboratoire du néolibéralisme

À ses débuts dans l'après-guerre, l'Europe s'est construite sur la base de politiques publiques communes, telles que la Communauté européenne du charbon et de l'acier (CECA). Le Marché commun, institué par le traité de Rome en 1957, cherchait à bâtir un espace d'échanges communautaire, protégé par un tarif extérieur commun et comportant des politiques publiques communes, notamment la politique agricole commune et les politiques régionales d'aménagement du territoire. Il y avait donc un équilibre relatif entre la régulation publique et la régulation du marché. À partir des années 1980, la construction européenne a changé de nature, sous l'influence du dogme néolibéral.

L'Acte unique adopté en 1986, première étape de cette mutation, transforme l'espace européen en un marché unique, devant permettre la libre circulation des hommes, des biens et services, et des capitaux. L'objectif est d'organiser une mise en concurrence générale des États, des travailleurs et des entreprises à l'échelle européenne. Les politiques publiques communes passent au second plan, ainsi qu'en témoigne la décision de maintenir le budget européen à un niveau très faible, aux environs de 1 % du PIB global des pays membres. L'Acte unique se traduit par un changement radical de paradigme en ce qui concerne les modalités de l'intervention publique avec un retrait de l'État et des autorités publiques nationales et l'ouverture à la concurrence des services publics au nom de l'efficacité [1]. C'est ainsi que la notion de monopole de service public par l'État, qui caractérisait le modèle français dans l'après-guerre, a été remise en cause.

1 Xavier Greffe, *Gestion publique*, Dalloz, Paris, 1999.

Plus largement, l'objectif de ces politiques est de déconstruire le « modèle social européen », en s'attaquant à ses principaux piliers, la protection sociale, la réglementation des rapports de travail et les services publics [1]. L'objectif est de construire un marché européen des « services d'intérêt général » (SIG) régulé à l'échelle de l'espace européen, de manière à soustraire les entreprises et les services publics à l'emprise des États nationaux, suspectés de défendre des intérêts locaux. Inspiré du modèle états-unien du *public management*, ce nouveau paradigme veut faire de la délégation de service public à des acteurs privés le mode dominant de production des SIG, supposé plus efficace que la gestion publique. L'une des conséquences les plus spectaculaires de cette politique néolibérale est la privatisation massive des entreprises publiques dans l'Union européenne, où auront eu lieu plus de la moitié des privatisations réalisées dans le monde au cours des années 1990 et 2000. Autre conséquence de cette politique : le développement rapide des partenariats public-privé, mode de financement par lequel une autorité publique fait appel à des prestataires privés pour financer et gérer un équipement assurant ou contribuant au service public.

Dans ce basculement, le pouvoir de régulation des États membres se trouve affaibli au profit des autorités européennes. La préservation de la concurrence dite « libre et non faussée » est devenue la principale prérogative de la Commission, appuyée par la Cour de justice. La Commission intervient notamment pour limiter la capacité des États membres à aider et subventionner les entreprises. Ce qui amène les États à renoncer à l'une de leurs prérogatives majeures dans le passé, qui est la mise en œuvre de politiques industrielles, pourtant indispensables au développement de l'innovation et de l'appareil productif. En faisant de la concurrence l'axe principal de l'intégration européenne, la doctrine néolibérale n'a pas seulement affaibli le pouvoir de régulation des États membres, elle a également empêché la mise en place de politiques publiques à l'échelle européenne. C'est là une des raisons pour lesquelles l'Union européenne apparaît comme un bateau ivre, sans gouvernail, face la crise internationale qui a débuté en 2007.

Privatisation et dépolitisation de la monnaie

L'union monétaire européenne (UME), instituée par le traité de Maastricht (1992), constitue – à côté de l'Acte unique – le deuxième pilier de la construction européenne. L'objectif est de créer une monnaie unique, pour compléter le marché unique, dans une perspective purement marchande. La principale institution de la zone euro est la Banque centrale européenne (BCE), à laquelle est attribué un statut d'indépendance totale par

1 Christophe Ramaux, *L'État social. Pour sortir du chaos néolibéral*, Mille et une nuits, Paris, 2012.

rapport au pouvoir politique. Les États membres renoncent à leur souveraineté monétaire au profit d'une institution réputée « apolitique », qui n'a pas de compte à rendre aux institutions démocratiques nationales et européennes. Cette indépendance est asymétrique car, dans la pratique, la BCE – aujourd'hui présidée par un ancien haut responsable de la banque Goldman Sachs – est sous la coupe des marchés. Elle définit la politique monétaire de la zone euro principalement dans l'intérêt des banques privées, elles-mêmes gérées en fonction du seul intérêt particulier de leurs actionnaires.

Cette asymétrie de la politique de la BCE est apparue très clairement lors de la crise de la zone euro, à partir de 2009. En effet, d'un côté, la BCE a accordé sans aucune condition des refinancements pratiquement illimités aux banques à des taux très faibles [1]. D'un autre côté, à la différence des banques centrales des États-Unis et du Royaume-Uni, la BCE s'est refusée à intervenir directement sur le marché primaire des dettes souveraines et a conditionné son aide aux États en difficulté à la mise en œuvre par ceux-ci de plans d'ajustement structurels et de politiques d'austérité budgétaire et salariale. En fin de compte, l'UME s'est traduite par une « dépolitisation » et une « privatisation » de la monnaie. Ce qui est illustré par le fait que la construction européenne, découlant du traité de Maastricht (1992), apparaît inachevée sur le plan politique : les concepteurs de l'UME ont institué un pouvoir monétaire unifié entre les mains de banquiers centraux indépendants, mais en réalité proches des marchés, sans se doter d'un pouvoir politique de même échelle territoriale. La crise de confiance dans l'euro, consécutive à la crise des dettes souveraines à partir de 2009, provient de ce que la monnaie européenne n'a pas tous les attributs de la souveraineté monétaire, en l'absence d'un véritable pouvoir politique.

Mise sous tutelle des États par le « Pacte budgétaire »

Pour faire face à la crise de l'euro et des dettes souveraines, la réponse politique des principaux pays européens – sous l'impulsion décisive de l'Allemagne – a été l'adoption en 2011 d'un nouveau traité européen, le Traité pour la stabilité, la convergence et la gouvernance (TSCG), dit aussi « Pacte budgétaire ». L'une des dispositions clés du TSCG est l'obligation faite aux États membres d'inscrire la « règle d'or » de l'équilibre budgétaire dans leur Constitution, ou sous forme de règles juridiques contraignantes. Cette « règle d'or » est instituée au nom de l'impératif catégorique de l'orthodoxie financière, pour rassurer les marchés financiers, devenus les

1 C'est le cas du programme de la BCE *Long Term Refinancing Operation* (LTRO), lancé en décembre 2011, qui consiste en un prêt de 1 000 milliards d'euros sur trois ans au taux de 1 % aux banques de la zone euro.

principaux juges des politiques économiques, comme on l'a vu. Le TSCG est fondé sur des « principes d'automaticité » avec la mise en œuvre de « mécanismes automatiques de correction » des déséquilibres budgétaires et l'application de sanctions quasi automatiques en cas de non-application de la « règle d'or » par les États. Le TSCG accroît le pouvoir de la Commission et des juges de la Cour de justice européenne, chargés de veiller à l'application du traité.

Le TSCG correspond à une radicalisation des principes néolibéraux qui gouvernent la construction européenne. Cette version radicale du néolibéralisme s'inspire de la doctrine ordolibérale, apparue en Allemagne au moment de la grande crise des années 1930. Selon cette doctrine, l'État doit fournir un cadre légal et institutionnel à l'économie et maintenir un niveau sain de concurrence « libre et non faussée » *via* des mesures en accord avec les lois du marché. Avec le TSCG, dernière étape de la construction européenne, les États européens – leurs gouvernements et leurs Parlements élus – perdent un nouveau degré de liberté dans le choix de leurs politiques, désormais asservies à la règle supérieure de l'équilibre budgétaire. Si elles sont susceptibles de rassurer les marchés, ces nouvelles règles constituent un nouvel accroc dans la légitimité démocratique de la construction européenne [1].

La vraie nature de l'État néolibéral

Il y a deux visions du rôle de l'État dans le contexte de la mondialisation. Les défenseurs de la conception néolibérale considèrent que la réforme des politiques publiques et des États, en donnant de plus en plus de place aux acteurs privés et à la régulation des marchés depuis les années 1980, a contribué à accroître l'efficacité économique et à améliorer le bien-être des populations. De leur côté, la plupart des contempteurs de la mondialisation néolibérale déplorent le recul des politiques publiques et prônent le retour d'un État fort, garant de l'intérêt général. Ces deux positions semblent ignorer les transformations qui ont affecté le rôle et la nature des États dans le contexte de la mondialisation, à la suite du grand tournant néolibéral des années 1980.

Le néolibéralisme se distingue du libéralisme, défenseur du laisser-faire, par le fait qu'il prône une certaine forme d'intervention publique, en vue de réaliser le programme du marché, l'État devant lui-même se réorganiser sur un mode concurrentiel. S'il délègue aux acteurs privés et au marché son pouvoir économique, l'État néolibéral n'hésite pas à recourir à un certain dirigisme pour imposer ses réformes. Dans la réalité, l'État néolibéral est un État souvent fort, autoritaire et interventionniste, et non un « État minimal » selon l'idée souvent véhiculée par les libéraux, et par certains milieux

1 Les Économistes atterrés, *L'Europe maltraitée*, Les liens qui libèrent, Paris, 2012.

progressistes et altermondialistes. Les promoteurs les plus ardents du néolibéralisme – Margaret Thatcher, George W. Bush, Nicolas Sarkozy – ont tout mis en œuvre pour renforcer le pouvoir de l'État en cherchant à affaiblir et à asservir tous les contre-pouvoirs : les syndicats, les médias, la justice ou l'université, où les sciences sociales sont une source de l'analyse critique du système, sont asphyxiés et neutralisés par les réformes. Le caractère dirigiste des interventions publiques se vérifie encore plus au niveau supranational. Les plans d'ajustement structurels imposés par le FMI et la Banque mondiale, et récemment dans l'Union européenne, procèdent d'une logique particulièrement autoritaire et peu démocratique.

Mais l'emprise de l'État néolibéral ne s'arrête pas à l'économie ; elle va bien au-delà et agit également sur les personnes et sur la société. Il s'agit là d'un interventionnisme d'État beaucoup plus insidieux, qualifié de « gouvernementalité » par Michel Foucault [1]. Toutes les formes de pression sont mises en œuvre pour amener les individus à se comporter comme s'ils étaient engagés dans des relations de transactions et de concurrence sur un marché [2]. Les institutions (hôpitaux, universités...) sont contraintes d'agir comme des entreprises et d'être rentables. Les salariés du secteur public (infirmières, postiers, enseignants, policiers...) sont sommés d'épouser cette rationalité néolibérale, ce qui vide de sens leurs métiers, et contribue à un nombre croissant de suicides et de maladies professionnelles.

Enfin, l'État néolibéral est « prédateur » selon l'expression de James Galbraith [3]. Des relations étroites de collusion ont été tissées entre les gouvernants et les élites économiques et financières, qui sont à l'origine de scandales retentissants. Galbraith montre comment s'est déployée aux États-Unis une véritable politique de prédation qu'il définit comme « l'exploitation systématique des institutions publiques pour le profit privé ». En France, deux ministres successifs du Budget ont dû démissionner, soupçonnés de conflits d'intérêts, par les liens qu'ils ont entretenus avec certains milieux financiers... Les administrations et les régulateurs publics ont été capturés par les milieux économiques. Les décisions de l'État, notamment dans les domaines de la fiscalité et de la réglementation, sont influencées par l'action souterraine du lobbying, très puissant à Washington, Londres ou Bruxelles. Cette logique a été poussée le plus loin dans le secteur financier qui, responsable de la crise mais renfloué sans contrepartie, continue de capter une part considérable de la richesse. L'absence de réformes financières significatives en Europe et par le G20

1 Michel Foucault, *Naissance de la biopolitique*, Seuil/Gallimard, Paris, 2004.
2 Pierre Dardot et Christian Laval, *La Nouvelle Raison du monde*, *op. cit.*
3 James Galbraith, *L'État prédateur*, Seuil, Paris, 2009.

illustre la volonté politique de ne pas remettre en cause le pouvoir de la finance mondialisée.

Ainsi, l'opposition État/marché, qui est au cœur des grilles d'analyse traditionnelles, est remise en cause par le fonctionnement de l'État néolibéral. L'État néolibéral et ses élites sont au service – et sous la dépendance – du marché, contribuant ainsi au processus de privatisation du pouvoir économique.

Vers une recomposition internationale de la puissance économique

L'analyse présentée dans ce chapitre concerne principalement les pays de la Triade (États-Unis, Europe, Japon), qui ont constitué le centre du capitalisme mondial. Ces pays sont affaiblis par la crise qui prend ses racines au cœur même de leur modèle de développement financiarisé. Il en résulte une modification des rapports de pouvoir à l'échelle internationale en faveur des puissances économiques émergentes, situées hier à la périphérie. Ces nouvelles puissances, souvent regroupées sous le terme de BRIC, relèvent de capitalismes très différents du capitalisme néolibéral qui s'est imposé dans les pays de la Triade. Bien que relativement hétérogènes, les BRIC ont pour point commun d'attribuer un rôle économique important à l'État qui gère des entreprises publiques, mène des politiques industrielles actives et n'hésite pas à contrôler les capitaux.

À l'affrontement entre deux systèmes économiques opposés – capitalisme et socialisme – qui prévalait avant la chute du mur de Berlin en 1989, tend à se substituer en ce début de XXIe siècle une concurrence non moins féroce entre pays avancés et pays émergents. Ces groupes de pays, obéissant à des régulations économiques différentes, se livrent à une lutte sans merci pour accéder aux ressources rares ou pour contrôler les grands groupes industriels et financiers. Une nouvelle répartition de la puissance économique se dessine à l'échelle internationale.

Pour en savoir plus

Gérard Duménil et Dominique Lévy, *Crise et sortie de crise. Ordre et désordres néolibéraux*, PUF, coll. « Actuel Marx Confrontations », Paris, 2000.

El Mouhoub Mouhoud et Dominique Plihon, *Le Savoir et la Finance. Liaisons dangereuses au cœur du capitalisme contemporain*, La Découverte, Paris, 2009.

Les économistes atterrés, *20 ans d'aveuglement, L'Europe au bord du gouffre*, Les Liens qui Libèrent, Paris, 2011.

Les Enjeux de la mondialisation, vol. I, II et III, La Découverte, coll. « Repères », Paris, 2013.

Permanences et métamorphoses de la puissance militaire à l'horizon 2020

Olivier Zajec
Chargé de recherches, Institut de stratégie et des conflits – Commission française d'histoire militaire (ISC – CFHM)

> Ils prirent un cerf d'une grosseur prodigieuse ; les parts faites, le Lion parla ainsi : « Je prends la première ; parce que je m'appelle Lion ; la seconde, vous me la céderez, parce que je suis vaillant ; la troisième m'appartient, parce que je suis le plus puissant ; quant à la quatrième, malheur à qui la touche ! »
>
> Phèdre, *Fables*, livre I, V.

Le Puissant se meut dans l'arène internationale en valorisant ses normes et en défendant ses intérêts, tout comme les acteurs de rang inférieur. Il se distingue toutefois de ces derniers en agissant, tel le lion de la fable, d'une manière beaucoup plus autonome, voire totalement indépendante. Cette liberté d'action privilégiée se déploie dans le cadre d'un jeu à somme nulle car, pour maximiser ses prises de gain et ses gages de sécurité, une puissance « majeure » estime souvent nécessaire de dissuader, voire de *contraindre* ses concurrents ou adversaires en leur déniant une autonomie politico-stratégique d'un niveau comparable à la sienne. Pour le spécialiste des relations internationales Serge Sur, la puissance correspond ainsi à une capacité positive et négative, car elle est, tout à la fois, « capacité de faire ; capacité de faire faire ; capacité d'empêcher de faire ; capacité de refuser de faire [1] ». La langue anglaise, quand elle distingue *potency* de *power*, semble refléter ce composé de force dissuasive et de force contraignante dont l'équilibre même *conditionne* la notion même de puissance. Pour un État donné, la *perception* que les autres acteurs ont de la qualité de cet équilibre devient donc un enjeu essentiel de crédibilité : jusqu'à un certain point, la puissance sera aussi fonction de l'efficacité d'une *mise en scène*.

1 Serge Sur, *Relations internationales*, Montchrestien, Paris, 2000, p. 229.

Une crinière, aussi flamboyante soit-elle, ne suffit pourtant jamais tout à fait. Au lion, il faut des griffes s'il veut être respecté. C'est pourquoi la force *militaire* – qui produit un effet protecteur dissuasif tant qu'elle a la possibilité éventuelle d'exercer une coercition externe – apparaît à ce point indispensable aux « puissances » soucieuses de leur indépendance et du maintien de leur liberté d'action dans l'ordre international. Ceci explique aussi que la force armée conserve un rang traditionnellement élevé dans la liste des critères qui définissent la marge de manœuvre souveraine d'un État, aux côtés de la santé économique, du rayonnement culturel, du savoir-faire technologique ou de la cohésion sociale interne. L'état du monde lui-même concourt à cette centralité de la composante militaire de la puissance : en 2012, dans son exercice de prospective intitulé « Horizons stratégiques », la Délégation aux affaires stratégiques (DAS) française estime que les relations internationales pourraient « connaître une augmentation globale du niveau de la conflictualité au cours des trente prochaines années, favorisée notamment par la transition géopolitique en cours ainsi que par une multiplicité de facteurs potentiellement crisogènes, de long terme (accès aux ressources, déséquilibres démographiques et économiques, effets du changement climatique, pérennité du phénomène terroriste, etc.) [1] ».

Cette rémanence des conflits, que l'analyste des relations internationales ne peut que constater, rend d'autant plus nécessaire de définir avec soin le vocable de « puissance militaire ». À quoi correspond-il exactement dans un monde où les rapports de force – et les moyens matériels qui les incarnent et les soutiennent – ont profondément changé depuis la fin de la guerre froide ?

La puissance militaire, entre formats théoriques et efficacité opérationnelle réelle

La puissance militaire dépend d'une péréquation entre deux variables : le format des forces armées d'une part ; la qualité de ces dernières d'autre part. Si l'on se contente de prendre uniquement en compte le format, le risque est grand de continuer à bâtir des hiérarchies militaires en trompe-l'œil : lors de la guerre du Golfe de 1991, l'Irak avait été qualifié de quatrième armée du monde, classement que son « ordre de bataille » théorique pouvait alors justifier, mais que l'entraînement insuffisant de ses soldats, la qualité discutable de ses matériels pléthoriques et la science opérative questionnable de son état-major rendaient illusoire. Plus près de nous, en 2013, l'Armée populaire de libération (APL) chinoise est encore forte de 2 285 000 soldats, ce qui en fait la première du monde en termes d'effectifs, alors que dans le même temps l'armée américaine culmine à « seulement » 1 414 000 hommes. Il ne

1 Délégation aux affaires stratégiques, « Horizons stratégiques », <www.defense.gouv.fr/das>, 2012.

viendrait pourtant à personne l'idée d'avancer – pour le moment du moins – que la Chine dispose d'une puissance militaire plus importante que celle des États-Unis, première puissance maritime, aérienne et spatiale de la planète. Troisième exemple : la force aérienne de combat pakistanaise, avec plus de 500 aéronefs, peut sembler actuellement l'une des plus redoutables d'Asie du Sud, en mesure de soutenir la comparaison avec l'Inde, numériquement parlant. L'étude des modèles qui la composent en majorité, du Chengdu J-7 chinois au vieux Mirage III, révèle cependant un retard technologique réel par rapport à la flotte indienne, ce qui pondère cette importance numérique.

Même si, nous y reviendrons, le format n'est aucunement à négliger, on constate que les indicateurs qui comptent le plus dans la définition moderne d'une puissance militaire nationale sont : la modernité des capacités détenues, le professionnalisme et l'entraînement des soldats recrutés, le niveau du budget de défense rapporté aux ambitions affichées, ainsi que la solidité et l'autonomie de la base industrielle et technologique de défense (BITD) considérée. Loin d'insister sur la seule force des gros bataillons, qui pouvait sembler presque exclusive dans l'œuvre théorique de Mao Zedong par exemple, le chercheur chinois Hai Ping proposait dès 1998 de hiérarchiser les armées mondiales selon le modèle suivant : « La puissance militaire (*junshi shili*) = la capacité des forces armées (*jundui shili*) + la technologie militaire (*junshi keji*) et les capacités de l'industrie d'armement (*junshi gongye shili*) + les capacités globales du pays (*guojia zhengti shili*, en particulier la croissance économique) [1]. » Cette combinatoire qualitative est plus ou moins intériorisée par tous les acteurs majeurs des relations internationales.

Les mutations du champ de bataille global : rattrapage symétrique et déni d'accès

Parallèlement à l'appréciation « qualitativiste » croissante de la puissance militaire, on observe aussi une mutation des opérations guerrières. Historiquement, des guerres napoléoniennes à la guerre du Golfe, le combat en « terrain ouvert » a consacré de manière écrasante la supériorité des forces occidentales et, particulièrement à l'époque contemporaine, celles des États-Unis. L'expertise logistique, la capacité à imposer le rythme de la manœuvre et une puissance de feu dissymétrique sont les fondements de cette supériorité. Elle perdure encore, comme la séquence inaugurale *Shock and Awe* (« choc et effroi ») de la seconde guerre d'Irak l'a montré en 2003. Cependant, cette domination guerrière est en partie relativisée par plusieurs phénomènes, qui tendent à redessiner les modes d'incarnation et d'usage de la puissance militaire contemporaine.

---

1 Hu Angang, « Liu Taoxiong, Zhong Mei Ri, Yin guofang shili bijiao », *Zhanlüe yu guanli*, n° 6, 2003, p. 40-45.

En premier lieu, on constate que la préoccupation commune des pays émergents, mais aussi des États « non coopératifs » du concert international multipolaire – la Corée du Nord nucléarisée de Kim Jong-un en offre un exemple frappant en 2013 – est de poursuivre souverainement les objectifs qui leur sont propres, en se garantissant contre toute ingérence militaire directe des « puissances morales » ou proclamées telles. Dans le même temps, ces acteurs « réticents » savent fort bien la vanité d'une opposition armée classique aux forces occidentales (comme l'ont montré l'armée irakienne balayée en 1991 et 2003, les défenses libyennes neutralisées puis détruites en 2012, ou les colonnes djihadistes immédiatement dispersées en janvier 2013 par l'opération Serval au Mali). Les choix militaires qui leur restent sont donc pour la plupart « décalés » vers le haut ou le bas du spectre des capacités militaires. Vers le haut : développer des programmes d'armes nucléaires, bactériologiques ou chimiques ; vers le bas : s'appuyer sur des entités non étatiques irrégulières et développer une capacité de guérilla en terrain difficile (villes, montagnes), reposant sur des schémas « asymétriques » (capacités rustiques, résultats stratégiques), visant à « user » et « décourager » les troupes de stabilisation qui auront pénétré le territoire, en jouant d'un *storytelling* médiatique délégitimant l'« occupation », afin d'émouvoir l'opinion publique des pays occidentaux ; investir, également, dans les techniques de cyberguerre.

Pour autant, croire que la guérilla asymétrique « rustique », l'offensive cybermédiatique ou les armes « sales » constitueraient forcément l'intégralité des possibilités de dissuasion des acteurs « rebelles », « contestataires », « décalés » ou mis au ban des relations internationales, qu'ils soient étatiques ou non étatiques, serait une erreur. La tendance lourde consiste plutôt, si l'on prolonge les courbes actuelles, à un *rattrapage symétrique*, c'est-à-dire à l'acquisition généralisée de capacités militaires conventionnelles de haute intensité. Ce que craignent réellement les puissances traditionnellement dominantes, à commencer par les États-Unis, c'est que ce rattrapage alimente l'émergence de stratégies de « déni d'accès ». Cette expression, qui fait actuellement l'objet d'une abondante production théorique aux États-Unis [1], correspond à la capacité – en particulier pour des pays ne disposant pas de la dissuasion nucléaire et devant se contenter de moyens conventionnels – de s'opposer de manière défensive mais néanmoins efficace à toute tentative d'intrusion dans leur espace territorial ou régional, *y compris* de la part d'une grande puissance militaire. Pour y parvenir, acquérir des avions de combat performants ou des sous-marins modernes serait une solution. Reste que,

1 Roger Cliff, « Anti-access measures in Chinese defense strategy », CT-354, Testimony presented before the U.S.-China economic and security review commission, RAND Corporation, 27 janvier 2011.

pour des raisons budgétaires, tous les acteurs ne peuvent pas se le permettre. Néanmoins, il existe encore pour eux une niche de « dissuasion conventionnelle » à haute valeur ajoutée : la défense antiaérienne, qui vise à contrer la supériorité aéronautique des grandes puissances.

La stratégie serbe durant la guerre du Kosovo en 1999, fondée sur une défense sol-air mobile, relevait précisément d'une stratégie dissymétrique d'« anti-accès », beaucoup plus que d'une stratégie « asymétrique ». La résistance de Belgrade, assez efficace dans l'ensemble, a été décortiquée pendant dix ans dans d'autres états-majors, de l'Iran à la Chine. Aujourd'hui, le succès à l'export du système antiaérien russe S-300 et les tentatives de Washington d'en limiter la vente aux États émergents soulignent le rapport coût-efficacité attractif du sol-air de dernière génération, même contre les avions américains les plus modernes (F-35, F-22 Raptor). Le « déni d'accès » devrait à l'avenir prendre différentes formes (missiles sol-air, mais aussi armes antisatellites, cyberattaques) et, dans le cadre d'un État « perturbateur », pourrait aller – si l'on en croit le Pentagone – jusqu'à menacer les « espaces de liberté » communs à tous les pays du monde (cyberespace, espace extra-atmosphérique, haute mer, détroits stratégiques) que la centrale de production conceptuelle américaine a baptisés du terme de *global commons* [1].

La seconde grande mutation de l'exercice guerrier à l'époque contemporaine est étroitement liée au rattrapage symétrique qui vient d'être décrit : il s'agit de l'évolution du *profil* des interventions militaires extérieures. Après une parenthèse unipolaire d'ingérence marquée par l'*hubris* néoconservatrice de l'administration Bush, le mode d'emploi de la « projection de puissance » fait en effet l'objet d'interrogations dans les chancelleries et les états-majors, frappés par l'inutilité relative de dix années d'opérations en Irak et en Afghanistan. Malgré les dénégations peu crédibles de certains experts, tous les rapports de prospective constatent l'échec de la théorie de la « contre-insurrection » et de la croyance en la possibilité de « gagner les cœurs et les esprits » dans un pays tiers, sans avoir au préalable défini un objectif réaliste sur le plan politique [2]. La planification opérationnelle doit en fait s'accompagner d'une planification politique excluant l'imposition d'une « démocratie » transformée en une idéologie ethnocentriste coercitive. Il ne peut y avoir d'engagement militaire sans *exit strategy* laissant la place à un transfert rapide des responsabilités sécuritaires aux forces locales *via* un dispositif d'assistance opérationnelle allant du conseil et de la

---

1 Voir Abraham M. Denmark, « Managing the global commons », *CNAS Commentary*, Center for a New American Security, 30 juin 2010.

2 Hervé Coutau-Bégarie et Olivier Zajec, « La guerre irrégulière dans l'Histoire et dans la théorie », *in* Hew Strahan, Didier Danet et Christian Malis (dir.), *La Guerre irrégulière*, Economica, Paris, 2011, p. 17-36.

fourniture d'équipement jusqu'à la participation ponctuelle à des actions de combat de première ligne avec les forces soutenues.

A posteriori, l'expression de « guerre contre le terrorisme globalisé », induisant des objectifs moraux unilatéraux, apparaît comme un cul-de-sac stratégique. La confusion a été reconnue par le président Barack Obama lui-même, lorsqu'il a finalement conclu en 2011 qu'il était inutile de proclamer une guerre contre un « mode d'action », car cela ouvrait sur des interventions sans réflexion géographique, culturelle et humaine préalable, et donc sans limites temporelles. Si le « terrorisme » est un ennemi insaisissable, les combattants irréguliers utilisant des méthodes terroristes sont en revanche bien réels : à condition d'être envisagés de manière spécifique en fonction de leur culture, de leur région, et de leur environnement politique, ils peuvent être combattus [1].

Les réponses des puissances militaires traditionnelles

Inefficacité relative du *nation-building* contre-insurrectionnel, montée en puissance symétrique de l'armement des acteurs étatiques et non étatiques, « déni d'accès » mis en œuvre par les États émergents les plus entreprenants : les grandes puissances militaires se trouvent confrontées à une remise en cause des présupposés stratégiques qui fondaient leur culture opérationnelle. Les puissances traditionnelles sont-elles pour autant menacées ?

La détention de la dissuasion nucléaire, pour des pays comme la France ou les États-Unis, semble écarter la possibilité d'une invasion de leur territoire par une puissance étatique quelle qu'elle soit. Cependant, si elle neutralise le conflit général entre grandes puissances, la dissuasion ne peut aucunement éradiquer les conflits conventionnels à l'échelon régional. Ces derniers seront-ils seulement « limités » ? Un conflit entre la Corée du Nord et le Japon, une montée aux extrêmes dans le détroit de Taïwan ou une guerre entre Téhéran et Riyad, tout à fait possibles, seraient très peu « asymétriques » [2]. En Afrique même, continent de guerres réputées « limitées [3] », un flux d'armes de plus en plus performantes s'intensifie, durcissant les conflits. À New Delhi, Pékin, Brasilia, Ankara, Téhéran ou Islamabad, le « déni

1 Olivier Zajec, « Au Mali, l'inusable refrain de la guerre au terrorisme », *Le Monde diplomatique*, février 2013.

2 Jean-François Sabouret, « Chine/Japon, l'inévitable poussée nationaliste ? », *Diplomatie*, n° 60, janvier-février 2013, p. 23.

3 Les « guerres limitées » ne le sont souvent que pour la puissance dominante dans le conflit. La guerre du Vietnam, conflit « limité » selon les stratégistes américains, fut une guerre absolue pour les Vietnamiens. Cette expression est donc très critiquable du point de vue stratégique car elle tend à brouiller la perception des motivations et du potentiel sacrificiel d'un des deux adversaires.

d'accès » n'est pas une fin en soi, mais une étape : posséder à terme une aviation de combat moderne, une flotte de satellites de géolocalisation ou une force de sous-marins modernes est considéré comme un objectif stratégique dans le cadre d'une quête acharnée d'autonomie et de maîtrise technologique. Les voies de cette ascension par paliers sont bien entendu différentes selon les moyens et l'importance régionale des pays considérés : il peut s'agir d'acquisitions compétitives avec transferts de technologie ou bien de programmes locaux facilités par une collaboration technique Sud-Sud, mais, en fin de compte, tous partagent la même ambition : obtenir à terme le respect précautionneux des grandes puissances.

Un chef d'état-major des armées françaises tirait la conclusion de ces tendances il y a quelques années : « La perspective est désormais d'être amenés à s'engager dans des conflits aux résultats incertains et aux enjeux forts pour notre propre sécurité. Dans ces conflits, nous serons très probablement opposés à des adversaires qui bénéficieront, quel que soit leur mode d'action, conventionnel ou asymétrique, de ce qu'il faut bien appeler le pouvoir égalisateur de la technologie, à rebours des idées les plus répandues à ce sujet. La frappe d'une frégate israélienne par un missile du Hezbollah [en 2006 au Liban] en est assurément un exemple emblématique. Il est bien incontestable que la situation dans laquelle nous nous trouvons est plus préoccupante que beaucoup de celles que nous avons connues dans les dernières décennies [1]. » À rebours des analyses de certains *think-tanks* prophétisant l'avènement d'une ère de conflits purement asymétriques, la guerre semble donc devoir continuer à mêler des interventions de « stabilisation » ou d'interposition à des actions classiques d'affrontement de haute intensité.

Pour pallier cette mutation des conflits, les puissances militaires traditionnellement détentrices de ce que l'on pourrait appeler le « monopole de l'interposition légitime » – celles de l'Alliance atlantique en particulier – souhaitent garder « leur » asymétrie propre, celle de l'avance technique. Pour autant, elles ne se reposent plus uniquement sur le « rouleau compresseur » de la technologie tel que l'envisageait la « Révolution dans les affaires militaires » (RAM), corps de doctrine stratégique technocentrée né aux États-Unis dans les années 1990, sous l'influence de l'Office of Net Assessment d'Andrew Marshall. Les états-majors – particulièrement en Europe – rappellent que la puissance militaire est une convergence entre les systèmes d'armes et les systèmes d'hommes, et qu'elle ne saurait être réduite à une simple « stratégie des moyens ». La détention et l'emploi générique de technologies et de plateformes aériennes, terrestres et maritimes, aussi évoluées

---

1 Général Jean-Louis Georgelin, chef d'état-major des armées, intervention au colloque « Paix et défense », 5 février 2007.

soient-elles, ne peuvent plus aboutir à un résultat opérationnel efficace sans des personnels dotés d'initiative et d'une culture stratégique autonome.

Le cas des pétromonarchies du Golfe est intéressant à observer de ce point de vue : elles détiennent un matériel sophistiqué importé dont leurs armées ne maîtrisent pas réellement l'emploi, et sont forcées d'utiliser des personnels étrangers pour les encadrer. Cet exemple montre que la composition brillante d'un ordre de bataille et le niveau d'un budget de défense ne reflètent pas à eux seuls l'autonomie guerrière d'un acteur étatique, ni son efficacité opérationnelle réelle.

La puissance militaire dépendra dans l'avenir de l'innovation conceptuelle – tactique et stratégique – et de l'aptitude à faire usage de tous les milieux, de toutes les composantes et de toutes les capacités. Ce savoir-faire interarmées induit des processus de planification complexes et une coordination interarmées bien maîtrisée – un art dans lequel les forces américaines et françaises se distinguent particulièrement. Un tel accomplissement nécessite une mise en réseau permanente des grandes unités, l'acquisition de systèmes modernes de commandement et de contrôle (C2), et l'emploi de drones et de satellites pouvant à la fois relayer les communications et assurer une permanence du renseignement (fonctions ISR : intelligence, surveillance, reconnaissance). L'armée de l'air française, dans un document de doctrine de 2007, met en lumière cette importance de l'information et de la mise en réseau dans la guerre moderne : « La supériorité des moyens ne suffit pas à garantir la supériorité opérationnelle. L'objectif est d'accélérer le rythme de la chaîne décisionnelle et d'accroître l'efficacité globale en fonction des effets recherchés [...]. La maîtrise de l'information représente ainsi un véritable multiplicateur de forces et d'efficacité opérationnelle [...]. La mise en réseau généralisée des capteurs des systèmes d'armes et des hommes, aujourd'hui réalisable, doit permettre aux décideurs de disposer d'une information enrichie et pertinente permettant de gagner la supériorité opérationnelle [1]. »

Il paraît presque inutile de le préciser : une telle maîtrise n'est réservée qu'à un nombre limité d'États : malgré le rattrapage symétrique que nous évoquions, une barrière technologique empêche encore que la liste des grandes puissances militaires ne s'élargisse réellement au-delà d'une petite dizaine de pays.

Panorama des grandes puissances militaires en 2014

Le développement accéléré des technologies, la diffusion des savoirs, l'accès de tous aux formations scientifiques de haut niveau ont,

1 Document de présentation de l'armée de l'air publié par le SIRPA en 2007, repris *in Concept de l'armée de l'air*, Département édition du SIRPA air, Rochefort, septembre 2008.

depuis la fin de la guerre froide, considérablement accéléré le processus de prolifération des armes, qu'elles soient conventionnelles ou de destruction massive. Aux anciennes puissances nucléaires (Chine, Russie, États-Unis, France, Royaume-Uni) s'ajoutent, malgré le Traité de non-prolifération, de nouveaux acteurs nucléaires avérés (Inde, Pakistan), proliférant (Corée du Nord), ou « soupçonnés » (Israël). Demain, l'Arabie saoudite, l'Iran, la Turquie, le Japon, qui progressent de manière fulgurante du point de vue de la qualité de leur armement conventionnel, pourraient prétendre au statut de « puissances nucléaires » reconnues [1].

Il ne faut cependant pas oublier que la dissuasion nucléaire – le domaine de la stratégie dite « non conventionnelle » – dépend conceptuellement de la détention simultanée d'une force conventionnelle puissante, qui « hausse » le seuil d'utilisation du nucléaire, en le réservant à la défense ultime des nations. La bombe ne suffit donc pas : c'est l'équilibre entre non-conventionnel et conventionnel qui caractérise une puissance militaire *réelle*. Cette dernière se doit également de pouvoir intervenir de manière autonome à l'extérieur de ses frontières pour défendre un allié ou stabiliser une région stratégique. De ce point de vue, et dans cet ordre, les grandes puissances militaires mondiales en 2014 restent encore les États-Unis, la Chine, la France, la Russie et le Royaume-Uni.

Bien qu'en perte de vitesse sur le plan géopolitique depuis la crise financière de 2008, les États-Unis dominent toujours indubitablement la hiérarchie des puissances militaires mondiales. Selon l'Institut international de recherche sur la paix de Stockholm (SIPRI), le financement annuel du Pentagone s'établit en 2013 à environ 700 milliards de dollars [2]. Washington concentre 41 % des dépenses de défense de la planète, là où la Chine ne compte que pour 8,2 % du total. La puissance américaine est pour le moment la seule à jouir d'une domination dans tous les compartiments stratégiques. Sur terre, sur mer ou dans les airs, le Department of Defense (DoD) peut compter sur des *services* (Army, Navy, Air Force, Marine Corps) dont les matériels sont à la fois plus modernes, plus nombreux et mieux servis que ceux des autres puissances. Dans le seul domaine naval, comme le rappelait il y a peu un secrétaire à la Défense américain, « les États-Unis exploitent onze porte-avions de grande taille, tous à propulsion nucléaire. En termes de taille et de

1 Le Japon est déjà technologiquement reconnu comme un pays du « seuil » nucléaire, c'est-à-dire technologiquement apte à se doter d'une arme atomique s'il le décidait. L'Arabie saoudite et la Turquie pourraient être incitées à évoluer de la sorte si la communauté internationale devait échouer à dissuader l'Iran de se doter de la bombe. Téhéran, dont les intentions de ce point de vue demeurent peu lisibles, entretenant doutes et soupçons sur sa stratégie.

2 Stockholm International Peace Research Institute, « Military Expenditures », *SIPRI Yearbook 2012, Armaments, Disarmament and International Security*, Stockholm, 2012.

puissance de frappe, pas un seul pays ne possède ne serait-ce qu'un seul navire comparable ; l'US Navy possède dix navires amphibies qui peuvent servir de bases flottantes pour des hélicoptères et des avions à décollage vertical. Aucune autre marine n'en a plus de trois, et tous appartiennent à des marines amies ou alliées. Notre marine peut embarquer deux fois plus d'avions que le reste du monde entier. Nous avons cinquante-sept sous-marins nucléaires d'attaque dotés de missiles de croisière, davantage que l'ensemble du monde entier réuni. [...] En termes de missiles embarqués, nous surclassons à nous seuls les vingt marines suivantes [1] ». L'espace et le cyberespace, nouveaux milieux stratégiques « lisses [2] », sont également dominés par les États-Unis, qui mènent par ailleurs la course en matière de défense antimissile, et dont la maîtrise de l'intégration interarmées est inégalée. Pour autant, les coupes à venir dans le budget du Pentagone, dont les effets se feront durablement sentir (467 milliards de dollars d'économies annoncés d'ici 2025, sans doute beaucoup plus en réalité), laissent présager une rétraction des dispositifs américains à l'échelle mondiale (bases et installations locales) [3].

La Chine, quant à elle, ne cesse de progresser sur le plan militaire. Elle annonce un budget de défense de 76 milliards de dollars en 2012, montant que les Américains estiment à un niveau réel de 150 milliards environ. Elle est très bien dotée en missiles de longue portée, sa force aérienne compte 1 570 chasseurs et elle vient de dévoiler un programme d'avion de combat de dernière génération, le J-20. Sa défense antiaérienne est une des plus denses du monde. Sa progression la plus impressionnante concerne l'espace militaire et surtout la marine. La marine chinoise, la deuxième plus importante du monde derrière celle des États-Unis, inquiète tous ses voisins qui constatent parallèlement l'intensification des revendications frontalières de Pékin (îles Senkaku, Spratleys, Paracels). Comme le montre le nouveau Livre blanc chinois de la Défense publié le 16 avril 2013, la réflexion stratégique actuelle de Pékin est particulièrement riche et dynamique : face à l'avance américaine en matière de technologie de défense, les stratèges militaires et les stratégistes civils chinois examinent des options nouvelles et des chemins de traverse ou de contournement qui réinterrogent les modes d'incarnation de la puissance armée au XXIe siècle.

---

1 « Remarks as delivered by Secretary of Defense Robert M. Gates », Navy League Sea-Air-Space Exposition, Gaylord Convention Center, National Harbor, Maryland, 3 mai 2010.

2 Laurent HENNINGER, « Espaces fluides et espaces solides : nouvelle réalité stratégique ? », *Revue Défense nationale*, n° 753, octobre 2012.

3 Voir Uri FRIEDMAN, « America's shrinking military footprint in Iraq and Pakistan », *The Atlantic Wire*, 20 septembre 2011 ; et Carlo MUÑOZ, « Panetta says Pentagon will drop base closure plans for fiscal year 2013 », *The Hill*, 6 août 2012.

En Europe, la France est reconnue comme une puissance militaire complète et crédible. En 2009, la revue spécialisée *Jane's Defense Weekly* lui attribuait le deuxième rang des grandes puissances militaires mondiales, en raison de l'excellence de ses forces d'intervention, de l'indépendance de sa dissuasion nucléaire et de sa maîtrise des meilleures technologies de l'armement terrestre, maritime et aérien. Ce classement flatteur, que les interventions en Libye en 2011 et au Mali en 2013 justifient en partie, pourrait cependant être bouleversé : entre 2009 et 2013, la défense française a perdu 5 milliards d'euros et les effectifs ont été réduits de 70 000 hommes. Le Royaume-Uni, quant à lui, dispose encore d'un budget important de près de 40 milliards de dollars, mais ses capacités les plus stratégiques (aviation de combat, sous-marins) semblent se fragiliser. Certains analystes estiment en outre que sa dissuasion nucléaire, qui dépend de sa coopération avec Washington, n'est pas réellement indépendante. Signe des temps et d'une cure d'austérité appelée à durer, la Royal Navy vient d'ailleurs d'abandonner le premier rang naval européen à la Marine nationale française. Une mention spéciale doit être réservée à l'Allemagne : ne disposant pas de la même culture d'intervention extérieure que Paris et Londres, ni de l'arme atomique, elle n'est pas considérée comme une puissance militaire majeure. Reste que son outil industriel de défense est moderne et exportateur, ses soldats bien entraînés et que, contrairement aux perceptions dominantes, elle a fait des choix pertinents en termes stratégiques dans les secteurs qui l'intéressent. Berlin, dont la santé économique fait la capitale dominante en Europe, pourrait ainsi ravir à Paris la première place européenne en matière d'armement spatial dès 2015.

La Russie, puissance toujours nucléaire et spatiale, a quant à elle augmenté ses dépenses militaires de près de 10 % depuis 2011, dépassant la France et le Royaume-Uni pour la première fois depuis 1990. D'ici 2020, Moscou, qui demeure un grand exportateur d'armes, veut avoir remplacé 70 % de ses équipements datant de la période soviétique. Une remontée en puissance s'observe donc, qui inquiète en Europe de l'Est et que la Chine surveille avec attention. Parler de « renaissance » serait néanmoins exagéré. Sur le plan humain, l'état de l'armée russe reste préoccupant, bien que la guerre en Géorgie de 2008 ait redonné confiance aux militaires.

Malgré de nombreuses vicissitudes, le « podium » des puissances militaires a donc peu changé en apparence depuis la fin de la guerre froide. Pourtant, de grands bouleversements s'annoncent. Le basculement du monde se fait vers l'Asie. La Chine par ambition, l'Inde par réaction, le Japon par dissuasion font tous de la défense l'une de leurs priorités actuelles. Alors que les nations du Sud-Est asiatique cherchent à Washington des garanties contre les prétentions territoriales chinoises [1], le dernier Livre blanc de Pékin cible sans ambiguïté la stratégie américaine : « Certains pays ont renforcé leurs alliances militaires en Asie-Pacifique, étendu leur présence militaire dans la région et rendent fréquemment la situation plus tendue [2]. » Ailleurs en Asie, des acteurs émergents – Turquie, Iran, Malaisie – sont en passe d'accéder à un statut militaire de premier ordre. La hiérarchie militaire mondiale ne restera pas longtemps épargnée par cette nouvelle gravitation. Dans la *Defense Strategic Review* présentée par l'administration Obama en janvier 2012, la priorité des États-Unis n'est plus l'Europe ou le Golfe, mais bien l'endiguement des appétits de puissance de Pékin, dont les dépenses militaires ont augmenté de 500 % depuis 1995.

L'Europe ? Au bout de leur péninsule, les alliés de l'OTAN, « consommateurs » d'une défense portée à bout de bras par Washington, se retrouvent confrontés à de nouvelles responsabilités dans ce monde en mutation et devraient envisager la résurrection de cette « Europe de la défense » qui ne ressemble pour le moment qu'à une virtualité éternelle. Mais le Vieux Continent en crise a-t-il encore la volonté suffisante pour s'engager dans cette voie ?

Pour en savoir plus

Éric Bussière, Isabelle Davion, Olivier Forcade et Stanislas Jeannesson (dir.), *Penser le système international XIXe-XXe siècles. Autour de l'œuvre de Georges-Henri Soutou*, Presses universitaires de Paris-Sorbonne, Paris, 2013.

Hervé Coutau-Bégarie, *Traité de stratégie*, Economica, Paris, 2011 [7e éd.].

Department of Defense (États-Unis), *Sustaining U.S. Global Leadership : Priorities for 21st Century Defense*, janvier 2012 (disponible sur <www.defense.gov>).

Ministère de la Défense (France), « Livre blanc. Défense et sécurité nationale », Direction de l'information légale et administrative, Paris, 2013 (disponible sur <www.gouvernement.fr>).

Stockholm International Peace Research Institute, *SIPRI Yearbook 2012 : Armaments, Disarmament and International Security*, Oxford University Press, Oxford, juillet 2012.

1 Benoît d'Aboville, « 2008-2012 : les nouveaux enjeux stratégiques », *Revue Défense nationale*, n° 745, décembre 2011, p. 55.

2 François Bougon, « La Chine révèle la structure de son armée », *Le Monde*, 16 avril 2013.

Démographie et puissance : le nombre fait-il la force ?

Youssef Courbage
Directeur de recherches à l'Institut national d'études démographiques (INED)

Entre démographie et puissance, il existe des liens, mais ils ne sont pas mécaniques. La dynamique démographique (croissance et structures) peut conforter la puissance d'une nation, mais elle peut lui être nuisible. Le contexte, géographique, économique, social et culturel, est essentiel pour saisir ces liens et mettre en évidence le poids réel de la démographie sur la puissance. Des affirmations péremptoires comme le « nombre fait la force » devraient être bannies jusqu'à preuve du contraire.

Démographie et puissance : une relation complexe

Pour bien jauger les effets de la démographie sur la puissance, l'analyse sur le court terme reste insuffisante. Seuls des scénarios à moyen (cinquante ans) ou à long terme (cent ans) permettent de mesurer les tendances démographiques lourdes, leurs effets positifs ou négatifs, leurs répercussions sur la puissance, et d'appréhender les pressions aux regroupements supranationaux. On s'accorde communément à penser que la population engendre la puissance, mais on pourrait tout autant inverser le sens de ce lien. La puissance stimule la démographie. Par l'attractivité migratoire, bien sûr, et indirectement par l'augmentation de la croissance naturelle (naissances moins décès). Le nombre et la vigueur démographiques n'expliquent pas, à eux seuls, la puissance des nations. La démographie s'articule et interagit avec d'autres facteurs, politiques et économiques, qui font la puissance.

Voyons par exemple comment les Nations unies prennent le nombre en considération. Le Conseil de sécurité en 2013, comme à sa création en 1946, ne compte toujours que cinq membres influents (permanents), dont la puissance, réelle ou imaginée, a peu à voir avec la démographie. Hormis la Chine (1,4 milliard d'habitants) et les États-Unis (330 millions), les autres membres font pâle figure par leur taille (France, Royaume-Uni) ou leur asthénie démographique (Russie). La plupart des géants démographiques actuels

(Indonésie, Brésil, Pakistan, Bangladesh) ou à venir (Nigéria, Mexique, Iran, Égypte, Turquie) brillent par leur absence.

Un modèle conceptuel de liaison entre démographie et puissance pose de réelles difficultés. On peut parler de corrélation, de corrélation imparfaite, mais pas de liens de causalité. Pour le spécialiste des relations internationales Hans Morgenthau, une population nombreuse est un attribut de la puissance. Mais ce n'est qu'un attribut parmi d'autres, la taille du territoire et le dynamisme économique, entre autres, jouant évidemment un rôle central.

Les exceptions à cette norme démographique sont légion. Le Qatar (200 000 nationaux pour 1,9 million d'habitants) ne fait pas le poids en termes démographiques face, par exemple, à l'Égypte (85 millions). Pourtant, en terme de puissance, on exagère à peine en les mettant *ex aequo*. Il y a bien sûr la disproportion économique criante qui permet au petit émirat de rayonner dans le monde, grâce à Al-Jazeera notamment, alors que l'Égypte reste engluée dans ses problèmes de fécondité exagérément élevée et de pression intolérable sur la terre. Qui aurait aujourd'hui l'idée de qualifier l'Indonésie de « première puissance musulmane » ? L'Indonésie est certes le plus « grand » pays musulman du monde par sa démographie (247 millions), mais non par sa puissance, diminuée par la modestie de son économie, son caractère excentré, son insularité... Au palmarès de la puissance dans l'ère « musulmane », l'Arabie saoudite, l'Iran, la Turquie ou l'Égypte, tous beaucoup moins peuplés que l'Indonésie, paraissent bien mieux placés.

En détaillant les composantes de la dynamique démographique (nombre et structures), on voit l'effet ambivalent des paramètres démographiques sur la puissance. Un taux d'accroissement rapide peut mener la population vers une taille jugée meilleure en termes d'occupation de l'espace, de densité, de population et de puissance. Mais ce taux va augmenter la pression sur les ressources et les finances, et requérir des « investissements démographiques » lourds au détriment des « investissements économiques ». De la même façon, une urbanisation accélérée favorise la croissance économique et l'élévation du niveau d'instruction – des atouts de la puissance –, mais elle peut être à l'origine de désordres politiques et de dégradation écologique. L'immigration internationale conforte la puissance démographique, économique et militaire, mais peut susciter des tensions à caractère « ethnique » lorsque la diversité est mal perçue par une majorité de la population dite « de souche ».

Une pyramide des âges jeunes, souvent considérée comme un atout en matière de puissance, peut peser sur l'économie et sur le marché de l'emploi si les autorités ne parviennent pas à satisfaire la demande de travail des nouvelles générations. Le ralentissement de la croissance démographique peut à l'inverse conforter la puissance d'une nation, en améliorant la

« qualité » de la population, notamment ses performances éducatives et culturelles. Ce ralentissement porte cependant en germe le vieillissement démographique, considéré unanimement comme un facteur négatif de la puissance (quoique la question semble plus complexe qu'il n'y paraît).

Le nombre a de tout temps concerné les hommes de pouvoir souvent moins soucieux du bien-être de leurs populations que préoccupés par la force démographique qui leur permet de lever des armées nombreuses. Il s'agit là d'une idée ancienne, sur laquelle s'est notamment penché Ibn Khaldûn au XIVe siècle. L'accroissement de la population, par le truchement de la division du travail et de l'accroissement du potentiel économique, augmente la force militaire d'une nation. Les philosophes des Lumières étaient favorables à la croissance démographique qui conforte la puissance, car le nombre est, entre autres, un atout majeur pour la manœuvre militaire. Aujourd'hui, cette vision populationniste-militariste n'a pas vraiment disparu bien que d'autres facteurs de puissance militaire semblent prendre le pas (notamment l'innovation technologique : bombes « intelligentes », virus informatique, drones...). La mobilisation de centaines de milliers de soldats américains et de *contractors* privés durant les guerres en Irak ou en Afghanistan nécessite une population nombreuse.

Si elle semble souvent aller de soi, la vision populationniste n'a en réalité jamais fait l'unanimité. Elle a notamment été battue en brèche par l'économiste et pasteur Thomas Malthus (1766-1834) et par un prémalthusien chinois de la même époque, Hong Liang Ki (1746-1809), pour lesquels la croissance démographique n'est synonyme ni de prospérité ni de puissance, mais de désolation et de misère. La réflexion contemporaine hésite. Hans Morgenthau est peut-être le plus affirmatif lorsqu'il affirme qu'aucun pays ne peut rester ou devenir une puissance de premier plan s'il ne fait pas partie des nations les plus peuplées de la terre. Mais les succès incontestables du néomalthusianisme contemporain en Asie, en Amérique latine, dans le monde arabe et en Afrique subsaharienne montrent la victoire tardive de Malthus sur Jean Bodin (1529-1596), pour lequel « il n'y a richesse ni force que d'hommes ».

Le panorama démographique mondial : démographie et puissance au XXIe siècle

Le XXIe siècle sera certainement marqué par des recompositions et des décompositions des entités étatiques actuelles. En raison des défis, notamment démographiques, auxquels ces entités seront confrontées, certaines d'entre elles se regrouperont. D'autres, sous des pressions centrifuges, pourraient se disloquer, éclater en morceaux, à l'instar de l'Inde, de l'Union soviétique, de la Yougoslavie ou du Soudan. Aussi, certains scénarios portent sur des entités à géométrie variable. Dans le développement qui va suivre, nous étudierons successivement le cas de deux géants démographiques (la Chine et l'Inde), de deux entités déterminantes dans l'économie de la puissance (l'Europe et l'Amérique du Nord) et de deux importants ensembles géopolitiques (le « monde musulman » et l'Afrique subsaharienne).

Chine et Inde : des hyperpuissances démographiques aux pieds d'argile. La Chine aligne beaucoup d'atouts de la superpuissance : une population de 1,4 milliard d'habitants, un vaste territoire, une croissance économique annuelle voisine de 10 %, une projection vers l'extérieur par l'exportation de produits peu coûteux, une armée abondante en ligne avec sa puissance démographique et dotée de l'arme nucléaire. Des faiblesses aussi, comme l'insignifiance de la diffusion mondiale de la langue chinoise et, curieusement, sa démographie qui, après l'avoir hissée au premier rang mondial, devient son talon d'Achille. Si sa politique malthusienne extrême est maintenue, la Chine régresserait à 800 millions en 2100, voire 500 millions, une population de surcroît très vieillie [1]. L'abrogation de cette politique – hypothèse la plus réaliste – avec remontée de la fécondité de 1,6 à 2,0 enfants par femme, ne pourra infléchir la tendance ; la diminution sera toujours là, de 1,4 à 0,9 milliard. Mais les effets délétères de la politique démographique chinoise vont au-delà de ces deux chiffres. Le vieillissement s'emballe : les « seniors » (65 ans et plus) représentent 8 % de la population aujourd'hui, mais seront près de 30 % dans un siècle. Dans ce pays où les garçons restent valorisés par rapport aux filles, contrôle des naissances signifie surtout contrôle des naissances féminines, supprimées dans le ventre de la mère, au moyen de l'échographie et de l'amniocentèse. Aujourd'hui, le rapport de masculinité des naissances chinoises s'élève à 118-120 (contre 105 en situation normale). Aussi, des cohortes d'hommes en surnombre vont se déverser sur le marché matrimonial, constituant ainsi un autre facteur de fragilité qui ébranle la superbe de la démographie chinoise.

L'Inde sera-t-elle mieux lotie ? Elle pourrait tirer gloire d'être en passe de devenir pays le plus peuplé de la planète. En 2100, avec 1,5 milliard d'habitants, sa population dépassera de 65 % celle de la Chine. Les nationalistes indiens – comme ceux du monde entier, pour qui le nombre est synonyme de puissance – seraient fiers de dépasser l'empire du Milieu, lequel, jusqu'à Mao, se vantait de sa démographie. Malgré les failles de la puissance chinoise, l'Inde est pourtant moins bien partie dans la course pour le leadership mondial. Le pays compte trop de ruraux (69 %, contre 49 % en Chine), un taux de pauvreté trop important (avec un PNB *per capita* deux fois moindre

---

1 United Nations Population Division, « World population prospects as assessed in 2010 », <esa.un.org>, New York, 2011.

qu'en Chine) et un taux d'analphabétisme important pour les hommes comme pour les femmes (respectivement 18 % et 35 %, contre 4 % et 10 % en Chine). À cela s'ajoute le système de castes, qui bride la croissance économique. En 2060, l'Inde ne fournira que 18 % du PIB mondial, contre 28 % pour la Chine qui sera pourtant moins peuplée. L'Inde subira bientôt les contrecoups des succès de sa transition démographique. Elle commencera à perdre des habitants dans cinq décennies (deux pour la Chine) et vieillira inexorablement : les 5 % de seniors deviendront 27 %. Quoique plus discrètement que la Chine, l'Inde s'est elle aussi lancée dans la suppression des fœtus féminins (masculinité des naissances de 111).

Puissances démographiques de second ordre : Europe et Amérique du Nord. Les XVIIIe et XIXe siècles ont été marqués par des regroupements d'États, comme les États-Unis. Au XXe siècle, l'Union européenne, inaugurée par la Communauté économique du charbon et de l'acier (CECA), a pu s'édifier et compte vingt-huit pays à ce jour. Il n'y a pas de raison pour qu'elle s'arrête en si bon chemin et que les processus enclenchés pour faire face aux nombreux défis, notamment démographiques, en viennent à s'arrêter. On peut concevoir une géométrie variable, allant dans le sens de l'élargissement pour faire face à la compétition des deux hyperpuissances démographiques ou même à la compétition propre aux États-Unis et à l'Europe.

Rien ne permet de mieux jauger le marasme démographique du Vieux Continent qu'une comparaison avec les États-Unis. Ces derniers réunissent tous les atouts de la puissance au sens de Morgenthau : l'immense territoire, l'économie dominante, les forces armées surdotées en hommes et en matériel, capables de se projeter sur tous les continents. Ils disposent en outre d'autres leviers de puissance inégalables, d'ailleurs interconnectés : l'universalité de la langue anglaise et le *soft power* qui la suit.

Une perspective de long terme permet de révéler les faiblesses actuelles et de suggérer des pistes pour y remédier [1]. Beaucoup plus peuplée en 2013, l'Europe des Vingt-Huit sera fatalement rattrapée, avec sa courbe descendante et celle ascendante des États-Unis.

L'extrapolation des tendances séculaires au regroupement, fondée sur l'adage « l'union fait la force », permet de penser que l'Europe des Vingt-Huit – qui compte actuellement 509 millions d'habitants – sera aiguillonnée par la crainte des hyperpuissances démographiques (même si leur croissance ralentit) et du dynamisme états-unien (dont les effectifs sont moins impressionnants mais en augmentation rapide). Il s'agit peut-être de peurs

1 Nous nous intéresserons ici aux cent prochaines années, mais il est arrivé que les Nations unies aillent jusqu'à l'an… 2300. En tout état de cause, ce ne sont évidemment pas des chiffres au million près auxquels il faut s'attendre mais à des ordres de grandeur.

imaginaires, irrationnelles, mais qui peuvent susciter des mouvements centrifuges par effet boule de neige. En poursuivant son élargissement, l'Europe pourrait s'étendre jusqu'à couvrir l'ensemble de l'Europe géographique (elle compterait alors, avec les chiffres actuels, 740 millions d'habitants). Si l'intégration de la Serbie (9 millions), de l'Albanie (3 millions), du Kosovo (2 millions), de la Macédoine, du Monténégro ou de la Moldavie, pourrait se révéler aisée, comme pour la Bulgarie ou la Pologne, celle de l'Ukraine (44 millions en 2013) et *a fortiori* de la Russie (142 millions) pourrait faire grincer des dents. Les réticences seraient surmontées à la fois par les pays intégrants et intégrés, au vu des bénéfices économiques, géostratégiques et symboliques qu'un tel élargissement engendrerait. Certes, ces considérations peuvent paraître chimériques à l'heure où certains, à l'UE, parlent de sécession (Grande-Bretagne), que la récession menace et que sa monnaie unique est remise en question. Mais les horizons pourraient s'éclaircir dans un avenir proche.

La supériorité actuelle de l'UE – près de deux fois plus peuplée que les États-Unis – ne garantit pas à l'Europe un avantage pérenne sur les États-Unis. En un siècle, l'écrasant dynamisme démographique américain permettra d'atteindre le demi-milliard (504 millions), tandis que la population européenne déclinera irrémédiablement, même si elle conserve un léger avantage, d'ailleurs éphémère. Les Américains engrangeront les bénéfices d'une fécondité plus élevée que celle des Européens. Avec 2,08 enfants par femme (contre 1,59 en Europe), le taux de fécondité aux États-Unis assure le renouvellement des générations. Plus ouverts, les Américains reçoivent deux fois plus d'immigrants que les Européens (taux net d'immigration de 3,1 ‰ contre 1,5 ‰). Plus nombreuse, la population américaine sera aussi plus diversifiée. En 2050, les « autochtones » blancs (46 %) ou noirs (15 %) seront talonnés par les Hispaniques (30 %) et les Asiatiques (9 %). On note là un net décentrage par rapport à l'Europe des pères fondateurs et un repositionnement sur le monde stimulé par les nouveaux flux migratoires.

Ces tendances contrastées ont de sérieuses implications géopolitiques. Le processus étant déjà engagé, l'Europe pourrait bientôt renoncer pour de bon à être le « centre du monde », et accepter de devenir une « grande Suisse [1] » en se pliant à la suprématie américaine. Si, à l'inverse, elle tient à conserver son statut de puissance mondiale, elle devra s'élargir, non seulement à l'Est mais aussi au Sud, et créer un ensemble étatique fort à côté des États-Unis, de la Chine et de l'Inde. Pour qu'elle puisse peser sur les destinées du monde, il ne suffira pas qu'elle intègre des États à l'Est et dans les Balkans. Le courage démographique sera d'intégrer des pays proches – la Turquie ou le bloc des

1 Hubert Védrine, « Vers une nouvelle planète », Exposé introductif, *Revue Défense nationale*, 24 janvier 2013.

pays du Maghreb –, de faire le saut de l'Europe à l'Euro-Méditerranée. L'idée n'est ni absurde, au regard du spectaculaire rapprochement démographique de part et d'autre de la Méditerranée, ni récente, les empires romain, byzantin, arabe, ottoman ayant par le passé réussi à rassembler les deux rives pour de longs siècles.

Malgré les réticences, les possibilités d'adhésion de la Turquie à l'Union européenne sont réelles. Sa participation au Conseil de l'Europe y est pour quelque chose, mais peut-être plus encore le fait que l'Empire ottoman a longtemps été, dans les faits, une dyarchie turco-grecque. Le poids démographique et le dynamisme économique de la Turquie empêcheraient l'Europe de plonger, mais de peu, sous celui des États-Unis. En 2100, l'écart sera infinitésimal et l'équilibre démographique fragile – un écart de 28 millions, qui sera rapidement comblé, dès les premières décennies du prochain siècle. Pour d'autres raisons que pour la Turquie, l'adhésion du Maroc n'a cessé d'être repoussée depuis 1987. Pourtant, le Maroc et le Maghreb central apporteraient à l'Europe autant d'atouts que la Turquie. Certes, la Turquie est plus riche. Mais, au point de vue linguistique et culturel, le Maghreb est encore plus proche de l'Europe. L'apport de sa démographie serait essentiel.

Forte de cet apport, l'Europe pourrait garder un confortable avantage démographique sur les États-Unis, même si ceux-ci, réagissant à un tel élargissement de l'Europe et s'inspirant de la construction européenne, se fédéraient avec le Canada et le Mexique, transformant l'ensemble des pays signataires de l'Accord de libre-échange nord-américain (ALENA). Dans un tel scénario, l'ensemble « Euro-Méditerranée » compterait dans un siècle encore 142 millions d'habitants de plus qu'un ensemble « Amérique du Nord ».

La puissance démographique du « monde musulman » : un épouvantail. Le « monde musulman » fait peur. Selon le théoricien du « choc des civilisations », Samuel Huntington, la « résurgence de l'islam » ces dernières décennies a été attisée par des taux d'accroissement démographique spectaculaires [1]. La polémiste italienne Oriana Fallaci, quant à elle, disait à propos des musulmans qu'ils se « multiplient comme des rats [2] ». Selon cette logique, la croissance démographique des musulmans serait à l'origine de nombreuses malédictions, la poussée des jeunes de 15-24 ans constituant en particulier le terreau fertile du fondamentalisme, de l'insurrection et des migrations sauvages. Là où la croissance économique renforce les gouvernements asiatiques, la démographie « musulmane » constituerait une menace tant pour les gouvernements des pays concernés que pour les sociétés non

1 Samuel Huntington, *Le Choc des civilisations*, Odile Jacob, Paris, 1997.

2 Oriana Fallaci, *La Rage et l'Orgueil*, Plon, Paris, 2002.

musulmanes. Le « monde musulman » exhiberait sa puissance, une puissance maléfique, image inversée des puissances bienfaisantes de l'Occident ou de l'Asie.

Cette vision caricaturale impose plusieurs bémols. Regroupant 1,6 milliard de personnes, la population « musulmane » est certes nombreuse. Ce dernier chiffre est pourtant un agrégat statistique d'autant plus composite et dispersé que la notion de « musulman » recouvre des réalités sociologiques extrêmement variées. L'« Islam » est affaibli par ses conflits internes, latents ou déclarés. Sa puissance économique – hormis quelques pays pétroliers – reste marginale. Sa force militaire également, avec des armées parfois largement fournies en hommes, mais sous-équipées.

Toutefois, le phénomène le plus notable est le recul inéluctable de la démographie « musulmane », celle-là même qui fait sa puissance, à en croire Huntington. Pour les pays musulmans les plus peuplés (Indonésie, Pakistan, Bangladesh, Égypte, Turquie et Iran qui regroupent les deux tiers des musulmans du monde [1]), la prospective démographique est sans appel. Après une légère augmentation, un irrémédiable déclin. Il faut donc fortement nuancer les assertions catastrophistes et le fantasme d'un choc des civilisations nourri par l'explosion démographique de l'islam et son « *youth bulge* » (explosion de la jeunesse). Il est vrai que, par le passé, le poids absolu et relatif des jeunes (15-24 ans), en croissance exponentielle dans le « monde musulman », laissait présager de graves dysfonctionnements au moment où les marchés de l'emploi se rétractaient. En Iran, par exemple, le nombre des 15-24 ans a quintuplé entre 1965 et 2005, passant de 15 % à 26 %. Mais la bulle se dégonfle rapidement ces dernières années et les jeunes musulmans ne seront plus que 10-11 % en 2100, autant qu'en Europe ou en Amérique du Nord.

L'Afrique subsaharienne : seule puissance démographique ? L'Inde, la Chine, l'Europe, les pays musulmans : tous ces pays ou groupes de pays présentent des symptômes de recul démographique. L'Amérique du Nord constitue une exception. Mais où aura lieu la croissance démographique du monde, qui gagnera 3 milliards d'individus au cours du siècle ? Une partie importante de cette croissance démographique sera le fait de l'Afrique subsaharienne. Il s'agit de quarante-trois pays, dont les niveaux de développement sont très disparates [2]. Quoi de commun entre l'Afrique du Sud et la République démocratique du Congo (RDC) dont les PNB par tête s'élèvent

1 Le Nigéria ne figure pas dans la liste, sa population étant pour moitié chrétienne et animiste, et pour moitié musulmane.

2 Sans la Mauritanie (Afrique du Nord), le Soudan du Sud, la Réunion, l'île Maurice.

respectivement à 10 360 et 320 dollars ? À quelques exceptions près pour de petits pays, la pauvreté absolue sévit partout.

Hormis l'Afrique australe, dont la population sera aussi peu nombreuse dans un siècle que maintenant, partout ailleurs, en un siècle, ce sont des multiplications d'une autre échelle auxquelles il faut s'attendre. De 0,3 à 1,7 milliard en Afrique de l'Est, de 0,3 à 1,6 en Afrique de l'Ouest, de 0,1 à 0,4 en Afrique centrale. Conséquence de la modernisation de ces pays (instruction, urbanisation, tertiarisation...), la forte baisse de la fécondité prévue, avec le passage des cinq enfants aujourd'hui à 2,2 à la fin du siècle, ne saurait être un frein suffisant à la croissance, tant l'inertie démographique (*momentum*) est forte dans les pays subsahariens.

Malgré l'importance et la croissance de sa population, l'Afrique subsaharienne ne pourra pas s'imposer comme puissance mondiale. Elle est éclatée en de nombreux États – sièges réels de la puissance – et des regroupements sont difficiles à anticiper dans l'avenir proche. Aussi, sa démographie pourrait être un handicap plus qu'un atout. Pour faire face à la croissance de sa population, l'Afrique subsaharienne devrait augmenter son épargne domestique, faute de recourir à l'aide internationale de plus en plus mesurée. Or, du fait de ses structures d'âge, le taux d'épargne y est modeste. Elle doit également consacrer une part élevée de ses ressources aux investissements démographiques – scolarisation, santé... – qui sont destinés à faire simplement face à l'accroissement du nombre, laissant la part congrue aux investissements économiques, susceptibles de développer la base productive de l'économie et le niveau de vie des populations. Une économie de survie est largement incompatible avec une économie de puissance. Une économie dépendante, également.

Enjeux démographiques et puissance à petite échelle : Israël et Palestine

Les exemples abondent, de l'Irlande du Nord au Xinjiang, de conflits locaux, d'enjeux de puissance où la démographie pèse lourdement. La « bataille du nombre », la « guerre des berceaux », l'« imprégnation migratoire » font partie des stratégies éprouvées de domination ou de résistance. Par son caractère exemplaire, et par le poids disproportionné qu'il a sur la scène mondiale, le conflit israélo-palestinien requiert un traitement privilégié. Il nous donne surtout un aperçu intéressant de la façon dont les enjeux de démographie et de puissance peuvent être corrélés. C'est pourquoi nous proposons d'évoquer ce cas en détail pour clore cet article.

Né avant 1948, poursuivi depuis et, dans des conditions nouvelles, après 1967, le projet israélien est fortement populationniste. La puissance démographique s'affirmait d'abord par l'immigration, les Juifs du monde entier étant invités à regagner la terre d'Israël. Il s'appuie aujourd'hui de plus en plus sur la fécondité : avoir le plus grand nombre d'enfants pour peupler la terre, et pour garantir le caractère juif de l'État en dépit d'un système démocratique qui peut potentiellement le remettre en cause par voie électorale. Obsession des Juifs ultra-orthodoxes et religieux, cette volonté a gagné l'ensemble de la société, à tel point que la fécondité juive en Israël est aujourd'hui à un record de trois enfants par femme, atypique à ce niveau de développement.

Pour les Palestiniens, quel moyen de contrer une démographie expansionniste ? Ils ne jouissent naturellement d'aucun pouvoir en matière d'immigration, bien au contraire. La seule méthode à leur portée fut de pratiquer la « guerre des berceaux », bien rendue par Yasser Arafat, qui réclamait du couple palestinien douze enfants : deux pour les parents et dix pour la cause palestinienne. Cependant, après une forte remontée durant la première *intifada* (1987-1993), la fécondité des Territoires occupés et des Palestiniens d'Israël n'a cessé de diminuer, alors même que, pour les Israéliens, elle augmentait avec une régularité de métronome.

Comment définir de manière concrète ces enjeux démographiques dans l'exercice de la puissance ? Si l'on place dans la balance la population juive d'Israël et celle du monde arabe (et *a fortiori* musulman), la puissance devrait pencher du côté arabe, ce qui n'est évidemment pas le cas : déséquilibre des forces militaires, déséquilibre du capital de sympathie de la communauté internationale en faveur d'Israël, déséquilibre du *soft power*. Il en va de même si l'on se situe dans le « Grand Israël » où l'on pronostique le dépassement de la population juive par les Palestiniens en 2021, ou même dès 2011 [1].

Les enjeux réels de pouvoir se situent en Cisjordanie (et à Jérusalem-Est). Aujourd'hui, l'avantage du nombre est pour les Palestiniens. Mais les Israéliens y détiennent toutes les cartes démographiques de l'avenir, sans compter tous les autres atouts de la puissance : territoire, économie, forces armées. Face à des Palestiniens en désarroi démographique, du fait de la chute de la fécondité et de l'accroissement de l'émigration hors de Palestine, les colons israéliens triomphent sur l'un et l'autre plan. En 1977, on ne recensait que 41 000 colons et enfants de colons ; ils sont 560 000 aujourd'hui. L'immigration y a contribué. Mais l'immigration n'explique pas tout. La fécondité dans les colonies, pourtant très élevée, augmente encore. Dans les colonies de Cisjordanie (sans compter Jérusalem-Est, ou la fécondité des colons est encore plus forte), elle est passée de 4 enfants par femme début 1990 à 4,5 début 2000 et à 5,1 en 2011, beaucoup plus que les 3,8 des Palestiniens de Cisjordanie, censés recourir à l'arme démographique. En Israël/Palestine, les problèmes de ces zones de friction sont les plus épineux et potentiellement dévastateurs. Les populations palestinienne et israélienne

1 « Palestinians to outnumber Jewish population by 2020 », *Haaretz*, 1er janvier 2013.

en Cisjordanie croissent à des rythmes disparates : fortes différences de fécondité et des migrations positives pour les colons, négatives pour les Palestiniens. Si rien n'est fait pour changer la donne – comme c'est le cas jusqu'ici –, le nombre de colons dépassera 1,7 million en 2048, le tiers de la population de la Cisjordanie. Dans ce cas d'espèce, il ne fait pas de doute que la démographie conforte la puissance. Le pouvoir des colons, déjà considérable, ira *crescendo* au détriment à la fois des Palestiniens et des autres Israéliens vivant de l'autre côté de la Ligne verte (la ligne de démarcation datant de la fin du conflit israélo-arabe de 1948).

Pour en savoir plus

IBN KHALDÛN, *Discours sur l'histoire universelle : al-Muqaddima*, Actes Sud, Arles, 2000.

Hans MORGENTHAU, *Politics among Nations : The Struggle for Power and Peace*, Knopf, New York, 1985.

L'économie de la connaissance, avenir de la puissance ?

Dominique Foray
Professeur à l'École polytechnique fédérale de Lausanne

Cinquante pages seraient nécessaires pour énoncer et expliquer les conditions qui font qu'un système de production de connaissance, qui se déploie sur un territoire donné, peut devenir un instrument de la puissance du pays ou de l'espace régional considérés. Ces conditions feront que les connaissances nouvelles qui sont engendrées ou bien celles déjà existantes – qui sont absorbées, réutilisées et recombinées – vont se traduire en inventions, découvertes et accomplissements technologiques dans certains domaines stratégiques, ou en éventuelles innovations. Les capacités d'invention et de développement technologique peuvent permettre aux États d'asseoir leur puissance sur la maîtrise de systèmes techniques complexes dans les domaines clés de la sécurité d'un pays (de la défense à l'énergie). Les capacités d'innovation sont, quant à elles, l'instrument par excellence de la puissance économique en stimulant la croissance et le dynamisme du pays considéré.

Technologies stratégiques et innovations économiques : deux modalités distinctes

Nous venons d'entrevoir une différence fondamentale entre deux modalités de traduction de la connaissance en puissance. La première décrit la connaissance comme un *facteur de puissance dans sa capacité à engendrer découvertes, inventions et développements technologiques au service de certains domaines stratégiques*, lesquels permettent à l'État de renforcer sa sécurité ou d'accroître sa puissance économique. Ce sont les inventions militaires, les découvertes de nouvelles sources d'énergie ou l'exploration des grandes voies commerciales qui illustrent le mieux cette relation. La seconde modalité renvoie à la connaissance comme *facteur de puissance dans sa capacité à permettre l'innovation*. Pour comprendre la singularité de cette dernière relation – autrement dit pourquoi, en somme, il y a une seconde relation distincte de la première –, il faut bien distinguer œuvre technologique et innovation.

Toute société historique a développé des capacités de découverte et d'invention et a réalisé ainsi œuvres mémorables et conquêtes incroyables : les pyramides, les cathédrales ou le satellite Spoutnik témoignent de ces capacités, présentes partout et en tout temps. C'est ce que nous conte la première modalité. Mais les pyramides ou le Concorde sont des *inventions*, des chefs d'œuvre, des accomplissements technologiques qui signent la puissance d'un État, non des *innovations* au sens de la mise en pratique et de la commercialisation d'une idée en vue d'obtenir une rente économique ; ce que fait l'entrepreneur et non pas l'inventeur.

On peut donc observer que, si la première modalité – celle qui relie la connaissance à la puissance par les capacités d'invention et d'accomplissement technologique – et les institutions qui l'encadrent sont présentes à tous les moments de l'histoire, *la dynamique de l'innovation et son effet sur la puissance économique* ont, en revanche, surtout marqué les périodes les plus récentes grâce à l'avènement des économies décentralisées de marché. Comme l'écrit le grand économiste William Baumol, le capitalisme est unique non pas dans sa fonction d'invention mais dans celle d'innovation. C'est dans le cadre des institutions capitalistes que se sont historiquement développées les incitations économiques qui stimulent cette capacité d'innovation.

On observe également que ces deux modalités sont souvent confondues dans l'esprit des responsables politiques, alors qu'il serait utile de bien les distinguer afin de définir les stratégies pertinentes. Ainsi, dans son discours de l'état de l'Union en janvier 2011, le président Barack Obama érigeait l'innovation en priorité des priorités. Mais, dans le même discours, les images mobilisatrices, les slogans et les recommandations évoquent sans cesse Apollo et autres grands projets technologiques – « nous financerons les projets Apollo de notre temps » –, ce qui exprime en effet une certaine confusion entre accomplissement technologique d'une part – des capacités que les États-Unis n'ont jamais perdues – et innovation d'autre part – capacités affaiblies, comme nous le verrons plus loin. Il est certes très utile d'être capable de mobiliser un pays grâce à de grands projets enthousiasmants et excitants (y a-t-il de la vie sur Mars ?), mais cela n'a pas grand-chose à voir avec la dynamique entrepreneuriale de l'innovation.

En résumé, nous proposons de retenir qu'il y a deux modalités principales pour traduire le savoir en puissance à l'échelle des États et que les ressorts respectifs de ces deux modalités sont bien différents : la première modalité, celle qui permet de renforcer la sécurité, la force militaire, la présence spatiale ou l'indépendance énergétique et, par ce biais, la prospérité du pays grâce aux capacités d'invention et de développement technologique est relativement banale ; la seconde, qui relie connaissance et puissance par l'intermédiaire de l'innovation, est beaucoup plus difficile à mettre en place.

Quel rôle pour la puissance publique ?

Chacune des deux modalités de la *traduction* de la connaissance en puissance repose sur des logiques institutionnelles différentes, qui peuvent dans certains cas être en conflit, comme nous allons le voir dans l'étude des cas américain, soviétique, chinois, français, etc. Quelle que soit l'option choisie, un « socle » relativement constant est cependant toujours indispensable. Il est constitué par des capacités d'invention et de découverte publiques et privées, le capital humain, les institutions de recherche et d'éducation tertiaire [1], les réseaux de savoir et l'ensemble des investissements qui visent à mieux intégrer et combiner les connaissances divisées et dispersées.

On a longtemps accusé le Japon de bâtir sa stratégie d'innovation sur le socle des autres, c'est-à-dire d'utiliser les connaissances scientifiques et technologiques, les inventions et les découvertes des Américains et des Européens, pour développer sa propre capacité d'innovation qui lui a permis d'émerger comme une grande puissance mondiale. Mais cette interprétation est partiellement erronée et l'analyse empirique montre que le Japon a toujours investi dans le « socle », même si la contribution de l'État y est comparativement inférieure aux dépenses gouvernementales des États-Unis ou de la plupart des pays européens.

1 C'est-à-dire de l'éducation post-secondaire (universités, grandes écoles, etc.).

S'agissant de l'accomplissement technologique dans les domaines stratégiques, la traduction de la connaissance en puissance semble répondre à une règle relativement « universelle ». Cette première modalité semble en effet pouvoir s'épanouir dans n'importe quel système socioéconomique, du plus bureaucratique au moins centralisé. N'importe quelle structure organisationnelle peut être choisie. Qu'il s'agisse des grands laboratoires militaires soviétiques ou des structures américaines telles que la Nasa ou le Manhattan Project, l'État est à la fois le maître d'œuvre et le client. Pour ce type de projets, une forme organisationnelle bureaucratique et une allocation de ressources généreuse suffiront en général pour atteindre les objectifs souhaités – c'est-à-dire les objets scientifiques ou technologiques qui permettront un surcroît de puissance ou de sécurité dans les domaines militaires, aéronautiques, énergétiques et autres.

La seconde modalité, celle qui relie la connaissance à la puissance par l'intermédiaire de l'innovation, est plus difficile à établir et à animer. Elle suppose des institutions incitatives capables d'orienter les capitaux vers l'activité d'innovation. Étant donné la nature de cette activité, ces institutions sont celles qui supportent et avantagent la prise de risque, le dynamisme de la destruction créatrice, la stratégie de long terme et la mobilisation du savoir au service de l'économie. Elles incluent les marchés des produits et du travail, les règles de la concurrence, la propriété intellectuelle, l'accès aux banques pour financer l'innovation, etc. Dans un article magistral dans lequel il fait référence au grand économiste hongrois Janos Kornai, Nathan Rosenberg résumait en 1992 cet argument en parlant des institutions et incitations qui permettent et encouragent la « liberté d'expérimenter » (« *freedom to experiment* ») [1]. Selon lui, c'est cette liberté qui distingue, dans leur relation à l'innovation, les économies de marché et les économies planifiées.

Il faut aussi que les deux systèmes – celui de l'inventeur et celui de l'entrepreneur – soient bien connectés. Tandis que cette connexion est facilement établie dans le cadre d'une organisation bureaucratique visant un objectif techno-industriel précis (selon la première modalité), elle ne va pas de soi dans le cadre des mécanismes décentralisés du marché.

Des relations enchevêtrées et des logiques dominantes

À toute période historique et dans toute société, nos deux types de relations s'enchevêtrent. Elles peuvent, selon les cas, se renforcer ou s'affaiblir mutuellement. S'il fallait trouver un sens historique aux évolutions dans ce domaine, on pourrait sans doute dire que l'innovation est devenue la

1 Nathan Rosenberg, « Economic experiments », *Industrial and Corporate Change*, vol. 1, n° 1, 1992, p. 181-203.

modalité principale de traduction de la connaissance en puissance ; ce qu'elle n'était pas auparavant, sauf à certains moments historiques très précis (la révolution industrielle ou la décade prodigieuse de la fin du XIXe siècle). Le centre de gravité des relations entre savoir et puissance s'est donc déplacé de la capacité à produire des technologies stratégiques à la capacité d'innovation. L'organisation entrepreneuriale et les institutions qui la favorisent – qui sont au cœur de la capacité d'innovation – deviennent du même coup l'outil central de traduction (au détriment des organisations bureaucratiques et administrées des grands projets scientifiques et technologiques). Ceci ne signifie pas que ces derniers n'existent plus ou sont moins importants. Nous observons simplement qu'une modalité autrefois mineure est devenue la modalité principale.

Rétrospectivement, il est intéressant de mentionner le cas de l'URSS pour comprendre ces évolutions. Il illustre en effet la possibilité d'un immense décalage entre d'une part des capacités d'invention puissantes et sophistiquées dans des domaines qui constituaient d'indéniables facteurs de puissance stratégique ou symbolique à l'époque de la guerre froide et, d'autre part, une quasi-absence d'innovation dans le reste de l'économie. L'URSS avait su développer des capacités scientifiques de premier ordre comme en témoignent incontestablement ces deux symboles que furent, chacun à leur manière, l'Académie des sciences de l'URSS et le Spoutnik mis sur orbite dès 1957. En revanche, la seconde relation, celle de l'innovation, est restée inexistante : la connaissance n'a jamais pu servir la puissance soviétique à travers l'innovation, faute d'institutions économiques et d'incitations adéquates.

Le cas français. Le cas de la France est sans doute moins caricatural, mais il mérite qu'on le détaille.

Dans la France des années 1960 à 1990, les chefs-d'œuvre technologiques, fruits des grands programmes étatiques, étaient perçus comme le gage et le symbole de la « puissance française » et constituaient un instrument essentiel de son rayonnement international. On se souvient du premier entretien d'Alain Peyrefitte, alors jeune ministre de la Recherche scientifique, avec le général de Gaulle, le 10 janvier 1966. Ce dernier expliqua au ministre les deux grandes missions à accomplir : maîtriser la production de la bombe H et maintenir une certaine présence de la France dans l'espace. Il y avait donc dans l'esprit de De Gaulle un lien très clair entre savoir et puissance, mais certainement pas par l'intermédiaire de l'innovation entrepreneuriale, quasi inexistante à cette époque.

Très schématiquement, le système scientifique et technique en France s'organise alors par grandes filières stratégiques (défense, espace, nucléaire, informatique et télécommunication), au sein desquelles un petit nombre de grands groupes industriels et de laboratoires gouvernementaux accaparent la ressource publique consacrée à la recherche et au développement. La faiblesse des externalités émanant de ce système ainsi que sa fermeture opèrent une sorte de déconnexion entre ces capacités d'invention et de développement technologiques très sophistiquées et performantes, un facteur indéniable de la puissance de l'État, et le reste de l'économie et de l'industrie.

Cette première partition du système de la connaissance est en quelque sorte traversée par une seconde, celle qui sépare le système de formation tertiaire et de recherche en trois groupes : celui du petit monde des grandes écoles, grand pourvoyeur de talents au bénéfice des filières stratégiques ; celui des universités, pauvrement dotées, accaparées par leur mission d'éducation des masses et assez peu performantes en recherche (il y a bien sûr de brillantes exceptions) ; celui des organisations de recherche publique qui se substituent peu ou prou à l'université en termes d'activités de recherche. Ces organismes de recherche sont certes bien intégrés aux filières stratégiques – Commissariat à l'énergie atomique (CEA), Centre national des études spatiales (CNES), Institut national de recherche en informatique et en automatique (INRIA) –, mais offrent un modèle d'organisation discutable car opérant une coupure entre deux fonctions essentielles qui devraient être toujours fortement liées : la recherche et la formation tertiaire.

L'économie de la recherche a démontré depuis longtemps que l'enseignement et la recherche représentent des activités jointes qui se renforcent mutuellement, car il y a de nombreuses synergies et externalités entre les deux activités. En outre, c'est un « accident heureux », comme l'écrivait Kenneth Arrow dans un célèbre article publié en 1962, puisque le financement de l'enseignement permet indirectement celui de la recherche – activité dans laquelle ne convient ni un paiement à la performance (trop aléatoire), ni un paiement au temps ou à la quantité de travail fourni.

La même critique s'applique au CNRS, une organisation de recherche académique curieusement atrophiée puisqu'il lui manque une mission essentielle qui est celle de la formation tertiaire. Comme l'a fort bien écrit Bruno Latour dans un article publié en 2009 : « La distinction française, unique au monde, entre chercheurs et professeurs est-elle vraiment nécessaire ? [...] Est-il interdit de se demander s'il ne serait pas temps de reverser enfin progressivement tous ces laboratoires et institutions épars dans le seul milieu qui permettrait de les faire fructifier : celui des universités compréhensives enfin dotées des moyens de production de tous les savoirs ? » Il est exactement dans la droite ligne des arguments développés il y a plus de cinquante ans par Arrow en 1962.

Dans l'ensemble, ce système, qui semble à première vue efficace puisqu'il produit avions, fusées, technologies nucléaires et Minitel – tant de chefs-d'œuvre technologiques ! –, prive le pays de sources importantes de dynamisme : l'université comme lieu privilégié de la production du savoir et du dynamisme entrepreneurial ; les start-ups et jeunes entreprises comme facteur essentiel de respiration et de renouvellement du tissu économique ; une population de PME capables d'innover sans repos pour conquérir les nouvelles niches de marché. La France a toujours cru qu'il suffirait de miser sur l'agenda scientifique et technologique d'une petite élite pour délivrer le taux d'innovation nécessaire à la croissance du pays.

À l'époque, peu de critiques s'interrogent sur la pertinence du système. Ainsi François Perroux, un penseur éclairé des économies de cette période, célébrait-il en 1979 une politique scientifique « à la française » qui produit tant d'innovations majeures, dites « stratégiques » (il aurait plutôt dû parler d'inventions stratégiques ou d'accomplissements technologiques !) ; œuvres des agences publiques – précise-t-il – et des grandes unités oligopolistiques. La domination d'une modalité sur l'autre est donc très claire en France. Elle ne sera jamais véritablement remise en cause.

Autres cas : États-Unis, petits États européens. Les États-Unis sont sans aucun doute le pays qui a su le mieux faire fonctionner simultanément les deux relations entre connaissance et puissance. Ceci est certes dû à la taille du pays et à la qualité de ses universités et de sa recherche scientifique, mais surtout à sa faculté à concevoir et faire coexister des institutions qui servent efficacement d'une part la production de connaissance au service de la puissance militaire, spatiale et autres, et, d'autre part, la production de connaissance au service de l'innovation et donc de l'économie. Tandis que, dans de nombreux autres pays, il y a des effets de cannibalisation d'une logique institutionnelle sur l'autre, on voit qu'aux États-Unis ces deux logiques, loin de se nuire l'une l'autre, se renforcent mutuellement. Le meilleur exemple est sans aucun doute celui de la « nouvelle économie » des années 1990 : souvent mis en avant comme le produit d'un impressionnant processus d'innovation entrepreneuriale, elle n'aurait cependant jamais vu le jour sans le développement, au préalable, d'une infrastructure de connaissance financée essentiellement par les dépenses fédérales de recherche militaire pendant la guerre froide. Les deux modalités, présentées dans notre schéma explicatif, sont donc très liées et interdépendantes, l'ensemble du système possédant différentes institutions (par exemple, les universités) et différents mécanismes politiques (par exemple, l'ouverture des grands programmes de défense aux PME) qui assurent ces liaisons.

Enfin, certains pays n'ont jamais conçu leur système de savoir comme instrument de puissance par la capacité qu'il donnerait à produire des avancées technologiques supérieures dans les domaines stratégiques (défense, énergie, espace). C'est le cas par exemple des petits pays européens technologiquement très avancés : la Suisse, l'Autriche ou les pays scandinaves. Il y a bien, dans ces pays, des capacités d'invention et des infrastructures de recherche de premier ordre, mais celles-ci sont mises en quelque sorte au service de l'innovation, qui est pour ces pays l'unique point de passage entre connaissance et puissance, et non au service de l'accomplissement technologique dans les domaines stratégiques. Cette stratégie peut être périlleuse puisque, comme on l'a vu, la mise en place d'une économie de l'innovation performante est difficile, mais elle est payante quand les institutions économiques pertinentes pour soutenir l'innovation complètent harmonieusement une infrastructure de recherche et d'éducation de premier ordre. C'est le cas de la Suisse, en tête de tous les classements des pays innovants depuis plusieurs années.

La globalisation du savoir et le changement de nature de l'innovation

Transformations des relations entre puissance et connaissance. La globalisation du savoir est en train de bousculer l'ordre ancien des relations entre connaissance et puissance que nous venons d'évoquer. Elle ébranle notamment le modèle sur lequel les États-Unis ont construit leur puissance par la connaissance. Ce modèle est celui du cercle vertueux entre un système de savoir exceptionnellement performant et des institutions ouvertes, d'une part, et l'attractivité que ce système performant et ouvert exerce sur les populations les plus qualifiées des autres pays, notamment de l'Asie, d'autre part. Le modèle américain est devenu tellement dépendant de cette attractivité que l'on a pu évoquer « une nation en danger » (« *a nation at risk* »), dès les années 1980, lorsque sont apparus les premiers signes annonciateurs d'un changement majeur sur le marché mondial des compétences et des savoirs. Les pays émergents ayant un besoin croissant de leur propre capital humain le plus qualifié pour répondre à la demande domestique des activités intensives en connaissance, ils s'appliquent à les garder ou à les faire revenir chez eux. Un travail récent de Richard Freeman, publié en 2005, mentionne les causes et les facteurs du lent processus d'érosion du modèle américain qui fondait sa puissance sur cette capacité exceptionnelle de mobilisation et d'enrôlement des talents mondiaux.

Un autre facteur de transition et de bousculement de l'ordre établi réside dans la transformation de la nature même de l'innovation. Comme en témoignent des entreprises comme Walmart, FedEx, Amazon ou Cisco, la maîtrise des disciplines scientifiques – physique chimie, biologie – n'est pas l'unique facteur d'innovation : ces multinationales se sont illustrées en concevant des modes de structuration du travail humain et des processus organisationnels radicalement nouveaux. Un constat semblable peut être fait pour Google, YouTube, eBay ou Yahoo !. Toutes ces compagnies ont fait croître le PIB américain de centaines de milliards de dollars sans que la recherche industrielle traditionnelle y soit pour grand-chose. Cela ne veut pas dire qu'il n'y aurait pas dans l'économie toute une série de secteurs où les capacités d'innovation sont fortement dépendantes de la science et de la technologie (pharmacie, nouveaux matériaux, optique, etc.). Cela signifie qu'une autre série de secteurs a émergé, qui ont la particularité de développer des processus d'innovation assez éloignés du modèle traditionnel de la recherche de base et du développement et pour lesquels l'articulation entre l'infrastructure de connaissance et l'innovation est de nature différente et à bien des égards nouvelle. Certes, la notion d'innovation organisationnelle n'est pas nouvelle en soi, mais ces innovations portaient plutôt sur l'organisation de la production (du taylorisme au toyotisme), alors que celles qui émergent aujourd'hui touchent les produits et les services en exploitant de plus en plus les opportunités offertes par la dématérialisation de certains types de biens. Cette évolution implique que le socle traditionnel des disciplines scientifiques (physique et chimie) et de la recherche industrielle associée est sans doute moins déterminant pour expliquer la genèse d'un certain type d'innovations.

Pour étudier les effets de ces transformations, nous nous limiterons à trois grands cas, qui nous intéressent soit par leur importance absolue, soit par leur proximité. Nous n'aborderons pas la question de l'Union européenne en tant que telle. Il nous semble difficile de parler d'un modèle européen en termes de relations entre puissance et connaissance, tant les spécificités nationales sur ce plan restent fortes ; spécificités que des politiques européennes de la recherche et de l'innovation relativement faibles ne sont toujours pas parvenues à réduire.

États-Unis : vers un affaiblissement de l'innovation ? Tandis que les signes de la puissance américaine restent solidement liés aux capacités scientifiques (nous repensons ici aux universités, les meilleures du monde, et à leur forte attractivité) et que ces dernières restent un facteur de puissance primordial à travers les inventions et les découvertes qu'elles suscitent dans certains domaines stratégiques, la dynamique entrepreneuriale de l'innovation s'est affaiblie [1]. Cette dernière a connu plusieurs apogées en Amérique, qu'il s'agisse de la décade prodigieuse (correspondant à la dernière décennie du XIXe siècle) ou, bien sûr, de la « nouvelle économie » à partir de 1990. Certains économistes considèrent que ce temps est révolu et que la dynamique entrepreneuriale de l'innovation s'est perdue. Pour Edmund Phelps, l'impact de ce déclin sur la puissance économique est clair : « Le déclin de l'innovation dans de nombreux secteurs de l'économie – à l'exception

1 Voir notamment les travaux de mesure macroéconomique de Gordon ou de Phelps en termes de croissance puis du déclin de PIB par tête.

notable de la Silicon Valley, des biotechnologies et des énergies propres – a entraîné la disparition d'une grande partie des gains de productivité obtenus tout au long de l'histoire américaine. Ce déclin a entraîné une importante dévaluation des actifs commerciaux, y compris les employés. »

Pour les États-Unis, reconstruire la seconde relation, celle qui lie la connaissance à la puissance par l'innovation, est donc un impératif. Mais comment faire ? Comment rétablir cette relation, décisive en ce qui concerne la puissance et la prospérité économiques ? Pour répondre à ce *comment*, il faut un bon diagnostic. Ainsi, les économistes s'affrontent sur les raisons de l'affaiblissement de la dynamique de l'innovation aux États-Unis.

Robert Gordon, peut-être trop fasciné par les révolutions du passé, pense simplement que l'on ne reverra pas de sitôt les vagues d'innovation qui ont animé le XXe siècle. L'anomalie réside plutôt dans l'effervescence passée que dans la faiblesse actuelle. Il vaut donc mieux ajuster la régulation de l'économie à un taux moindre d'innovations qu'espérer que celui-ci se relèvera à nouveau. Pour d'autres, qui considèrent que la source fondamentale de l'innovation est la recherche scientifique et d'ingénierie, il convient de financer toujours plus ces activités qui conduisent ensuite presque naturellement aux applications commerciales. Ce fut le sens du rapport *Rising Above the Gathering Storm*, publié en 2005 par l'Académie américaine des sciences (National Academy of Sciences). Pour d'autres encore, il faut une politique industrielle – une nouvelle initiative « Made in America » – afin d'aider les entreprises à innover grâce à de multiples actions (centres techniques et plateformes de services, financement de certaines dépenses d'innovation, etc.). Edmund Phelps, quant à lui, pense plutôt que ce sont les institutions favorables à la « destruction créatrice » qui ont failli et qu'il faut donc rétablir, qu'il s'agisse du système financier ou des méthodes de gouvernance des grandes firmes. Nous ne départagerons pas ces thèses et les recommandations associées. On peut se borner à souligner que l'anémie de l'innovation peut ébranler la puissance économique américaine, tant l'innovation y a contribué au cours du XIXe siècle.

Chine : des relations entre connaissance et puissance encore inachevées. En reprenant les ingrédients de la constitution de la puissance par la connaissance, on voit que la Chine a progressé à pas de géant. Le nombre de publications scientifiques chinoises a été multiplié par deux depuis 2004 et s'est installé au deuxième rang mondial dans ce domaine. À l'exception des sciences de la vie, ce constat vaut pour tous les domaines de la science, en particulier la physique, la chimie et les sciences de l'ingénierie. Cette montée de la puissance scientifique du pays est parfaitement corrélée avec les investissements en recherche et développement (R&D) et en formation de capital humain. Il y a désormais, en valeur absolue, autant de chercheurs en Chine qu'aux États-Unis (environ 1,4 million), une tendance appelée à se poursuivre comme l'indique le nombre des étudiants chinois inscrits en bachelor, master et doctorat, notamment dans les domaines des sciences naturelles et de l'ingénierie. Cette politique d'investissements massifs vise aussi à identifier et promouvoir l'excellence : 6 % de toutes les institutions d'éducation tertiaire reçoivent 70 % du financement de la recherche scientifique (dans le cadre du « Projet 211 » initié en 1995 par le ministère de l'Éducation), alors que les universités de Tsinghua et Pékin apparaissent désormais aux premiers rangs des classements internationaux.

En dépit de cette progression impressionnante, la Chine n'a pas encore inversé ni même freiné le flux d'étudiants qui souhaitent effectuer leur troisième cycle de formation universitaire aux États-Unis et y rester ensuite : 31 % des doctorants non américains étaient chinois en 2007 et 91 % d'entre eux souhaitaient rester aux États-Unis après leur thèse. L'énorme progression de la formation universitaire en Chine ne semble donc pas encore avoir diminué l'attraction du système américain pour l'élite étudiante chinoise. Des relations vertueuses et mutuellement bénéfiques semblent cependant s'instaurer entre les deux pays : les États-Unis puisent sans compter dans le réservoir chinois, mais le développement des capacités scientifiques et technologiques en Chine implique qu'un taux de plus en plus grand de scientifiques chinois ayant commencé leur carrière aux États-Unis reviendront dans leur pays, y ramenant des ensembles de compétence et de qualification très importants. Ce cercle vertueux fait dire à Reinhilde Veugelers que l'on devrait parler d'un « G2 » en ce qui concerne la science, composé seulement des États-Unis et de la Chine (l'Union européenne restant relativement à l'écart de cette « globalisation à deux »).

Observons enfin que la Chine n'a pas encore véritablement su traduire la progression de ses capacités scientifiques et technologiques en capacités d'innovation. La part des innovations chinoises – faisant l'objet de brevets triadiques [1] – reste très faible et l'accroissement des exportations de produits high-tech, qui est à première vue impressionnant, reste fortement lié à l'assemblage de ces produits plutôt qu'à leur conception. Pékin ne capture donc pas encore la plus large fraction de la valeur de ces produits high-tech.

Ainsi, la Chine reste à mi-chemin. Elle a su construire rapidement et efficacement un système scientifique et technologique qui la place désormais aux premiers rangs, mais l'innovation reste en retrait et donc la connaissance produite ou utilisée en Chine ne sert encore qu'imparfaitement la puissance de ce pays.

1 C'est-à-dire les brevets déposés au United States Patent and Trademark Office (USPTO), à l'Office européen des brevets et au Japan Patent Office.

France : une transition compliquée sinon impossible ? Le modèle de la France a été défini ci-dessus comme celui d'un pays ayant fortement développé ses capacités d'invention et de découverte dans certains domaines stratégiques au service de sa puissance, sans pouvoir libérer véritablement la dynamique de l'innovation faute des institutions économiques adéquates. En cela, elle n'a pas pu, comme les États-Unis, concilier les deux modèles de relation. La relation qui construit la puissance par les capacités d'accomplissement technologique stratégique a d'une certaine façon cannibalisé l'autre – celle qui stimule le pouvoir économique grâce à l'innovation. Pour sortir de cette impasse, Jacques Lesourne décrit « la rafale de réformes, certaines oubliant les précédentes, d'autres échouant, d'autres prenant enfin racine », qui se sont succédé depuis une dizaine d'années. Pour cet auteur, cette cascade de réformes caractériserait la période historique dans laquelle nous nous trouvons : une période de transition vers un nouveau modèle d'organisation de la recherche, de l'enseignement supérieur et de l'innovation.

Un tel optimisme n'a pourtant rien d'évident, car on peut aussi interpréter la plupart de ces réformes comme une amélioration des structures existantes certes, mais sans remise en cause fondamentale des logiques institutionnelles qui ont prévalu jusque-là. Or ces logiques institutionnelles sacrifient une certaine économie de l'innovation, celle décrite par Phelps ou Baumol, au profit de l'invention et de l'accomplissement technologique comme frontière toujours renouvelée de la puissance française. L'idée est bien de continuer à inventer et tenter de vendre les Rafale, les TGV et les centrales nucléaires du futur sans penser à la mise en place des institutions qui permettraient le développement d'une véritable capacité d'innovation, celle qui engendre ces multitudes d'expériences entrepreneuriales décentralisées que le système français n'a encore jamais su véritablement stimuler.

Pour en savoir plus

William Baumol, *The Free-Market Innovation Machine*, Princeton University Press, Princeton, 2004.

Dominique Foray, « On the French system of innovation : between institutional inertia and rapid changes », *in* Peter S. Biegelbauer et Susanna Borras (dir.), *Innovation Policies in Europe and the US*, Ashgate, Aldershot, 2003.

Dominique Foray et Edmund Phelps, *The Challenge of Innovation in Turbulent Times*, MTEI working paper n° 2011-002, EPFL, novembre 2011.

Richard Freeman, *Does Globalization of the Scientific/Engineering Workforce Threaten U.S. Economic Leadership ?*, NBER working paper n° 11457, 2005 (disponible sur : <www.nber.org>).

Robert Gordon, *Is US Economic Growth Over ? Faltering innovation confronts the six headwinds*, NBER working paper n° 18315, 2012 (disponible sur : <www.nber.org>).

Jacques LESOURNE et Denis RANDET, *La Recherche et l'Innovation en France*, Odile Jacob, Paris, 2011.

Edmund PHELPS, « Less innovation, more inequality », *The New York Times*, 24 février 2013.

Reinhilde VEUGELERS, *A G2 for Science ?*, Bruegel policy brief n° 03, 2011, avril 2011.

Reinhilde VEUGELERS, *The World Innovation Landscape : Asia Rising ?*, Bruegel policy brief n° 02, 2013, février 2013.

Internet, les réseaux et la puissance sur la scène internationale

Pierre Alonso
Journaliste

Les nouvelles technologies de l'information et de la communication n'en finissent plus d'être... nouvelles. Les révoltes et révolutions qui secouent le monde arabe depuis 2010 ont ainsi été (excessivement) observées à travers ce prisme. Les grands médias internationaux ont multiplié les articles, reportages et analyses sur l'influence des réseaux sociaux et des outils d'échange en ligne mis en place par les géants de l'Internet : YouTube, Facebook, Twitter. Les débats se sont propagés, séparant schématiquement deux camps, les « cyberutopistes » et les « cybersceptiques ». Aux premiers, qui affirment que les progrès technologiques guideront les peuples opprimés vers l'émancipation, les seconds répondent que les technologies sont autant source de répression que de libération. Des précédents remontent à la surface, comme la vidéo de Neda, tuée par balles devant la caméra d'un téléphone mobile lors des manifestations contestant la réélection du président iranien Mahmoud Ahmadinejad en juin 2009, ou le groupe tunisien Takriz qui avait créé une liste de diffusion à la fin des années 1990, bien avant l'émergence des réseaux sociaux, pour contrebalancer l'information diffusée par le régime de Zine el-Abidine Ben Ali (ce groupe avait par la suite subi des arrestations et des mauvais traitements qui expliquent certainement la mort prématurée de l'un de ses fondateurs, Zouhair Yahyaoui, en 2005).

Les « nouvelles technologies » font depuis de longues années l'objet d'études, de rapports, d'évaluations – et des sommes colossales sont dépensées pour comprendre leurs effets économiques, sociaux, politiques. La technologie a toujours constitué un facteur de puissance ; c'est peut-être plus que jamais le cas depuis l'émergence d'Internet, cet ensemble de réseaux interconnectés que décrit bien la notion de « réseau de réseaux ». Cette expression ne renvoie pas seulement à une structure technique. Elle fait également référence au mode d'organisation – de « gouvernance » – qui le régit. Transnational, et non hors-sol comme on le dit parfois, Internet présente une double difficulté pour qui s'intéresse aux relations internationales : comment concilier le principe établi de la souveraineté nationale avec la réalité technique transfrontalière d'Internet ? Comment coexistent la logique de « gouvernance distribuée » qui caractérise les réseaux et l'architecture centralisée et hiérarchique du système international traditionnel [1] ? Derrière ces interrogations se pose la question du rôle des acteurs qui ont longtemps été négligés dans l'étude des relations internationales : individus (savants comme profanes), entreprises (des *start-up* aux géants du Net), société civile (groupes militants structurés, coalitions d'intérêts ponctuelles)... Alors que ces acteurs interviennent dans les réseaux, les États ne les ont investis que récemment, notamment sous la forme de la « diplomatie numérique ».

Les mouvements à l'intérieur des tuyaux, utilisant les réseaux, sont des facteurs d'une puissance douce, d'influence. Mais ils ne peuvent être détachés de l'infrastructure même de ces réseaux, laquelle devient un objet de convoitise pour les États qui ont pu constater, parfois à leur détriment, le levier que représentent les « nouvelles technologies » dans un contexte de redistribution des attributs de la puissance. Difficile pour autant de mettre en place un règlement entre soi : étrangère aux pratiques interétatiques traditionnelles, la gouvernance d'Internet est déjà en place, avec ses propres institutions et sa propre culture politique. Reste la puissance dure, que les États mobilisent de plus en plus, dans les discours et les faits, laissant planer le risque d'une militarisation du cyberespace.

L'influence des hacktivistes

Les années 2010, 2011 et 2012 ont connu plusieurs événements majeurs qui ont révélé la puissance des réseaux utilisés à des fins militantes par des individus ou des coalitions d'individus. WikiLeaks, d'abord, s'est

1 Wolfgang KLEINWÄCHTER, « Internet, sociétés civiles et gouvernements : cohabitation ou choc des cultures ? », *in* « Internet outil de puissance », *Politique étrangère*, Paris, n° 2, 2012.

imposé dans les agendas médiatique et politique des pays du monde entier en publiant une succession de documents confidentiels : la vidéo d'une bavure américaine en Irak publiée en avril 2010, les *War Logs* afghans en juillet puis irakiens en octobre, enfin des centaines de milliers de télégrammes diplomatiques du département d'État en novembre, le *Cablegate*. Plus personne n'ignore aujourd'hui le nom de Julian Assange, l'un des fondateurs de WikiLeaks. Ce site n'a pas été créé en 2010. Depuis 2007 au moins, l'organisation avait publié des informations confidentielles, plus ou moins embarrassantes sur un candidat à l'élection présidentielle kényane en 2007 ou sur l'accord commercial anticontrefaçon (*Anti-Counterfeiting Trade Agreement*, ACTA) en 2008. Mais c'est à partir des publications de 2010, en partenariat avec les plus grands médias internationaux, que WikiLeaks dépasse les cercles d'initiés et se dote ainsi d'une véritable force de frappe. En réunissant sur les réseaux, experts en chiffrement et militants pour la transparence, l'organisation est à l'origine de la plus vaste révélation de documents confidentiels.

L'autre événement majeur est le mouvement de révolte qui secoue les pays arabes depuis la fin de l'année 2010. Les soulèvements ont été accompagnés, parfois assistés, par des militants du monde entier, grâce leurs actions sur les réseaux. Le 28 janvier 2011, le président égyptien Hosni Moubarak décide de couper l'accès à Internet dans son pays. Des militants le rétablissent en utilisant les lignes téléphoniques et de vieux modems 56K. Ces « hacktivistes » – contraction de *hacker* et d'activiste – font partie du collectif informel Telecomix, dont l'apparition remonte à 2008. *Hackers*, au sens premier, signifie bidouilleur : le *hacker* est celui qui démonte une machine pour en comprendre le fonctionnement et qui, de là, « fait un usage créatif des techniques pour qu'elles répondent à son besoin, en les détournant de leur finalité initiale [1] ». Ces *hackers* de Telecomix se sont réunis pour défendre la liberté d'expression et la neutralité du Net, pierre angulaire du fonctionnement de l'Internet tel qu'on le connaît aujourd'hui.

La coupure de l'Internet égyptien par Moubarak, considérée comme une grave atteinte à la liberté d'expression, déclenche leur mobilisation. Elle aura duré cinq jours, et fait école dans les dictatures régionales : en juin de la même année, Bachar al-Assad bloque lui aussi l'accès à Internet des citoyens syriens [2]. Telecomix n'est pas le seul des collectifs Internet à s'être mobilisé lors des révoltes arabes. Sans doute a-t-il été le plus confidentiel, mais pas le moins efficace. Sans doute aussi a-t-il été le plus abouti sur le plan de la réflexion. Le principe de fonctionnement est appelé la *do-ocratie* :

1 Sabine BLANC et Ophelia NOOR, *Hackers : bâtisseurs depuis 1959*, OWNI Éditions, Paris, 2012, p. 4.

2 Pierre ALONSO, « La Syrie, coupure net », <owni.fr>, 7 juin 2011.

l'appartenance d'un individu au collectif informel dépend de ce qu'il fait (*to do*), l'action étant l'unique source de légitimité. Faire partie de Telecomix, c'est participer à ses actions (sensibilisation, traduction, analyse de réseaux, etc.).

Le célèbre masque de Guy Fawkes (revisité par la bande dessinée *V pour Vendetta*) est venu signer des actions, pour le moins surprenantes pour certaines, du collectif informel Anonymous. Né sur un forum Internet (4chan), Anonymous se lance d'abord dans la bataille contre l'Église de scientologie, après que celle-ci a fait censurer une vidéo postée en ligne. Là encore, c'est la défense de la liberté d'expression qui pousse Anonymous à s'impliquer dans les affaires publiques. En décembre 2010, pour protester contre le boycott de WikiLeaks par des services de paiement en ligne, Anonymous lance une vague d'attaques utilisant le « déni de service distribué » (*Distributed denial of service*, DDoS). Ces attaques consistent à saturer un serveur de requêtes pour en empêcher l'accès, l'équivalent d'un *sit-in* sauvage devant un bâtiment. Outre les DDoS, Anonymous a fait fuiter des informations confidentielles (les « leaks ») et parfois remplacé frauduleusement le contenu d'une page Web par un autre contenu (le *defacement* ou défiguration).

Sans être très sophistiquées ni difficiles à réaliser, de telles actions permettent d'attirer l'attention. Pour ce faire, Anonymous utilise les méthodes du marketing politique : les communiqués sont rédigés selon des codes précis, sous la forme de vidéos dans lesquelles la voix off lit mécaniquement les revendications. Malgré son anonymat, le collectif dispose ainsi d'une identité forte. La véritable force de ce collectif n'est pas tant de changer une situation donnée que d'alerter le grand public. S'il est un piratage qu'Anonymous a fréquemment réussi, c'est celui de l'agenda médiatique. La bataille menée contre l'ACTA en a fourni un bel exemple. Anonymous n'a pas fait de recherches sur les enjeux juridiques d'un tel accord, à l'instar d'associations citoyennes (La Quadrature du Net pour n'en citer qu'une), mais a contribué à populariser cette mobilisation, à grands coups de manifestations dans le cyberespace et même dans les rues, démontrant la puissance de ces mobilisations nées sur les réseaux.

Le diplomatie numérique d'influence

Pour concurrencer le discours des hacktivistes et toucher une cible plus large qu'avec les outils traditionnels de la diplomatie, les États ont investi les réseaux où ils mènent une politique d'influence. Internet est un levier de *soft power*. Au début des années 2000, Washington a entamé une réflexion sur la diplomatie numérique. Une « taskforce eDiplomacy » est créée en 2002 au sein du département d'État. Sa mission est de « faire progresser la diplomatie en envisageant des mécanismes efficaces de partage de connaissance, en apportant des conseils sur la convergence entre diplomatie et technologie et une expertise fine sur les technologies de l'information ». Cette « taskforce » s'est épaissie pour atteindre 150 personnes à Washington et 900 dans les ambassades en 2012 [1]. L'initiative « 21st-century statecraft », lancée en 2009, est venue approfondir cette approche renouvelée de la diplomatie grâce à deux figures emblématiques : Alec Ross, conseiller d'Hillary Clinton pour l'innovation, et Jared Cohen, plus jeune membre de l'équipe de planification politique. Les réseaux doivent désormais permettre d'« entrer en contact avec les citoyens, les entreprises, les acteurs non étatiques [2] ».

Cet intérêt de l'administration américaine a trouvé une traduction dans les faits. En 2010, Hillary Clinton place la liberté de se connecter au rang des libertés fondamentales, quelques jours après les tensions survenues entre Google et le gouvernement chinois. Le premier avait décidé de ne plus appliquer la censure du régime en redirigeant les internautes vers son moteur de recherche à Hong Kong pour protester contre des tentatives d'espionnage de comptes email de cyberdissidents chinois. L'année suivante, toujours à l'occasion de son allocution annuelle sur la liberté sur Internet, la secrétaire d'État réaffirme sa volonté de soutenir les cyberdissidents, avec une enveloppe de 25 millions de dollars à l'appui.

Le projet « Commotion » est un des symboles de cette politique. Piloté par un hacktiviste de la première heure, Sacha Meinhart, financé par l'« Open Technology Initiative » de la New America Foundation, il a reçu le soutien du département d'État à hauteur de deux millions d'euros [3]. Il s'agit de créer une solution logicielle pour générer des réseaux wifi entièrement autonomes, des réseaux de type MESH, décentralisés et ne reposant sur aucune infrastructure physique existante. Les ordinateurs sont ainsi reliés entre eux, voire à l'Internet si l'un d'eux y est connecté. L'intérêt est triple : rétablir une connexion dans les zones sinistrées (catastrophe naturelle, guerre), dans les zones éloignées difficilement accessibles, et bien sûr contourner la censure imposée dans certaines dictatures. Ce dernier aspect pousse les objectifs de la diplomatie numérique (ou ediplomatie) plus loin encore, jusqu'à défier les autres puissances.

Les régimes dont Washington veut contourner la censure n'ont pas manqué de noter la puissance des réseaux. D'abord à leurs dépens. La République islamique d'Iran n'a pas pu empêcher les images des manifestations

---

1 Thomas GOMART, « De la diplomatie numérique », *Revue des Deux Mondes*, n° 3742, janvier 2013.

2 Jesse LICHTENSTEIN, « Digital diplomacy », *New York Times*, 16 juillet 2010 (disponible sur : <www.nytimes.com>).

3 Yves EUDES, « Commotion, le projet d'un Internet hors de tout contrôle », *Le Monde*, 30 août 2011 (<www.lemonde.fr>).

de sortir du pays après la réélection frauduleuse du président Mahmoud Ahmadinejad en juin 2009. Dans un premier mouvement, Téhéran a donc tenté de limiter la potentialité des réseaux : Internet connaît des coupures régulières depuis lors [1], la téléphonie mobile ne fonctionne pas dans les grandes villes les jours de manifestation et les réseaux sociaux, accessibles avant l'épisode de 2009, sont désormais filtrés. Pour autant, la République islamique n'a pu créer le bunker dont elle rêvait : son projet d'Intranet géant séparé d'Internet est régulièrement reporté. Ayant compris la force des réseaux sociaux, et la difficulté à les faire taire, les autorités cherchent désormais à les subvertir.

Symbole de ce revirement : le Guide suprême, Ali Khamenei, publie sur tous les réseaux sociaux, Facebook, Twitter, Instagram (un réseau social de partage de photos vintage, longtemps réservé aux utilisateurs de smartphones). L'ouverture de sa page Facebook a d'ailleurs relancé le débat sur l'intérêt de bloquer le réseau social, y compris dans les rangs des conservateurs [2]. Les réseaux sociaux ne sont plus mauvais en soi, estime Téhéran, ils doivent simplement être utilisés pour promouvoir les valeurs de la révolution islamique. Grâce aux réseaux sociaux, le Guide suprême s'adresse donc aussi bien aux Iraniens qu'à l'opinion publique mondiale : ses messages sont rédigés en persan, mais aussi en arabe et en anglais. De la même façon que l'ediplomatie américaine entend dépasser le traditionnel dialogue d'État à État, le régime iranien veut court-circuiter les canaux traditionnels, les médias – honnis et durement réprimés en Iran – pour influencer les opinions publiques, *via* les réseaux sociaux. Lors d'événements majeurs ou de sommets internationaux, le Guide suprême indique sa position, ne manquant jamais d'égratigner ses adversaires.

Les géants économiques de l'Internet

Si Facebook était un pays, il serait le troisième le plus peuplé dans le monde. Le réseau social comptait plus d'un milliard d'utilisateurs mensuels actifs fin janvier 2012 après avoir franchi la barre symbolique du milliard début octobre 2012. Les chiffres du site créé en 2004 par Mark Zuckerberg donnent le tournis. Son chiffre d'affaires annuel a explosé ces dernières années. Entre 2011 et 2012, il a augmenté de 37 % pour atteindre 5,1 milliards de dollars. Twitter, réseau social de *micro-blogging* lancé en 2006, affiche lui aussi une croissance insolente. Valorisé à 9 milliards de dollars fin

1 Pierre ALONSO, « Nouvelle pirouette sur l'Internet », <owni. fr>, 9 octobre 2012.

2 Golnaz ESFANDIARI, « Khamenei page prompts calls for Iran to unblock Facebook <http://www.rferl.org>, 28 décembre 2012.

janvier 2013 [1], il vise un chiffre d'affaires supérieur à un milliard de dollars en 2014. Quant à celui de Google, il a dépassé 50 milliards de dollars pour la première fois en 2012 [2]. Ces géants économiques ne sont pas absents de la sphère politique. Ils sont conscients du rôle qu'ils jouent désormais et de la puissance qui en découle. En juin 2009, Twitter a par exemple accepté de repousser une importante mise à jour pour éviter qu'elle coïncide avec une manifestation de l'opposition iranienne.

Parce qu'ils sont le support d'une parole audible, les géants de l'Internet ont aussi leur mot à dire. Google est certainement le cas le plus emblématique. Son patron, Eric Schmidt, négocie directement avec les chefs d'État. La firme de Mountain View, en Californie, a ouvert un institut culturel à Paris, pendant la campagne présidentielle française de 2012, ce qui lui a valu les honneurs du président-candidat Nicolas Sarkozy [3]. En 2013, les longues et difficiles négociations entre l'exécutif socialiste et Google afin de créer un droit voisin pour les éditeurs de presse se sont clôturées à l'Élysée, en présence d'Eric Schmidt, de François Hollande et de ses ministres de la Culture et de l'Économie numérique. Celui qui est présenté comme l'une des figures de la révolution égyptienne de janvier 2011, Wael Ghonim, était un employé du même Google. Juste avant son arrestation, il avait dîné en compagnie de Jared Cohen, le fameux membre de l'équipe de planification politique du département d'État [4]. Jared Cohen avait quitté ce poste en septembre 2010 pour rejoindre Google et fonder le *think-tank* de l'entreprise, *Google Ideas*. Un « laboratoire d'idées » où il est d'ailleurs moins question d'entreprenariat que de « comprendre les défis globaux et d'y appliquer des solutions technologiques [5] » en militant pour l'avènement de la démocratie libérale à l'échelle mondiale.

Le slogan informel du géant de l'Internet, « *Don't be evil* » (littéralement « Ne soyez pas malveillants »), s'incarne dans le *Transparency Report* qu'il publie chaque année [6]. Ce rapport présente l'état du trafic vers les services Google dans le monde entier, les requêtes de suppression de contenus émanant d'ayants droit ou de gouvernements, les demandes de renseignement sur les utilisateurs par les autorités judiciaires. L'exercice est certes limité, le rapport ne comprenant pas toutes les demandes, mais l'entreprise

1 Douglas MacMillan, Alexis Leondis et Ari Levy, « Twitter is said to be worth $9 billion as BlackRock buys shares », <www.bloomberg.com>, 26 janvier 2013.

2 Karl de Meyer, « Le chiffre d'affaires de Google dépasse les 50 milliards de dollars », *Les Échos*, 22 janvier 2013.

3 Andréa Fradin et Guillaume Ledit, « Sarkozy inaugure Google », <owni. fr>, 6 décembre 2011.

4 Yves Gonzalez-Quijano, *Arabités numériques. Le printemps du Web arabe*, Sindbad, Paris, 2012, p. 117.

5 *Ibid.*

6 Voir la page : <www.google.com/transparencyreport/>.

envoie ainsi un signal aux États et se comporte dès lors comme un « contre-pouvoir politique » capable, comme l'explique le chercheur Bernard-François Huygues, de peser sur les affaires du monde en articulant « son influence sur les États, son volume financier et l'idéologie portée par son algorithme [1] ». Si le Web ne se limite pas à Google, loin s'en faut, l'entreprise a néanmoins réussi à rendre son service de recherche tellement indispensable que son mode de référencement est scruté dans tous les coins de la planète. Faire remonter ou non des informations, respecter ou non les standards locaux de censure, est un « vecteur d'influence [2] ». Tout ce qui transite à l'intérieur du tuyau ne passe évidemment pas par Google. Mais Google peut en influencer une grande partie en le rendant visible ou invisible.

La difficile gouvernance

Entreprises privées, États, hacktivistes... Le réseau des réseaux rassemble une pluralité d'acteurs à toutes les échelles, y compris internationale. À l'époque où Internet ne rassemblait que quelques millions d'utilisateurs dans le monde, sa gouvernance à l'échelle internationale était loin d'être une priorité pour les États. Les choses sont bien différentes aujourd'hui : le réseau des réseaux rassemble presque deux milliards d'individus, presque un être humain sur trois, et la valeur créée sur les réseaux suffit à convaincre le plus sceptique des observateurs de la profonde interpénétration entre le « virtuel » et le « réel ». Malgré ces changements majeurs, la gouvernance du Net est demeurée singulière : Internet est un système régulé à l'échelle mondiale, avec des institutions et une culture politique propres. Ascendant, décentralisé (à l'image du réseau lui-même), collaboratif, son fonctionnement diffère du système international traditionnel.

Cette culture politique de la régulation s'enracine dans la structure d'Internet : les instances de régulation les plus anciennes correspondent à un découpage technique du réseau [3]. L'Internet Corporations for Assigned Names and Numbers (ICANN) a été créé en 1998 pour gérer l'attribution de noms de domaines et les extensions. Juridiquement, l'ICANN est une association californienne à but non lucratif, rattachée au département du Commerce américain. L'Internet Engineering Task Force (IETF) actualise quant à elle le protocole de connexion TCP/IP. C'est notamment sous son impulsion que s'effectue le basculement de l'IPv4 vers l'IPv6, garant de la continuité d'Internet avec un nombre d'utilisateurs toujours plus

---

1 Pierre ALONSO, « Google est un contre-pouvoir politique », <owni.fr>, 1er novembre 2012.

2 *Ibid.*

3 Bertrand DE LA CHAPELLE, « Gouvernance Internet : tensions actuelles et futurs possibles », *in* « Internet outil de puissance », *Politique étrangère*, *op. cit.*

important[1]. Ces organisations, qui jouent un rôle crucial, intègrent largement la société civile. Elles ont admis, digéré, appliqué et incarnent le principe de la gouvernance multi-acteurs. L'IETF regroupe ainsi tous ceux qui veulent en faire partie, avec un fonctionnement très horizontal et ouvert.

Des organisations interétatiques leur disputent de plus en plus leurs prérogatives. Les tensions lors de la dernière réunion de l'Union internationale des télécoms (UIT), une agence des Nations unies, en offrent l'une des démonstrations : la conférence qu'elle a organisée en décembre 2012 à Dubaï devait aboutir à la révision du Règlement des télécommunications internationales[2] mais n'y est pas parvenue faute de consensus entre les parties. Alors que plusieurs États (Chine, Russie, Qatar, Égypte, etc.) voulaient introduire un volet sécurité au règlement, les États-Unis, rejoints par la France, la Grande-Bretagne et le Canada s'y sont opposés, estimant qu'une telle évolution justifierait « un contrôle renforcé d'Internet par les gouvernements[3] ». Soulignant que les organisations régulatrices, notamment l'ICANN, ne sont pas sans lien avec les États-Unis, de nombreux observateurs estiment cependant que le « respect de la gouvernance multi-acteurs » est surtout un prétexte qu'utilise Washington pour garder la mainmise sur ces organisations[4]. Lorsque la Chambre des représentants a adopté une résolution pour inciter l'exécutif à refuser les modifications du Règlement des télécommunications internationales, certains ont raillé la légèreté du voile pro-liberté dans lequel se drapaient les parlementaires américains, pointant le « cyberétatisme rampant » de certaines puissances occidentales. Plus que l'affrontement entre deux blocs reconstitués, ces tensions illustrent le retour des États qui refusent le principe d'une gouvernance multi-acteurs et envient à ces structures leur force d'influence sur des choix d'apparence technique qui ont des conséquences politiques importantes.

Le retour du *hard power*

Beaucoup pourrait être écrit sur l'approche schizophrénique des réseaux par Washington. Pourfendeurs de la censure sur Internet, les États-Unis se présentent comme les chantres de la liberté en ligne. Ils oublient pourtant WikiLeaks, dont le gouvernement américain a cherché à asphyxier le site grâce au blocus financier d'acteurs privés bancaires (Bank of America Corp, Visa, MasterCard, PayPal, Western Union), décidé hors de toute procédure judiciaire. Le soldat Bradley Manning, une des principales

1 Andréa Fradin, « IPv6 : "préserver un Internet ouvert" », <owni. fr>, 6 juin 2012.

2 Ce traité régit les télécommunications entre États. Signé en 1988, il ne prend pas en compte Internet.

3 Andréa Fradin, « La cyberguerre froide », <owni. fr>, 16 août 2012.

4 Rebecca MacKinnon, « The United Nations and the Internet, it's complicated », *Foreign Policy*, 22 août 2012 (disponible sur <www.foreignpolicy.com>).

sources de l'organisation, a quant à lui été arrêté, détenu dans des conditions extrêmement difficiles et encourt la détention à perpétuité. Dans leur rôle de défenseur de la liberté, les États-Unis oublient aussi leurs positions très strictes quand il s'agit de propriété intellectuelle. En janvier 2012, les autorités américaines ont brutalement fermé le site de téléchargement Megaupload en débranchant ses serveurs dans le pays et à l'étranger. Les projets de lois liberticides se sont multipliés ces dernières années au nom de la lutte contre le piratage ou de la cybersécurité : *Stop Online Piracy Act* (Sopa), *Protect IP Act* (Pipa), etc. Vestiges de la frénésie sécuritaire post-11 Septembre, l'agence de renseignement technique américaine, la NSA, a mis en place un système de surveillance généralisé des données des utilisateurs des principaux services en ligne (Facebook, Google, Yahoo !, Microsoft, Apple...). Baptisé « Prism », le programme a été révélé par le *Guardian* et le *Washington Post* en juin 2013 grâce à un lanceur d'alerte, Edward Snowden, un jeune sous-traitant de la CIA âgé de vingt-neuf ans.

Dans les régimes autoritaires, les crispations prennent un visage plus inquiétant encore. Les exemples documentés d'utilisation de technologie de cybersurveillance pour faire la chasse aux opposants se sont multipliés après les révoltes arabes. Le chercheur Evgeny Morozov reprochait aux « cyberoptimistes », pour qui les réseaux conduiraient à une libération universelle des individus, de sous-estimer la capacité des réseaux à se transformer en machine répressive [1]. Son analyse a été confirmée. La société française Amesys a vendu au régime de Mouammar Kadhafi le produit Eagle, permettant d'espionner l'ensemble des communications de la population à l'échelle d'une nation. Du matériel de filtrage de l'entreprise américaine Bluecoat a été retrouvé en Syrie, puis dans de nombreux États censurant Internet [2]. Développées par des civils, ces techniques sont utilisées par les services de sécurité afin de limiter l'impact des mouvements contestataires qui utilisent les réseaux pour s'organiser et mobiliser.

Au-delà de la censure et de la surveillance, les États se tournent vers la puissance dure (*hard power*) sur les réseaux. Depuis les cyberattaques d'origine russe contre l'Estonie en mai 2007, les réseaux sont de plus en plus perçus comme un théâtre potentiel de conflictualité et d'expression de la puissance militaire. Ce tournant n'a pas seulement une valeur déclarative : il s'accompagne de la mise en place de politiques publiques, confirmant l'importance croissante accordée aux cybermenaces et à leur corollaire, la

1 Evgeny Morozov, *The Net Delusion. The Dark Side of Internet Freedom*, Public Affairs, Perseus Book Group, New York, 2011.

2 Citizen Lab, « Planet Blue Coat : Mapping global censorship and surveillance », Munk School of Global Affairs, University of Toronto, 15 janvier 2013 (disponible sur : <https ://citizenlab.org>).

cyberdéfense. En France, le *Livre blanc sur la défense* de 2008 appelait à la formation de capacités offensives « pour se défendre ». Un rapport parlementaire rédigé par le sénateur Jean-Marie Bockel en juillet 2012 a relancé le débat, invitant l'exécutif à rendre publique sa doctrine en matière offensive. Paru en avril 2013, le nouveau *Livre blanc* place les cybermenaces – et « la capacité à y répondre » – au rang des priorités nationales. Les services spéciaux n'auront plus le monopole dans ce domaine avec la création d'une chaîne opérationnelle de cyberdéfense au sein des armées, consacrant le cyberespace comme le cinquième champ de bataille (après l'air, la mer, la terre, l'espace extra-atmosphérique).

En la matière, Washington a pris de l'avance, tant sur le plan du discours que sur celui de la pratique. Un sous-commandement spécifique, l'US Cyber Command, a été créé en 2010 au sein du commandement stratégique. De plus, chaque branche de l'armée possède son propre sous-commandement cyber. Les révélations de juin 2012 sur le programme secret « Olympic Games », à l'origine des cyberattaques connues les plus sophistiquées (Stuxnet, Duqu), ont confirmé la traduction dans la pratique du discours sans ambiguïté tenu par Washington [1]. Les États-Unis ont déclaré en 2011 qu'ils répondraient à « des actes hostiles dans le cyberespace comme [ils] le fer[aient] pour n'importe quelle menace contre [leur] pays [2] », c'est-à-dire par des moyens conventionnels.

Pendant l'hiver 2013, plusieurs grands journaux américains (*New York Times*, *Wall Street Journal*) ont affirmé avoir subi des cyberattaques depuis la Chine. Un rapport d'une entreprise de sécurité, Mandiant, a confirmé leurs accusations en décrivant une cellule secrète, installée dans la banlieue de Shanghai, consacrée au cyberespionnage [3]. Elle serait le bras armé du Parti communiste chinois en la matière. La multiplication de révélations sur des programmes de cyberarmements confirme une tendance de fond sur le réseau des réseaux. Sans être nouvelle – le journaliste Jean Guisnel, spécialiste de la défense, écrivait en 1995 *Guerres dans le cyberespace* –, elle est maintenant inscrite à l'agenda politique et sécuritaire des principales puissances qui ne cachent plus leurs ambitions. Si bien que les organisations non gouvernementales, comme le Comité international de la Croix-Rouge (CICR), réaffirment que les grands principes du droit humanitaire (principe

1 David E. Sanger, « Obama order sped up wave of cyberattacks against Iran », *New York Times*, 1er juin 2012 (disponible sur <www.nyt.com>).

2 Howard A. Schmidt, « Launching the U.S. International Strategy for Cyberspace », <www.whitehouse.gov>, 16 mai 2011.

3 The Mandiant Intelligence Center, « APT1 : Exposing one of China's cyber espionage units », <www.mandiant.com>, 18 février 2013 (disponible sur : <http://intelreport.mandiant.com>).

de distinction, proportionnalité de la riposte) doivent s'appliquer dans le cyberespace [1].

La question n'est plus aujourd'hui de savoir si les réseaux sont synonymes de puissance, mais qui peut en bénéficier et sous quelles formes. Ses expressions multiples couvrent une palette de nuances, de l'influence à la puissance militaire, dans laquelle pioche une pluralité d'acteurs. La déclaration d'indépendance du cyberespace, rédigée par John Perry Barlow en 1996, apparaît aujourd'hui bien lointaine face aux tentatives de reprise en main par les États, tant à l'échelle nationale avec des législations contraignantes, qu'à l'échelle internationale pour la gouvernance du réseau des réseaux. Alors que cette déclaration invitait à revisiter le système interétatique fondé sur le principe westphalien de la souveraineté, le mouvement inverse semble aujourd'hui à l'œuvre : les États « tirent Internet vers l'histoire ancienne [2] », mettant à l'épreuve les structures et institutions existantes. L'épreuve de force révélera l'étendue de la puissance des acteurs non étatiques sur la scène internationale, leur résilience et leur capacité d'évitement, à l'image du réseau dont l'un des premiers hacktivistes, John Gilmore, disait en 1993 qu'il « trait[ait] la censure comme une imperfection et la contourn[ait] ».

Pour en savoir plus

Sabine Blanc et Ophelia Noor, *Hackers : bâtisseurs depuis 1959*, OWNI Éditions, Paris, 2012.

Yves Gonzalez-Quijano, *Arabités numériques. Le printemps du Web arabe*, Sindbad, Paris, 2012.

« Internet, outil de puissance », *Politique étrangère*, Institut français des relations internationales (IFRI), n° 2, 2012.

Archives en ligne du site OWNI : <www.owni.fr>.

Geek Politics : <www.geekpolitics.be/hackers.html>.

1 Cordula Droege, « Pas de vide juridique dans le cyberespace », CICR, 16 août 2011 (disponible sur : <www.icrc.org>).

2 Katherine Maher, « The new Westphalian Web », *Foreign Policy*, 25 février 2013 (disponible sur : <www.foreignpolicy.com>).

II. Les nouveaux acteurs de la puissance

La politique étrangère de Barack Obama : la tentation du repli ?

Corine Lesnes
Correspondante du quotidien *Le Monde* à Washington

« On est pour ce qui marche » : les spécialistes de politique étrangère qui avaient invité Tom Donilon, le conseiller de Barack Obama à la sécurité nationale pour une discussion à bâtons rompus à Washington, quelques mois avant l'élection présidentielle de 2012, ont été un peu estomaqués d'entendre un tel aveu. Ni doctrine rigide ni programme précis. Dans un monde en mutation, les États-Unis en sont réduits à naviguer à vue.

Les experts ont dû s'y résoudre. Après quatre ans à étudier les formules susceptibles de résumer la « doctrine Obama », ils sont arrivés à la conclusion... qu'il n'y en a pas ! Le principe conducteur de la diplomatie Obama est le pragmatisme. Flexibilité, agilité, « empreinte légère » (*light footprint*) dans le reste du monde : tels sont les concepts revendiqués par la Maison-Blanche. Les critiques parlent de retranchement, de politique à courte vue dont les États-Unis paieront plus tard le prix. Mais l'opinion est plutôt derrière le président. Au fur et à mesure de l'effritement des « printemps arabes », le désengagement a pris le pas.

Regarder le monde « tel qu'il est »

Le 44e président est avant tout un réaliste. Il l'a dit lui-même en recevant le prix Nobel de la paix en 2009 à Oslo : il a beau diriger la première puissance de la planète, il regarde « le monde tel qu'il est ». Et, contrairement à ses prédécesseurs, il ne dissimule pas les contraintes – économiques, militaires et diplomatiques – qui pèsent désormais sur la domination américaine. « Je suis probablement plus conscient que la plupart des gens non seulement de nos incroyables forces et capacités, mais aussi de nos limites », confiait-il au magazine *New Republic* en entamant son second mandat, en janvier 2013. Avec une dette de 16 000 milliards de dollars, les États-Unis n'ont plus les moyens de l'hyperpuissance de la fin des années Clinton, quand l'excédent budgétaire était de 240 milliards. Même les géostratèges les mieux établis en conviennent, à l'image du républicain Richard Haass, président du *think-tank* Council on Foreign Relations, dont le dernier livre est titré : « La politique étrangère commence à la maison » (*Foreign Policy Begins at Home*). C'est presque mot pour mot l'un des slogans de campagne du président en 2012 : « La nation que je veux construire, c'est la nôtre. »

Du premier mandat de Barack Obama, il faut retenir trois maîtres mots : « pivot » vers l'Asie, « remise à plat » (*reset*) avec la Russie et leadership « de l'arrière » sur le monde arabe. « *Leading from behind* » est une expression qui a échappé à l'un des proches conseillers stratégiques du président en avril 2011. Elle est désavouée par la Maison-Blanche, ne serait-ce que parce qu'elle est clouée au pilori par les républicains. Mais rien n'exprime aussi bien l'approche de Barack Obama : en cessant de se mettre en avant, les États-Unis sont moins exposés. Réduire la visibilité des troupes américaines (présentes à des degrés divers dans plus de 140 pays), c'est réduire les vulnérabilités.

Barack Obama redéfinit le leadership américain selon ses propres termes. Il intervient en Libye mais pas en Syrie. Il encourage le départ de Hosni Moubarak mais se retient de condamner la répression à Bahreïn, position stratégique pour la marine américaine. Dans ce pragmatisme, les considérations de politique intérieure ne sont jamais absentes, insiste Vali Nasr, doyen de la School of Advanced International Studies (SAIS) de l'université Johns Hopkins. Ce dernier a publié en mars 2013 un livre très critique, *Dispensable Nation*, tiré de ses observations alors qu'il était au département d'État dans le groupe des experts de l'Afghanistan et du Pakistan, réunis par le diplomate Richard Holbrooke. Selon lui, les États-Unis serait devenue une nation « dont on peut se passer », et non plus la « nation indispensable » qu'ils étaient à l'époque de Bill Clinton. L'objectif d'Obama, écrit Nasr, « n'est pas de prendre des décisions stratégiques, mais de satisfaire l'opinion publique ».

Quand elle est arrivée à la Maison-Blanche, en 2009, la nouvelle équipe démocrate avait fait un diagnostic peut-être un peu hâtif de l'ampleur du recul de la position des États-Unis dans le monde. L'Irak avait pulvérisé le *soft power* des États-Unis. La multipolarité était le concept du moment. Barack Obama prenait acte du relatif déclin de son pays et de ce que l'éditorialiste Fareed Zakaria a appelé la « montée des autres ». Quand il s'était montré, pendant les primaires démocrates, en mai 2008, le livre de Zakaria à la main

(« Un monde postaméricain »), les analystes l'avaient interprété comme la confirmation de leurs analyses : avec Obama, la politique étrangère des États-Unis allait passer à l'ère de la multipolarité, un concept qui donnait de l'urticaire à l'administration Bush, surtout lorsque Jacques Chirac l'utilisait.

La suite des événements a montré que la relève n'était pas prête ni unifiée. Et que la Chine ne tenait pas à codiriger la planète avec Washington dans un G2 hypothétique. Lorsque Barack Obama a été appelé (par ses alliés européens notamment) à réévaluer son diagnostic et à se montrer plus agressif, il a réaffirmé la prééminence américaine, ainsi que la pertinence du G8 (le club des Occidentaux), autant que du G20, dans la gouvernance mondiale. Début 2012, le président, candidat à sa réélection, a affiché un nouveau livre de chevet : celui du néoconservateur Robert Kagan, par ailleurs époux de la porte-parole de Hillary Clinton, Victoria Nuland, et conseiller du candidat républicain Mitt Romney (selon un mélange typiquement washingtonien). L'ouvrage, *The World America Made*, affirme que le déclin des États-Unis n'est ni une réalité ni une fatalité. Quelques mois plus tard, Barack Obama en a fait le fil conducteur de sa campagne : « *America is back* ». L'Amérique est de retour.

Du Moyen-Orient à l'Asie : le « pivot » contrarié

Comme il l'avait promis alors qu'il n'était que le sénateur de l'Illinois, Barack Obama a commencé par accélérer le retrait d'Irak. Le 31 décembre 2011, les derniers soldats américains ont passé la frontière koweïtienne au grand soulagement de leurs compatriotes. Sur l'Afghanistan, le président a accédé aux exigences de ses généraux et augmenté les effectifs d'un tiers, en 2010, mais contrairement au « *surge* » opéré par George W. Bush en Irak, il a imposé une date butoir et les renforts ont été rapatriés en dix-huit mois. Barack Obama n'avait probablement pas prévu d'être le « président de guerre » qu'il est devenu. Il a fini son premier mandat avec deux fois plus que troupes en Afghanistan qu'à son arrivée à la Maison-Blanche. Mais depuis la mort d'Oussama Ben Laden, le 1er mai 2011, il est clair qu'il a hâte de quitter le théâtre afghan. Et, cette fois, les militaires n'ont pas eu gain de cause : la fin de la « mission de combat » en Afghanistan est désormais gravée dans le marbre pour décembre 2014.

Pour Barack Obama, le désengagement du Moyen-Orient est un objectif stratégique, né du constat engendré par la nouvelle donne énergétique mondiale. En moins de dix ans, les États-Unis sont devenus le premier producteur de gaz naturel. Ils deviendront le premier producteur de brut entre 2017 et 2020. Déjà, ils n'importent plus que 10 % de leur pétrole du Moyen-Orient. Alors que la Chine connaît le phénomène inverse : 70 % de ses importations de pétrole viendront du Moyen-Orient en 2015.

D'où le « pivot » vers le Pacifique, une idée que le président avait développée avant même son élection. À force de se focaliser sur le Moyen-Orient, les États-Unis ont laissé le champ libre à leurs concurrents en Asie, et notamment la Chine, au risque de laisser les puissances moyennes de la région – Philippines, Corée du Sud – face à une Chine dont l'agressivité maritime ne cesse de s'affirmer [1]. Dès 2009, Barack Obama s'est décrit comme un « président du Pacifique » entendant à ce titre participer aux sommets régionaux. Pendant sa tournée régionale, fin 2011, il a accompagné cette déclaration d'un déploiement diplomatique, militaire et économique d'envergure : installation d'une base de 2 500 *marines* à Darwin, dans le nord de l'Australie, vente de chasseurs F-35 au Japon et à l'Australie. Il a souhaité que 60 % des bâtiments de la Navy soient réorientés vers le Pacifique. Pour les accueillir, de nouvelles bases ont été désignées, aux Philippines, au Vietnam, à Singapour...

Mais le « pivot » – rebaptisé « rééquilibrage » dans les discours officiels, par égard pour les alliés européens – a été rapidement contrarié. L'évolution des « printemps arabes » a illustré de manière éclatante les limites de l'influence américaine face aux dérapages non démocratiques en Égypte ou en Libye. La volte-face de Barack Obama sur le processus de paix israélo-palestinien (exigeant un gel de la colonisation, puis renonçant aux préconditions) a nui à sa crédibilité, de même que sa propension à couper la poire en deux. Enfin, l'état poussif de la démocratie américaine, paralysée par une guérilla incessante entre démocrates et républicains, a été observé dans le reste du monde. « La crédibilité des États-Unis n'est pas des plus élevée, note Aaron David Miller, l'un des anciens négociateurs de Bill Clinton pour le Proche-Orient. Tout le monde dit "non" à l'Amérique sans conséquences. Netanyahou, Karzaï, Abbas, Poutine, Téhéran... »

La Syrie est devenue, selon l'expression de l'éditorialiste Fred Hiatt, dans le *Washington Post*, « le laboratoire du désengagement américain ». Pour le président, les États-Unis ne sont appelés à intervenir dans des conflits sur le sol étranger que lorsque « nos intérêts et nos valeurs sont en jeu », précisait-il en mars 2011. À l'inverse de Bill Clinton, qui avait passé outre l'opinion de Moscou dans les Balkans, il n'entend en aucun cas ignorer la légitimité internationale, surtout dans le cas d'un pays dont le régime se situe dans l'orbite iranienne. Pas de résolution de l'ONU, pas de recours à la force.

L'éclatement de pays comme la Syrie, la montée du clivage entre sunnites et chiites dans toute la région préoccupent le président. « Si nous ne parvenons pas à créer un modèle dans lequel les gens arrivent à vivre côte à côte, les problèmes vont se produire avec récurrence, disait-il lors de sa visite en Jordanie en mars 2013. Mais les États-Unis de Barack Obama n'entendent

1 Voir l'article de Jean-François Sabouret, p. 191.

plus diriger seuls, sauf si leurs intérêts vitaux sont en danger. « On mène aussi par l'exemple. Si les États-Unis utilisent la force armée, ils sont critiqués. Maintenant c'est l'inverse », déclarait-il alors qu'il était interrogé sur l'impuissance américaine en Syrie, dix ans exactement après l'invasion de l'Irak. « Ma réponse, c'est de travailler dans le contexte multilatéral. Parce que le résultat est meilleur. » Les républicains interventionnistes, eux, se lamentent : les États-Unis du successeur de George W. Bush ne font plus peur.

Les orientations du second mandat

Pour son second mandat, Barack Obama a remis le métier sur l'ouvrage mais avec des nuances. Il s'est entouré de personnalités en accord avec son objectif de poursuivre le « reflux de la guerre » amorcé avec la fin du conflit en Irak, selon son expression d'octobre 2011. Ni le républicain atypique Chuck Hagel, nouveau ministre de la Défense, ni le démocrate John Kerry, au département d'État, ne sont des va-t-en-guerre. Tous deux ont servi au Vietnam, d'où ils ont rapporté, à eux deux, cinq Purple Hearts (médailles décernées aux soldats blessés au combat). Et ils savent que « la guerre n'est pas une abstraction », s'est félicité Barack Obama.

À peine réélu, le président a consacré son premier déplacement à Israël, comme pour réparer l'erreur du discours du Caire, en juin 2009, lorsqu'il s'était adressé au monde arabe, en ne mentionnant Israël que dans le contexte de l'Holocauste. Sur le processus de paix, il a choisi une méthode opposée : au lieu de s'aliéner les Israéliens, il a cherché à leur inspirer confiance, conscient que le compromis ne peut venir que d'un pays suffisamment rassuré sur sa sécurité. John Kerry s'est engagé dans une entreprise de discussions discrètes, avec une ambition volontairement modeste.

Sur l'Iran, Barack Obama continue la danse à mouvements lents engagée dès son investiture de 2009 par une offre de conciliation, aussitôt rejetée par Téhéran. Il ne cache pas sa volonté d'empêcher l'Iran – par la force si nécessaire – de se doter de l'arme nucléaire. Mais il ne veut pas risquer de fragiliser la reprise économique par une hausse subite des prix du pétrole. Son succès va dépendre de sa faculté à gérer les relations avec les nouveaux dirigeants à Moscou et Pékin, qui ont le pouvoir de blocage au Conseil de sécurité de l'ONU sur les dossiers prioritaires que sont l'Iran et la Syrie. Avec la Chine, s'est installée une apparente coexistence qui cache une guérilla sourde dans le cyberespace. Avec la Russie, le nouveau départ (le *reset* originel) a tourné court dès que Vladimir Poutine a repris les rênes. Les deux hommes se reverront au G20, qui se tient en septembre 2013 à Saint-Pétersbourg. Washington prépare les bases pour une nouvelle négociation de réduction des armements qui ferait passer le nombre de têtes nucléaires à un millier, soit 500 de moins que le plafond agréé dans le cadre du nouveau traité START conclu en 2011. Au besoin, les deux pays pourraient s'accorder sur une réduction mutuelle, sans passer par l'étape – lourde – du traité.

Pour son second mandat, Barack Obama a aussi ajouté un volet à sa politique étrangère : le commerce. Son objectif est de doubler les exportations américaines avant 2015. Prenant acte de l'échec du *round* de Doha à l'Organisation mondiale du commerce (OMC), il a engagé des négociations sur deux traités. L'un avec le Pacifique, le *Trans-Pacific partnership* : une sorte de « coalition des volontaires » qui inclut le Canada, le Mexique, le Pérou, le Chili, la Nouvelle-Zélande, l'Australie, Brunei, Singapour, la Malaisie, le Vietnam et le Japon. La Chine n'en est pas, et beaucoup le voient comme un mécanisme d'exclusion de Pékin. L'autre avec l'Europe, le *Transatlantic trade and investment partnership*, qui a été formellement annoncé par le président dans son discours sur l'état de l'Union en janvier 2013.

Le minimalisme est de rigueur, les objectifs revus à la baisse, sachant que la démesure des attentes du premier mandat a nui à l'efficacité de la diplomatie Obama et donc à sa faculté d'entraîner. Or le président n'ignore pas que, comme le dit le diplomate et chercheur Aaron David Miller, « l'idéologie dominante actuellement n'est plus le capitalisme, mais le succès ». Le succès, autrement dit « ce qui marche », comme l'expliquait Tom Donilon.

Pour en savoir plus

« Big picture. Croquis d'Amérique » (le blog de Corine Lesnes sur le site du Monde) : <http://clesnes.blog.lemonde.fr>.

Robert KAGAN, *The World America Made*, Doubleday, New York, 2013.

Charles A. KUPCHAN, *No One's World. The West, the rising rest, and the coming global turn*, Oxford University Press, Oxford, 2012.

Vali NASR, *The Dispensable Nation. America's Foreign Policy in Retreat*, Doubleday, New York, 2013.

Justin VAÏSSE, *Barack Obama et sa politique étrangère (2008-2012)*, Odile Jacob, Paris, 2012.

La Chine entre *soft power* et *hard power*

Jean-Luc Domenach
Directeur de recherche, Sciences Po-CERI

Serait-ce la Chine (populaire) à l'envers ? Un peu plus de quarante ans après le lancement de la Révolution dite culturelle, la Chine officielle fait publiquement la paix avec la partie la plus moraliste de ses traditions, et l'idéal de l'« harmonie » remplace officiellement la lutte des classes. Il y a même plus : ainsi équipés, les dirigeants chinois se lancent dans la grande compétition mondiale pour le rayonnement culturel. Cette ambition s'est progressivement glissée dans leur langage depuis le milieu des années 2000 et a été officialisée par la session du Comité central du Parti communiste chinois d'octobre 2011 qui appelait à la construction d'une « puissance culturelle [1] ».

Bien que cette évolution ait été fort peu citée par la propagande, cette offensive « culturelle » vise à n'en pas douter à contrer les pays occidentaux, à commencer par les États-Unis, sur un terrain que ceux-ci ont investi depuis longtemps : le *soft power*. En tout cas, la détermination des fonctionnaires chinois était d'emblée vigoureuse : le même discours sur la grandeur historique de la Chine et ses expressions linguistiques, artistiques et culturelles était diffusé de par le monde, quelles que soient les spécificités nationales. Ce n'est, semble-t-il, que progressivement que des différences se sont affirmées dans les modalités d'action culturelle, en fonction des publics « ciblés » : insistance sur la diffusion de la langue et de la propagande dans les pays d'Afrique ou d'Amérique latine ; action plus souple et plus orientée vers la diffusion artistique et canalisée par des coopérations habiles dans les pays d'Occident. Dans le domaine de la « diplomatie culturelle » comme dans d'autres, la Chine a donc appris en marchant et en s'inspirant des réussites de ses grands partenaires internationaux, en particulier américains, allemands et français. Pour autant, les fonctionnaires chinois demeurent prudents dans les dossiers les plus délicats comme celui du cinéma dont la diffusion à l'étranger a fort peu desserré le contrôle de la censure...

1 Éditorial, *Quotidien du peuple*, 15 octobre 2011.

Le principal véhicule de l'offensive chinoise est constitué par les « Instituts Confucius ». Destinés à enseigner la langue et à faire briller la culture chinoise, ces instituts se sont multipliés comme des bambous après la pluie : il en existait cinq cents en 2010, il devrait y en avoir le double en 2015 [1]. Un « prix Confucius » apparaissait aussi en 2010 comme pour rivaliser avec le Nobel, et un peu partout dans le monde les fonctionnaires chinois de la culture s'agitaient pour suggérer, financer et organiser des activités de plus en plus nombreuses destinées à glorifier cet empire que le général de Gaulle avait qualifié de « plus ancien que l'histoire ». Officiellement désintéressées, ces activités ne tardaient pas à rapporter un profit politique. Le jury Nobel, qui avait accordé au dissident Liu Xiaobo son prix de la paix en 2010, réservait deux ans plus tard celui de littérature à un écrivain chinois de bon niveau mais soutenu par ses autorités : Mo Yan.

Les gains extérieurs et intérieurs de la politique « culturelle »

Ainsi, la politique étrangère chinoise a de toute évidence élargi son champ d'action. Celui-ci ne se limite plus à l'économie et à la politique, il s'étend désormais à la « culture » dans une acception à la fois vague et très contrôlée qui évoque les actions culturelles de ses grands concurrents occidentaux : expositions, colloques, festivals de cinéma, tournées de concerts... Le style change également. Alors que les correspondants de presse et les diplomates chinois demeurent étroitement contrôlés, la nouvelle politique chinoise offre une certaine autonomie aux acteurs culturels. Dans les pays occidentaux en particulier, les responsables des Instituts Confucius ont la sagesse de s'appuyer sur leur partenaire local et d'éviter les censures trop visibles.

L'accueil positif qui a été réservé un peu partout à cette politique culturelle s'explique en partie par l'esprit nouveau qui l'anime. Mais il y a d'autres explications : la volonté, chez beaucoup de partenaires et de concurrents de la Chine, de comprendre les ressorts culturels de la puissance chinoise et l'envie, pour de nombreux travailleurs étrangers, d'y émigrer pour profiter de son essor économique. Si, par exemple, la Chine est désormais très présente en Afrique, nombre de jeunes Africains y émigrent pour former des communautés industrieuses. En France, une mode chinoise se dessine dans la bonne société : la langue du pays des Han est désormais enseignée dans plus de cinq cents lycées et le chinois est désormais la cinquième langue étrangère la plus enseignée dans l'Hexagone.

Plus directement utile à la politique chinoise est la réaction très positive des élites de nombreux pays à ce tournant spectaculaire. Laissant penser que

1 Philippe COHEN et Luc RICHARD, *Le Vampire du Milieu. Comment la Chine nous dicte sa loi*, Mille et une nuits, Paris, 2010, p. 198.

la puissance économique et politique de la Chine n'est pas l'effet du hasard et qu'elle se fonde sur une grandeur ancienne et une vraie différence culturelle, l'élargissement de la politique chinoise à la culture est fréquemment interprété comme un pas supplémentaire en direction d'une politique désormais intéressée par le dialogue et la défense de la paix. Dès lors, les gains extérieurs engendrés par cette nouvelle approche politique sont substantiels, dans la mesure où ils compensent partiellement la mauvaise impression donnée depuis quelques années par la politique de force que Pékin conduit en Asie orientale, par les algarades qu'elle distribue à certains dirigeants occidentaux et par son refus de changer substantiellement l'avantageuse parité du yuan avec le dollar.

On l'oublie trop souvent : les gains extérieurs du *soft power* ont aussi des conséquences en Chine même. Cette nouvelle politique conforte en effet les mouvements récents de l'opinion publique urbaine chinoise qui rêve d'« ailleurs ». L'ouverture culturelle de la Chine légitime ainsi un mouvement massif de la société chinoise vers l'étranger, en particulier vers les pays occidentaux, qui s'incarne dans la mode et, surtout, dans le tourisme. En faisant rayonner leur culture dans toutes les parties du monde, les autorités chinoises donnent une sorte d'autorisation de s'y rendre. Or la tendance est spectaculaire : en 2012 plus de soixante millions de touristes chinois étaient attendus à l'étranger, et cent millions devraient s'y rendre en 2020 [1] ! Mais cette politique a également un effet secondaire qui intéresse directement les dirigeants de Pékin : l'autorisation qui en découle, pour leurs collègues de l'élite, de développer leurs achats de produits de luxe ou de mode estampillés par les plus célèbres marques d'Occident : dès 2010, le marché chinois du luxe représentait 15 % du marché mondial [2]. Les achats chinois sont si massifs dans ce domaine que les grands magasins français se sont organisés pour recruter des vendeurs chinois qui connaissent les manies des consommateurs venus de Pékin – par exemple celle qui consiste à commander les mêmes cadeaux en deux ou trois exemplaires pour satisfaire à la fois l'épouse légitime et la – ou les – maîtresse(s)... Et ce n'est pas tout. C'est l'élite entière qui se sent désormais autorisée à multiplier les séjours en Occident pour recevoir des soins médicaux, cultiver des contacts mondains ou investir dans des domaines qui peuvent passer pour « culturels », comme le vin de Bordeaux ou les œuvres d'art occidentales.

---

1 Mathieu Duchâtel et Bates Gill, « Protecting Chinese citizens abroad : What next ? », *PacNet Newsletter*, n° 9, Center for Strategic and International Studies, 6 février 2012 (disponible sur <http://csis.org>).

2 Bettina Wassener, « Across Asia, an engine of growth for luxury firms », *New York Times*, 8 décembre 2011.

Entre séduction et brutalité

Si la politique nouvelle vante le dialogue et le voyage, elle a également pour but d'affirmer la grandeur du pays et de concourir à son rayonnement. Bien souvent, les objectifs culturels et politiques sont directement liés, parfois de façon déroutante. Ainsi, le « prix Confucius de la paix » a été décerné d'abord à un responsable politique taïwanais qui s'était rapproché de Pékin et ensuite à... Vladimir Poutine, loué pour avoir conduit des « guerres justes [1] ».

Le *soft power* nouveau de la politique chinoise ne se contente pas d'adoucir le ton parfois rude de la diplomatie chinoise. Il ne valorise pas seulement les expositions d'art chinois à l'étranger. Il légitime aussi, assez paradoxalement, une attitude plus vigoureuse dans les relations artistiques internationales. Un bon exemple est la chasse entreprise par plusieurs milliardaires chinois pour récupérer les plus belles œuvres emportées en Occident après les pillages du XIXe siècle : cette chasse, qui s'appuie souvent sur des moyens assez peu orthodoxes, vise clairement à contribuer à l'exaltation nationaliste dont le gouvernement use quand il y trouve avantage, et celui-ci sait remercier ceux qui l'aident. Rien d'étonnant, donc, que l'un des groupes les plus proches du pouvoir, le groupe Poly, spécialisé dans les matériels militaires, ait déboursé des centaines de millions de dollars pour ramener dans la mère patrie nombre de « trésors [2] ».

Ce qui surprend parfois les observateurs étrangers, c'est le curieux mélange que l'on observe dans la nouvelle politique chinoise entre une indéniable séduction et une certaine forme d'agressivité. À cet égard, le sport, domaine voisin de la « culture », offre des exemples intéressants de cette farouche volonté d'affirmer en douceur la supériorité chinoise. L'organisation des Jeux olympiques en 2008, qui fut l'occasion de dépenses pharaoniques, les performances des athlètes chinois dans les grandes compétitions qui ont suivi et jusqu'aux concessions financières faites par les autorités de Pékin à la championne de tennis Li Na et au champion de natation Sun Yang sont significatives à ce point de vue.

En fait, plus on enquête sur l'incontestable nouveauté que représente la diplomatie culturelle, plus on s'aperçoit qu'elle peine à affirmer son autonomie par rapport au *hard power*. Si les universités chinoises déploient de vastes réseaux de coopération internationale avec leurs homologues étrangères, notamment en ce qui concerne les sciences dures, l'esprit général reste systématiquement orienté par une volonté de rattrapage économique et par l'intérêt commercial, en usant d'ailleurs de méthodes qui n'excluent pas

---

1 Edward WONG, « For Putin, a Peace prize for a decision to go to war », *New York Times*, 15 novembre 2011.

2 Pascale NIVELLE, « Pékin n'a plus toutes ses têtes », *Libération*, 21 février 2009.

celles du renseignement. Tout en pratiquant, quand c'est possible et avantageux, une approche plus souple, voire complaisante de la politique mondiale, les dirigeants chinois réservent ainsi la priorité intellectuelle et politique à ce qui caractérise généralement le *hard power*. Cette réalité sera certainement illustrée dans l'avenir par les révélations qui ne manqueront pas d'affluer sur la puissance sans aucun doute inédite de l'assaut d'espionnage livré par la Chine au monde occidental durant toutes les années de l'« ouverture ».

Vers le retour du *hard power* ?

Bien qu'elle apporte d'indéniables gains, l'impulsion « culturelle » donnée à la politique extérieure chinoise n'est pas pour autant sans risque pour les dirigeants chinois. On le constate notamment dans l'attitude que ceux-ci acceptent de prendre avec leurs étudiants et leurs intellectuels. Ces derniers sont en effet encouragés politiquement et financièrement à voyager jusque dans les meilleurs centres d'intelligence du monde entier, mais on ne leur cache à aucun moment que leur place dans la société dépendra pour l'essentiel des services rendus au pouvoir et à ses branches commerciales, et pas seulement de leur excellence professionnelle. Le séjour à l'étranger étant désormais la condition de l'accession au pouvoir et à la richesse en Chine, il commence de plus en plus tôt – dès le secondaire – et se termine de plus en plus tard, souvent avec la thèse : le nombre des départs pour études est passé de 144 000 en 2007 à 340 000 en 2011 [1].

Le danger d'une telle politique se comprend quand on s'intéresse à la proportion – et à la qualité – de ceux qui ne rentrent pas, ou pas tout de suite, au pays : bien qu'elle confine au secret militaire, on peut l'estimer au quart, parmi lesquels nombre des meilleurs, et même des enfants de dirigeants. À commencer par la fille du président Xi Jinping, qui ne semble pas pressée de revenir de Harvard... D'une façon générale, les quarante-cinq millions d'expatriés Chinois nourrissent une relation ambiguë avec leur mère patrie. Outre leur intégration souvent rapide dans leurs sociétés d'accueil, ces « Chinois d'outre-mer » sont très conscients que, mis à part des facilités linguistiques, leur situation socioéconomique – moins confortable qu'on le croit généralement – rend leur hypothétique retour en Chine moins aisé qu'ils ne l'avaient anticipé.

Si les nouveaux équilibres entre le *soft* et le *hard power* sont lourds de dangers pour le pouvoir chinois, c'est aussi en raison des choix économiques sur lesquels repose la société chinoise. Dirigeants d'une caste qui a été fondée par leurs pères aux côtés de Mao Zedong, les responsables chinois savent que

1 « China's "Education exodus" accelerates », <http://chnedu.wordpress.com>, 4 avril 2012.

leur sort et leur richesse dépendent directement d'un rythme de croissance soutenu, capable d'assurer une certaine paix sociale. Mais, en raison de la crise économique mondiale et de l'augmentation des coûts, ils se savent obligés d'organiser la transition d'une économie d'exportation vers une économie de gamme plus élevée et reposant également sur la consommation. Dans une conjoncture mondiale déprimée, les risques d'une telle entreprise sont évidents, la réduction du taux de croissance menaçant d'entraîner des troubles sociaux immédiats comme cela s'est produit durant quelques mois au cours de l'année 2012.

Dès lors, en bons fils de stratèges militaires devenus des dirigeants léninistes, ils multiplient les précautions qui, s'appuyant plus volontiers sur les ressources du *hard power*, tendent à faire du pouvoir « séducteur » du *soft power* un simple habillage d'une politique de puissance.

La première précaution consiste, pour consolider les avantages de l'économie d'exportation, à tenir serré le contrôle sur les relations avec l'étranger. Loin de toute « séduction », Pékin traite avec une fermeté croissante les plaintes – qui affluent – des hommes d'affaires étrangers : l'essentiel est que l'attrait du « marché chinois » et la réussite de quelques rivaux les rendent patients. La deuxième précaution, qui fait également appel aux techniques du *hard power*, consiste à amorcer – prudemment, mais en recourant fréquemment à la coercition – les grandes mutations technologiques et sociales. La troisième précaution, qui complète la précédente, est le très classique appel au rêve nationaliste – qui a d'inévitables connotations impériales et prend parfois des accents militaristes. Mao faisait miroiter la libération des peuples opprimés, Deng Xiaoping exaltait la modernisation de la Chine. Le nouveau dirigeant chinois Xi Jinping, lui, a déclaré quelques semaines après son accession au pouvoir : « Réaliser la grande renaissance de la nation chinoise est le grand rêve de la Chine moderne [1]. »

Par temps calme, le nouveau *soft power* chinois fournit une petite musique qui distrait tant les partenaires de la Chine que le bon peuple et accompagne la mondialisation de la population urbaine chinoise. Dans ce sens, il joue un rôle non négligeable. Mais quand des tempêtes éclatent, alors Pékin fait donner sa police pour contrôler sa population et sa diplomatie utilise des formules plus musclées à destination de ses partenaires étrangers. Des formules qui ont du reste déjà été mises au point, comme en témoigne cette adresse du ministre des Affaires étrangères chinois aux participants de la réunion annuelle de l'Association des nations de l'Asie du Sud-Est (ASEAN) en juillet 2010 : « La Chine est un grand pays. Et les autres pays sont des petits

1 François BOUGON, « En Chine, la censure d'un article provoque l'ire des internautes », *Le Monde*, 4 janvier 2013.

pays. Voilà les faits [1]. » Gageons aussi que Pékin trouvera de nouvelles raisons de dénoncer encore les « revanchards » japonais...

Pour en savoir plus

Jean-Pierre CABESTAN, *La Politique internationale de la Chine*, Presses de Sciences Po, Paris, 2010.

LI Mingjiang, *Soft power, Chinese Emerging Strategy in International Politics*, Lexington Books, Lanham, 2009.

Revue *Monde chinois* (Éditions Choiseul).

Dustin ROASA, « China's soft power surge », *Foreign Policy*, 18 novembre 2012 (disponible sur <www.dustinroasa.com>).

D'ouest en est : les ambitions eurasiennes de Vladimir Poutine

Andrei Gratchev
Journaliste et politologue

Vladimir Poutine a attendu février 2013, soit presque un an après son élection en vue d'un troisième mandat présidentiel, pour signer la nouvelle « Conception de la politique extérieure de la Fédération de Russie ». Or ce texte doit lui servir non seulement de « carte de visite » pour son action sur la scène internationale, mais aussi de manifeste politique annonçant l'orientation qu'il pense donner à l'évolution de la Russie pour les années à venir. Le message qu'envoie ainsi le président russe est assez parlant. Il confirme à la fois sa prise de distance à l'égard de son prédécesseur immédiat – Dmitri Medvedev –, mais aussi, paradoxalement, sa rupture avec un certain... Vladimir Poutine : celui de ses deux premiers

1 Brice PEDROLETTI, « Une nouvelle zone à hauts risques », *Le Monde*, 13 mai 2012.

mandats (2000-2004 et 2004-2008). Parmi les nouveautés qui marquent la « conception » en question, on note tout d'abord la volonté de souligner la spécificité de la Russie, qui doit devenir un nouveau « centre de gravité » sur la scène internationale. Cette identité particulière de son pays, Vladimir Poutine III la définit par l'« eurasisme » de la Russie, qui devient ainsi sa nouvelle idéologie politique et en même temps la boussole devant guider la diplomatie russe dans les mers agitées du XXIe siècle.

Eurasisme : une tradition ancienne

Il n'y a rien d'exceptionnel dans le rappel de la situation géographique particulière de la Russie – sorte de pivot entre l'Europe et l'Asie –, et de son parcours historique. L'une et l'autre ont profondément marqué la formation de l'État russe et l'évolution de cette nation composite, représentant, selon l'expression du grand historien dissident de l'époque soviétique Mikhaïl Gefter, « le monde des mondes ». Certes, par ses origines, son histoire et sa culture, la Russie a toute sa place au sein de la famille européenne. Mais il suffit d'évoquer l'immensité territoriale de sa partie asiatique pour comprendre qu'il s'agit d'un véritable « État centaure » : les terres à l'est de l'Oural, qui s'étendent sur huit fuseaux horaires et six mille kilomètres et représentent les trois quarts de l'actuelle République fédérative de Russie ; l'abondance des ressources énergétiques et des matières premières de la Sibérie ; l'histoire mouvementée de ses relations avec ses voisins musulmans, chinois et japonais, etc. La Russie est donc autant asiatique qu'européenne, sans être véritablement l'une ou l'autre. Car on ne sait pas exactement si c'est l'Europe qui, avec Vladivostok sur la côte pacifique, va jusqu'aux portes du Japon, ou si c'est l'Asie qui, avec Kaliningrad sur la côte baltique, fait son intrusion au cœur de l'Europe hanséatique.

Ce n'est donc pas un hasard si, au long des siècles passés, les débats relatifs à la définition de l'identité russe ont constitué une composante essentielle de la vie culturelle, politique et religieuse de cette « puissance orthodoxe », comme l'a rappelé Vladimir Poutine en septembre 2005. Le thème de son tropisme « eurasien » revenait régulièrement – tel un « serpent de mer » – dans ces débats sans pour autant être jamais reconnu comme idéologie officielle par ses dirigeants.

Héritier de la pensée « slavophile » du XIXe siècle, le courant de pensée « eurasien » s'est manifesté au début des années 1920 dans les écrits des représentants de l'émigration russe – notamment le linguiste Nikolaï Troubetskoï – déçue par l'Occident qui, selon elle, aurait « lâché » la Russie face au bolchevisme triomphant. Le message principal de ce courant consistait à rechercher les origines fondatrices de la nation russe dans son « altérité » par rapport aux autres nations européennes, alliage singulier, autant historique que spirituel et mystique, avec les peuples nomades de l'Asie. On trouve le reflet de ce tropisme dans le célèbre poème du grand poète russe du début du XXe siècle Alexandre Blok, intitulé « Les Scythes ».

Un demi-siècle plus tard, un autre grand écrivain russe, Alexandre Soljenitsyne, tout en partageant la méfiance des « Eurasiens » à l'égard de l'Occident, exprimait son scepticisme quant à leur tentation de trouver refuge, face à l'arrogance et l'égoïsme des Occidentaux, dans les steppes et les espaces sibériens. L'écrivain disait redouter une éventuelle dissolution de l'identité russe dans l'« océan humain » asiatique. D'une certaine manière, les craintes de Soljenitsyne pourraient trouver une confirmation dans l'insistance avec laquelle, depuis l'éclatement de l'URSS, le président kazakh Noursultan Nazarbaev a soutenu la formation d'une Union eurasienne entre les anciennes républiques soviétiques – et ce dès 1994 [1].

Dans la Russie postsoviétique, les principales idées des « Eurasiens » russes du début de XXe siècle ont été reprises et développées, sous la forme d'un courant « néo-eurasien », par des publicistes et philosophes nationalistes, considérés encore récemment comme marginaux ou même dissidents, tels Alexandre Dougine ou Alexandre Prokhanov. Avec la réélection de Vladimir Poutine pour son troisième mandat, ces derniers ont senti qu'ils avaient le vent en poupe et intensifié leur activité. Prokhanov a, par exemple, affirmé avoir obtenu du président russe la « charge » de formuler une « idée nationale » pour la Russie. N'hésitant pas à interpréter l'initiative de la formation de l'Union eurasienne comme le projet d'un « nouvel empire », il y voit une réponse idéologique à l'expansion occidentale.

On doit néanmoins constater que la ferveur passionnelle et même messianique du courant néo-eurasien s'est considérablement apaisée dernièrement pour céder la place à une version plus politiquement correcte d'un « eurasisme pragmatique » dont la conception a été formulée pour la première fois par Vladimir Poutine dans un article aux *Izvestia*, fin 2011, lors de sa dernière campagne présidentielle. Dans cet article, comme dans sa suite publiée au début de 2012 à la veille de l'inauguration de l'Espace économique commun entre la Russie, le Kazakhstan et la Biélorussie, le président russe présente l'Union eurasienne comme une nouvelle étape du « processus naturel » de l'intégration qui doit succéder à la création de l'Union douanière déjà existante et de l'Espace économique commun. Rassemblant les trois États, auxquels se joindront bientôt la Kirghizie et le Tadjikistan, l'Union doit se transformer en une « puissante communauté supranationale capable de devenir un des pôles du monde moderne qui assurerait une liaison efficace entre l'Europe et la région de l'Asie-Pacifique qui connaît un développement extrêmement dynamique ».

---

1 Voir l'article de Régis Genté, p. 243.

Rupture politique...

Vladimir Poutine franchit ainsi le Rubicon : il annonce que, dorénavant, la Russie sous sa direction s'apprête à renoncer à la construction d'un avenir politique commun avec l'Europe, reconnue encore récemment comme le partenaire « stratégique » privilégié de la Fédération de Russie. Ce faisant, le président ne rompt pas seulement avec l'orientation europhile des dirigeants russes qui, depuis Pierre le Grand, proclamèrent l'ancrage de la Russie à l'Europe comme objectif national. Il tourne aussi le dos à la séduction qu'avait, pour le Kremlin, à l'époque soviétique et en pleine guerre froide, la vision du général de Gaulle d'une Europe réunie « de l'Atlantique à l'Oural » et les perspectives de la détente Est-Ouest ouvertes par l'*Ostpolitik* de Willy Brandt : c'était tout le sens du « processus d'Helsinki », qui devait confirmer le lien organique entre l'Union soviétique et le reste de l'Europe.

L'idée de l'intégration de l'Union soviétique comme un membre à part entière dans la Grande Europe réunie se trouvait également au cœur du projet de la « maison commune européenne » formulé par Mikhaïl Gorbatchev dès son installation au sommet du pouvoir soviétique – un projet repris par Dmitri Medvedev lorsqu'il proposa la création d'un espace commun de sécurité euro-atlantique et invita l'Union européenne à s'associer au chantier de la modernisation de la Russie. Depuis le changement d'hôte du Kremlin, écrit le *New York Times*, on y découvre un président « qui non seulement annonce qu'il ne prend pas l'Occident comme modèle pour la Russie, mais qui ne semble plus intéressé par lui comme partenaire [1] ».

Qu'est-ce qui a donc pu pousser Vladimir Poutine, que l'on a connu d'abord comme l'« Américain » (au lendemain du 11 Septembre), ensuite comme l'« Européen » (à l'époque de son alliance avec Jacques Chirac et Gerhard Schröder contre la guerre américaine en Irak), à revêtir les habits d'un « Eurasien » ? Sûrement le pragmatisme de quelqu'un qui, revenant aux commandes de l'État, découvre un monde différent, profondément changé depuis ses deux mandats précédents.

Dans ce monde, tel que le décrit la nouvelle « Conception de la politique extérieure de la Russie », les repères fondamentaux de l'ancien ordre international sont ébranlés ou remis en cause. D'abord, l'Occident n'est plus le maître incontestable du monde, du moins tel qu'il se l'imaginait au lendemain de la fin de la guerre froide. Sa stratégie militaire se solde par des échecs en Irak et en Afghanistan, son modèle économique entraîne le monde dans une crise globale, sa capacité à servir de référence démocratique et morale pour les peuples à travers le monde est de plus en plus contestée.

Parallèlement au déclin de la toute-puissance occidentale, on voit émerger d'autres pôles de développement et d'influence, notamment en Asie

---

1 Fiona Hill, « Clifford Gaddy dealing with real Putin », *New York Times*, 4 février 2013.

vers laquelle commence à se déplacer le centre de gravité de l'activité économique mondiale. Ce rééquilibrage de la balance géostratégique place la Russie, selon l'analyse de ses dirigeants, devant la nécessité de réviser radicalement les bases traditionnelles de sa politique extérieure pour en redéfinir les priorités. En même temps, ce nouveau contexte international permet de valoriser la situation géographique « eurasienne » de la Russie et de mettre en valeur les atouts de sa position intermédiaire entre l'Est et l'Ouest lui permettant de devenir un nouvel « empire du Milieu » du XXIe siècle.

... et réorientation stratégique

Reste que, pour assumer ces nouvelles ambitions géostratégiques, le pays doit posséder les « munitions » nécessaires. C'est précisément cette nouvelle stature d'une Russie « relevée » qui constitue, dans la vision de Vladimir Poutine III, un autre aspect du monde « différent ». À ses yeux, avec l'autorité de l'État restaurée, l'économie stabilisée (largement grâce aux prix du pétrole), l'opposition discréditée et dispersée, la Russie achève de sortir de la crise de transition postsoviétique.

Finis, donc, les complexes d'une puissance infirme, sorte d'« homme malade » de la scène internationale. Cette convalescence réussie ne rend plus nécessaires les alliances et les « amitiés de circonstance » – surtout avec les puissants parrains occidentaux – imposées autrefois par la faiblesse du pays. D'autant plus que celles-ci se sont révélées improductives, voire humiliantes.

Dans l'avenir, toujours selon la « Conception », la Russie s'offrira des partenaires « à la carte » : elle sera prête à jouer sur les différents échiquiers mondiaux en laissant sa diplomatie libre de profiter de la multitude de ses casquettes. Car, outre son statut de membre permanent du Conseil de sécurité des Nations unies et des clubs privilégiés du G8 et du G20, la Russie fait partie du groupe des puissances « émergentes » – les BRICS (Brésil, Russie, Inde, Chine, Afrique du Sud), dont le premier sommet a eu lieu à Ekaterinbourg, dans l'Oural, en juin 2009 – tout comme du Forum de la Coopération économique Asie-Pacifique (APEC) et de la Conférence islamique. Bref, elle se positionne à la fois comme une des fondatrices et garantes de l'ancien ordre international et une composante des nouvelles forces qui contestent ce dernier.

Un autre facteur, et non des moindres, lié cette fois à l'évolution de la situation intérieure de la Russie, explique l'inflexion du vecteur prioritaire de la diplomatie russe d'Ouest en Est. Vladimir Poutine se sent non seulement déçu ou « trahi » par l'Occident, mais directement menacé par lui. Telle est la lecture qu'il fait de l'expansion de l'Organisation du traité de l'Atlantique nord (OTAN) vers l'est de l'Europe jusqu'aux confins de la Russie (avec des plans annoncés d'intégration de l'Ukraine et de la Géorgie) et surtout du bilan des « révolutions colorées » dans plusieurs républiques ex-soviétiques.

La direction russe voit derrière ces événements, tout comme dans les récentes révolutions arabes, la « main de l'Occident », voire d'éventuels préparatifs à l'application de « scénarios identiques » dans le contexte russe.

C'est à travers ce prisme que Vladimir Poutine – candidat à sa réélection en 2012 – a perçu le phénomène de la contestation de sa candidature par un large courant de l'opinion publique russe. Et c'est aussi à partir de cette analyse qu'il a formulé le programme de son nouveau mandat, profondément marqué par l'esprit nationaliste et « patriotique » aux nettes connotations antioccidentales.

Quant aux atouts nécessaires pour s'engager dans ce nouveau jeu géostratégique, le maître du Kremlin croit en posséder suffisamment. Outre la position géographique avantageuse de la Russie, il y a, bien sûr, l'abondance de ses ressources énergétiques et de ses réserves de matières premières – véritables armes de destruction massive dans le monde de l'après-guerre froide. Ayant perdu le statut de superpuissance militaire, la Russie cherche à se convertir en superpuissance énergétique se présentant comme le fournisseur idéal de pétrole et de gaz aussi bien de l'Europe que de l'Extrême-Orient.

Le réseau existant des oléoducs et des gazoducs desservant l'Europe est en train d'être complété par l'oléoduc Sibérie-Pacifique, qui doit permettre de transporter le pétrole sibérien vers l'Asie. Le premier tronçon d'une capacité annuelle de trois millions de tonnes de pétrole reliant Taïchet (Sibérie orientale) à Skovorodino (région de l'Amour) a été mis en service en décembre 2009. Réorienter vers de nouveaux clients asiatiques ses exportations de pétrole et de gaz permet en même temps à la Russie de faire pression sur ses clients européens en leur faisant comprendre qu'ils ne constituent pas le débouché unique des hydrocarbures russes.

Très logiquement, c'est la Chine qui devient le partenaire économique privilégié de la Russie à l'Est. La coopération entre les deux pays se développe à un rythme accéléré, avec comme objectif d'atteindre 100 milliards de dollars d'échanges commerciaux vers 2015. Les nouveaux dirigeants du Parti et du gouvernement chinois qui ont pris récemment la relève à Pékin sont prêts à confirmer le développement intensif de la coopération avec la Russie de Poutine comme une des priorités majeures de leur politique. Le fait que le président chinois Xi Jinping ait choisi Moscou en mars 2013 pour sa première visite à l'étranger constitue un indice convaincant de ce choix stratégique. Ce développement accéléré tout comme la perspective de transformation de la Russie en une sorte d'entrepôt de ressources énergétiques et de matières premières pour l'économie chinoise commencent à préoccuper certains experts russes, comme Serguei Karaganov, qui redoutent que la Russie se transforme en appendice de la Chine montante.

La Russie, « un des centres du nouveau monde polycentrique » ?

Pourtant, dans le nouveau jeu « eurasien » de Vladimir Poutine, le rôle de la Russie ne se réduit ni à la fonction de « couloir » de transit entre le « vieil » Ouest et le « nouvel » Est, ni au statut de fournisseur de matières premières aux économies asiatiques. Son ambition serait de constituer sur l'espace postsoviétique un pôle politique autonome, jouant le rôle de « clé de voûte » de la nouvelle architecture internationale. Serguei Lavrov, le ministre russe des Affaires étrangères, expliquait en décembre 2012 : « Nous nous voyons comme – et peut-être sommes-nous déjà en réalité – un des centres du nouveau monde polycentrique. Ce statut de la Russie est déterminé par ses possibilités militaires, géographiques, économiques, sa culture et son potentiel humain [1]. »

L'Union eurasienne proposée par le chef de Kremlin est donc appelée à devenir l'arme de cette stratégie ambitieuse. Il est assez symbolique que les premières « sorties » à l'étranger du président russe se soient déroulées non en direction des capitales occidentales, comme par le passé, mais en Biélorussie – pour apporter le soutien de Moscou au régime dictatorial d'Alexander Loukachenko – et à Vladivostok pour accueillir les dirigeants de l'APEC devant qui, en septembre 2012, Vladimir Poutine a présenté sa vision de l'Union eurasienne.

Il n'est pas surprenant que ce nouveau projet, comme toute démarche de Moscou qui annonce la perspective d'une éventuelle réintégration de l'espace postsoviétique, ait provoqué des réactions mitigées venant notamment des anciens rivaux stratégiques de l'URSS, les États-Unis comme leurs alliés en Europe occidentale. Ainsi Hillary Clinton, abandonnant la courtoisie diplomatique à la veille de sa démission du poste de secrétaire d'État américain, n'a pas hésité à qualifier en décembre 2012, dans son discours devant l'Organisation pour la sécurité et la coopération en Europe (OSCE), le projet de la création de l'Union eurasienne de tentative de « resoviétisation », s'engageant à « la faire échouer ».

Un des coauteurs du projet, le président kazakh Noursultan Nazarbaev a catégoriquement démenti ces soupçons. « Je veux souligner une fois de plus, a-t-il déclaré le 18 janvier 2013 à Astana, que l'intégration eurasienne lancée sur mon initiative personnelle n'a jamais été et ne sera jamais une réincarnation de n'importe quelle union politique et tout particulièrement feu l'Union soviétique. » En même temps, il a souligné que les trois membres fondateurs de l'Union en question (la Russie, le Kazakhstan et la Biélorussie) « restent des États indépendants avec leurs propres intérêts nationaux » [2].

---

1 Discours de Serguei Lavrov à la conférence internationale « La Russie dans le monde de force du XXe siècle », Moscou, 19 décembre 2012.

2 « Eurasian integration No "reincarnation of USSR" – Nazarbayev », *Ria Novosti*, 18 janvier 2013 (<http://en.rian.ru>).

Quant à Vladimir Poutine, il a balayé les propos du secrétaire d'État américain d'un revers de la main en les qualifiant de « pure absurdité ». Se défendant contre l'accusation de vouloir restaurer l'ex-Union soviétique ou encore l'Empire russe, il a qualifié les initiatives d'intégration postsoviétique comme un « processus naturel » inspiré d'ailleurs par l'exemple de l'Union européenne.

Il faut dire que l'idée d'un avenir « eurasien » commun proposée aux républiques ex-soviétiques, membres de l'actuelle Communauté des États indépendants (CEI), est loin de faire l'unanimité. Si le Tadjikistan et le Kirghizstan en Asie centrale comme l'Arménie transcaucasienne confirment leur intérêt, de « gros morceaux » comme l'Ouzbékistan et l'Ukraine manifestent ouvertement de sérieuses réticences – ils ont intérêt à garder les mains libres dans la perspective d'autres choix géostratégiques ou économiques, en direction de la Chine pour le premier et de l'Union européenne pour la seconde. Or, sans leur adhésion, la construction d'une Union cherchant à concurrencer les centres de puissance politiques et économiques existants risque de perdre de sa crédibilité ou de se transformer en coquille vide.

Une Union eurasienne aux objectifs flous et ambigus

Car le péché originel de la conception de l'Union eurasienne reste l'ambiguïté de sa nature et de ses objectifs. Autant, comme a beau le rappeler Vladimir Poutine, la méthode de la construction de l'Union eurasienne à partir de la création de l'Espace économique commun s'inspire bien du modèle de l'Union européenne, autant sa véritable mission reste à préciser. Il y a de bonnes raisons d'y voir, au moins pour ce qui concerne la Russie, un moyen de marquer les confins de l'espace postsoviétique, les « lignes rouges » de ses frontières qu'elle cherche à protéger contre toute tentative de partage de l'« héritage soviétique », qu'elle vienne de l'Occident ou de la Chine.

D'autre part, cette Union de plusieurs régimes conservateurs postsoviétiques apparaît comme une sorte de nouvelle Sainte-Alliance soucieuse de se perpétuer face à la pression intérieure montante. En ce qui concerne les pays de l'Asie centrale, la menace de l'« islamisme radical » s'ajoute aux autres motifs de la solidarité unifiant les régimes en place. De ce point de vue, on peut l'accorder à Vladimir Poutine : loin d'être un dessein expansionniste, l'Union eurasienne se fixe des objectifs plutôt conservateurs, défensifs et réactionnaires.

D'autant qu'une motivation supplémentaire, inavouée, figure bien dans le rappel des sources eurasiennes de la Russie actuelle : une tentative d'affirmer l'« autosuffisance » politique de ce pays considéré comme un monde à part, qui n'a par conséquent nul besoin de prendre d'exemple, et encore moins de leçons de démocratie à l'Europe. Ceci permet à Vladimir Poutine et à son entourage de justifier l'abandon de la quête de l'horizon politique européen, dans laquelle la Russie était engagée depuis des siècles, et de déclarer « accomplie » la « mission » de construire une société russe moderne et reformée. Cet argument évoque d'ailleurs curieusement la pirouette idéologique des propagandistes soviétiques, qui avaient inventé l'expression « socialisme réel » pour justifier le grand écart séparant les tristes conditions de la vie quotidienne en URSS des « lendemains qui chantent » de l'idéal communiste. Voilà de quoi renforcer l'analogie entre le « système de Vladimir Poutine III » et le régime brejnévien à bout de souffle.

Le grand paradoxe du projet géostratégique lancé par le Kremlin réside dans le fait que l'actuelle société russe peut se révéler réticente à suivre son leader sur la voie de la rupture politique et culturelle avec l'Europe, avec les valeurs démocratiques et les exigences des temps modernes, que lui propose cette fuite dans l'univers mythologique « eurasien ». Tant que cette ambiguïté n'est pas levée, le nouveau gadget du Kremlin risque de connaître, au pire, le triste sort de la CEI, conçue pour gérer les procédures de « divorce à l'amiable » entre les anciennes républiques soviétiques et déjà presque oubliée, au mieux de ne représenter qu'une carte de plus de la diplomatie russe engagée dans les tractations avec ses partenaires à l'Est comme à l'Ouest en vue des prochaines perturbations que risque de connaître la scène internationale.

Pour en savoir plus

Jean Geronimo, *La Pensée stratégique russe, guerre tiède sur l'échiquier eurasien : les révolutions arabes, et après ? À la recherche d'un printemps russe...*, SIGEST, Alfortville, 2012.

Arnaud Leclercq, *La Russie puissance d'Eurasie. Histoire géopolitique des origines à Poutine*, Ellipses, Paris, 2012.

Jean Radvanyi, *Retour d'une autre Russie : une plongée dans le pays de Poutine*, Le Bord de l'eau, Latresne, 2013.

Vers un retour du protectionnisme ?

Jean-Marc Siroën
Professeur des Sciences économiques à l'université Paris-Dauphine

Du côté des anciens pays industriels : la crise économique, le chômage, les délocalisations. Du côté des pays émergents : une reprise rapide et forte, la conquête des marchés mondiaux, l'accueil des investissements directs. Parallèlement, la gouvernance mondiale s'est délitée malgré son élargissement aux pays émergents dans un G20 vite épuisé, et le cycle de Doha portant, sous l'égide de l'Organisation mondiale du commerce (OMC), sur la libéralisation des échanges internationaux ne parvient pas à reconnaître son échec.

Dans les années 2000, la mondialisation des économies a pris un tour inattendu. L'intégration des pays émergents et en développement au commerce mondial a modifié la nature de la division internationale du travail en fragmentant les processus de production. Et cette nouvelle mondialisation, qui rend les économies plus interdépendantes, a exclu, jusqu'à aujourd'hui, tout recours à un protectionnisme actif et généralisé.

Fragmentation des processus de production...

L'accès des pays émergents et en développement au commerce international, associé aux nouvelles technologies, a favorisé une évolution de la division internationale du travail, devenue plus « verticale », de l'amont vers l'aval de la chaîne de production. En effet, les pays se spécialisent moins dans des productions finales – automobiles, ordinateurs – que dans certaines étapes du processus de production, de la conception à la distribution. Bien qu'elle exporte des notebooks ou des smartphones « finis », la Chine ne contribue que très marginalement à la formation de la valeur du bien vendu aux consommateurs du monde entier. Ainsi, pour l'iPod, sa contribution se limite pour l'essentiel à l'assemblage du produit, qui ne compte que pour 4 dollars alors que le prix à l'exportation est d'environ 150 dollars pour un prix de vente aux États-Unis de 300 dollars ! La valeur se situe ailleurs : aux États-Unis, mais aussi en Corée, au Japon ou en Allemagne qui ont eux-mêmes dû importer en amont des services, des matières premières et des composants. Dans ce processus, la traçabilité est devenue insaisissable [1].

L'expansion des exportations des pays émergents asiatiques, comme la Chine ou le Vietnam, s'est fondée sur une spécialisation dans les tâches d'assemblage, intensive en main-d'œuvre abondante, relativement peu qualifiée et bon marché. Cette évolution a été accélérée par une forte mobilité du capital qu'illustrent notamment les investissements directs des pays développés ou « émergés » (Corée du Sud et Taïwan) dans les « zones franches » (*export processing zones*, EPZ) dont le nombre a explosé, passant de 79 en 1975 à 3 500 en 2007 [2]. Entre autres avantages, ces zones bénéficient d'une exonération des droits de douane pour les intrants importés dès lors que la production est ensuite exportée.

Si la division verticale du travail n'est pas nouvelle, les politiques d'intégration des pays émergents et en développement l'ont donc accélérée. Après avoir été longtemps négligée, cette division du travail suscite aujourd'hui des interrogations nouvelles sur les théories, les méthodes et les statistiques du commerce international. En effet, ce dernier reste aujourd'hui évalué en valeur « brute » qui agrège toute la valeur ajoutée du bien exporté quelle que soit son origine, ce qui, par ailleurs, implique qu'un composant et les matières qu'il contient puissent être enregistrés à chaque fois qu'il franchit une frontière. Le disque dur japonais incorporé en Chine dans l'iPod sera comptabilisé comme une exportation japonaise *et* chinoise. En raison de ces enregistrements multiples, l'explosion du commerce international, telle qu'elle est appréhendée par les statistiques, doit être analysée avec précaution : elle témoigne moins de la dépendance des économies vis-à-vis du commerce international (croissance, emploi, etc.) que de l'intensification de la division internationale verticale du travail. Si la crise de 2008-2009 a fait disparaître la moitié des exportations chinoises, les effets mécaniques sur le taux de croissance ont été très faibles. L'analyse des soldes commerciaux bilatéraux est également trompeuse. Le déficit des États-Unis avec la Chine est surtout un déficit avec les fournisseurs de la Chine : le Japon, l'Allemagne et la Corée du Sud.

L'OMC (avec le programme « Made in the World ») et l'OCDE tentent de généraliser la mesure du commerce international en valeur ajoutée à partir

---

1 Voir par exemple, pour l'iPod, Jason DEDRICK, Kenneth L. KRAEMER et Greg LINDEN, « Who profits from innovation in global value chains ? A study of the iPod and notebook PCs », *Industrial and Corporate Change*, vol. 19, n° 1, 2010, p. 81-116 (disponible sur <http://papers.ssrn.com>) et « Who captures value in a global innovation system ? The case of Apple's iPod », Personal Computing Industry Center, University of California, 2007 (<http://escholarship.org>).

2 Jean-Pierre SINGA BOYENGE, « ILO database on export processing zones (revised) », International Labour Office, Sectoral Activities Programme Working Paper n° 251, Genève, 2007.

des tableaux d'entrée-sortie (matrice de Leontief) non seulement pour reconstituer le contenu en valeur ajoutée nationale des exportations, ce qui inclut le contenu en emploi du commerce, mais aussi l'origine et la destination de cette valeur ajoutée. Ainsi, l'excédent commercial de la Chine avec les États-Unis, calculé en termes de valeur ajoutée, devrait être diminué de 25 % [1].

... et des zones commerciales

Même si son échec n'est pas acté, le cycle de Doha pour le développement, ouvert en 2002, n'a réalisé aucun réel progrès depuis la très modeste conférence de Hong Kong de 2005. C'est donc la fonction historique de l'OMC – à savoir une ouverture commerciale négociée dans le cadre multilatéral des cycles (*rounds*) – qui se trouve remise en cause, au risque de la cantonner à sa fonction d'organe de règlement des différends entre pays membres. Ne parvenant pas à imposer la réciprocité, c'est-à-dire des compromis « gagnant-gagnant » entre partenaires, l'OMC ne permet donc plus de répondre aux demandes des pays qui réclament une plus grande ouverture du commerce international.

Face aux carences du multilatéralisme, l'intégration régionale a souvent été présentée comme une alternative, comme en a témoigné, dans les années 1990, la multiplication des accords de libre-échange ou d'unions douanières : élargissement de l'Union européenne, création de l'ALENA en Amérique du Nord et du Mercosur en Amérique du Sud, évolution de l'ASEAN en zone de libre-échange en Asie du Sud-Est. Avec des associations régionales comme l'Asia-Pacific Economic Cooperation (APEC, qui réunit les pays riverains du Pacifique), ces initiatives ont conforté une vision largement partagée d'un monde multipolaire, voire tripolaire. Pourtant, dans les années 2000, cette idée a peu progressé et a même plutôt régressé. La zone de libre-échange des Amériques, de l'Alaska à la Terre de Feu, a échoué ; le Mercosur ne s'est étendu qu'au Vénézuela ; l'Union européenne ne parvient pas à surmonter les effets délétères de la crise de 2008 ; enfin, l'intégration africaine est restée lettre morte. Si l'intégration commerciale en Asie du Sud et de l'Est a progressé, en tirant d'ailleurs partie de sa complémentarité dans la division verticale du travail, les échanges sont restés largement interrégionaux. Sur le plan institutionnel, les accords commerciaux qualifiés de « régionaux » par l'OMC le sont de moins en moins. La part des accords commerciaux intercontinentaux (par exemple, entre la Corée et les

1 OCDE-OMC, 2013. Base de données OCDE-OMC sur les échanges en valeur ajoutée. Premières estimations : 16 janvier 2013, <www.oecd.org/fr/sti/ind/TIVA_stats % 20flyer_FRA. pdf>.

États-Unis) représente aujourd'hui plus du tiers des accords commerciaux, lesquels se concluent d'ailleurs entre des pays de plus en plus éloignés.

Ainsi, l'ordre multilatéral de l'OMC tend à se dissoudre dans une multitude d'accords commerciaux bilatéraux sans qu'une logique de recomposition en « blocs » régionaux ne parvienne à s'affirmer. L'éventuel accord commercial entre les États-Unis et l'Union européenne, proposé en 2013 par le président Obama dans son discours sur l'état de l'Union, renvoie moins à une logique « régionale » qu'à la volonté de trouver des alternatives aux accords multilatéraux. D'ailleurs, aujourd'hui, les traités commerciaux visent moins à réduire les droits de douane – Singapour applique des tarifs quasiment nuls mais est néanmoins engagé dans dix-neuf accords – qu'à approfondir des sujets laissés en suspens dans la négociation de Doha ou, *a fortiori*, écartés du programme de négociation : normes de travail, concurrence, marchés publics, investissements.

Une critique de la mondialisation commerciale...

Les crises récurrentes des années 1990 et 2000 ont conduit à contester le néolibéralisme des années 1990. Certains aspects de la mondialisation commerciale ont ainsi été combattus par une partie de la société civile avec, comme point d'orgue, les émeutes altermondialistes lors de la Conférence ministérielle de l'OMC à Seattle en 1999. En même temps, la société civile intervenait plus directement dans les négociations multilatérales, par exemple pour réviser les dispositions de l'accord sur la propriété intellectuelle de 1994 qui limitait l'accès des pays en développement aux médicaments ou pour mettre en cause les subventions accordées par certains pays aux producteurs de coton. À la fin des années 2000, un discours politique inquiet a relayé un activisme devenu plus discret après l'enlisement du cycle de Doha. Dans certains pays, dont la France et les États-Unis, l'ensemble des partis politiques s'est montré favorable à la maîtrise ou à la régulation du libre-échange. L'appel au patriotisme économique et la promotion du *Made in USA* ou du *Made in France* ont été relancés lors des dernières campagnes présidentielles. Cette défiance à l'égard du *Made in the World* promu par l'OMC s'est matérialisée jusque sur les produits des entreprises les plus mondialisées, Apple adoptant par exemple la formule *Designed by Apple in California, Assembled in China* pour rassurer des consommateurs américains hostiles au *Made in China*.

Ce durcissement politique est certainement la première cause de l'enlisement du cycle de Doha. Le cas des États-Unis est révélateur pour comprendre ces blocages : la ratification du traité international, qui conclurait la négociation, exigerait une majorité des deux tiers au Sénat et donc un accord bipartisan. Or les démocrates, soumis d'ailleurs aux pressions du syndicat dominant, l'AFL-CIO, restent hostiles à l'ouverture aux produits importés de pays à bas coûts salariaux, présumés déloyaux, et ne ratifieraient pas un accord qui n'intégrerait pas un chapitre relatif aux droits du travail, thème pourtant exclu du programme de Doha. Quant aux républicains, traditionnellement réservés à l'égard d'une OMC qui limiterait la souveraineté des États-Unis (et du Congrès), ils ne feraient pas bloc derrière un président démocrate pour ratifier un accord défavorable aux agriculteurs et aux producteurs de coton qui votent majoritairement pour leur parti. Le Congrès a ainsi bloqué pendant plusieurs années les accords avec la Colombie ou la Corée du Sud.

... qui ne se traduit pas par une montée du protectionnisme

Paradoxalement, malgré des opinions publiques plus réservées vis-à-vis de la mondialisation commerciale, l'ouverture aux échanges a progressé au cours des années 2000, et a résisté aussi bien à la crise de 2008 qu'aux blocages du cycle de Doha. Pour la première fois dans l'histoire moderne, une crise économique, de surcroît aussi violente que celle de 2008-2009, ne s'est pas traduite par un renforcement significatif du protectionnisme [1]. En moyenne, les droits de douane ont continué à baisser. Un des « marqueurs » du protectionnisme, le nombre de mesures antidumping, est resté sur sa tendance à la diminution tout comme d'autres mesures (droits antisubventions, clauses de sauvegarde). Le nombre de différends portés à l'OMC a diminué : 90 entre 2003 et 2007 contre 85 sur la période 2008-2012. Certes, des mesures protectrices, notamment sur les marchés publics, de nouveaux obstacles non tarifaires ont pu être relevés, mais ils ne remettent pas en cause, pour l'instant, la tendance générale.

Si, dans les médias, et même au sein des organisations internationales, de nombreux observateurs insistent sur la montée des rivalités commerciales, il faut se méfier des exagérations. Redoutant l'application de la « loi » historique selon laquelle crise économique et protectionnisme vont de pair, certains analystes tendent à amplifier la gravité de tensions commerciales qui seraient probablement passées inaperçues dans un autre contexte. À l'époque même du néolibéralisme triomphant, au cœur des années 1980, les tensions commerciales entre les États-Unis et le Japon étaient plus violentes qu'elles ne le sont aujourd'hui avec la Chine. Sous la pression des lobbies protectionnistes (automobile, textile, sidérurgie), des accords dits d'autolimitation des exportations étaient imposés par les producteurs historiques (États-Unis, Union européenne) au Japon ou à la Corée. L'accord multifibre, qui fermait les marchés des pays industriels aux produits textiles des pays en développement, s'appliquait (jusqu'en 2005). Certains pays, tout

---

1 Jean-Marc Siroën, « Crise économique, globalisation et protectionnisme », *Politique étrangère*, n° 4, hiver 2012, p. 803-817.

en maintenant des droits de douane exorbitants sur les importations agricoles, subventionnaient largement leurs exportations. Aujourd'hui, les secteurs traditionnellement protectionnistes ont été affaiblis ou se sont insérés dans la nouvelle division verticale du travail. La hausse du prix des produits agricoles a rendu moins nécessaires les subventions à l'exportation et des droits à trois chiffres, quitte à créer un nouveau problème : la limitation des exportations de grands pays producteurs qui souhaitent limiter la hausse des prix intérieurs.

Cette résistance paradoxale du libre-échange et le maintien d'une « paix » commerciale même relative tendent à montrer que la plus grande fragmentation de l'économie mondiale doit s'analyser comme une plus grande intégration des processus de production. Dans un contexte d'interdépendance commerciale généralisée, si les États-Unis devaient demain surtaxer les importations chinoises, c'est d'abord la valeur ajoutée américaine qu'ils taxeraient et, accessoirement, la valeur ajoutée japonaise, coréenne ou... européenne. Aujourd'hui, le contre-lobby antiprotectionniste d'Apple est plus puissant que le lobbying des constructeurs automobiles qui se sont eux-mêmes restructurés autour de processus de production fragmentés et dispersés dans le monde.

Pour en savoir plus

Theo S. Eicher et Christian Henn, « In search of WTO trade effects : preferential trade agreements promote trade strongly, but unevenly », *Journal of International Economics*, vol. 83, n° 2, 2011, p. 137-153.

Jean-Marc Siroën, « Crise économique, globalisation et protectionnisme », *Politique étrangère*, hiver 2012, p. 803-817.

World Economic Forum, *The Shifting Geography of Global Value Chains : Implications for Developing Countries and Trade Policy*, <*www3.weforum.org*>, 2012.

World Trade Organization et Institute of Developing Economies, *Trade Patterns and Global Value Chains in East Asia : From Trade in Goods to Trade in Tasks*, Genève, 2011 (disponible sur <www.wto.org>).

Catalogne, Écosse, Flandre, Québec : le retour des petites nations

Stéphane Paquin
Professeur à l'École nationale d'administration publique (Québec)

En 2014, les Écossais et les Catalans seront convoqués à un rendez-vous avec leur histoire. À l'automne, les premiers devront, par référendum, répondre à la question suivante : « L'Écosse doit-elle être un pays indépendant ? » Les seconds seront également appelés à un référendum portant sur l'autodétermination de la Catalogne : le parti de centre droit Convergencia i Unio (CiU), dirigé par le président de la Généralité de Catalogne, Artur Mas, et récemment converti à l'idée d'indépendance pour la Catalogne, a scellé une entente avec le parti indépendantiste de la gauche républicaine, Esquerra Republicana de Catalunya, pour consulter les électeurs catalans.

Ces deux petites nations non souveraines ne sont pas les seules à vivre des moments forts sur le plan politique. En Flandre, lors des élections municipales d'octobre 2012, la Nieuw-Vlaamse Alliantie (N-VA), le parti indépendantiste conservateur flamand, a réussi à prendre la mairie d'Anvers avec 38 % des suffrages. Alors que ce parti était inexistant sur la scène politique flamande lors des municipales de 2006, le chef nationaliste Bart De Wever a réussi le coup de force de s'implanter sur l'ensemble du territoire de la Flandre, se rapprochant progressivement de son objectif politique, l'établissement du confédéralisme en Belgique. Les élections législatives de 2014 pourraient provoquer une nouvelle crise comparable à celle qui, en 2010-2011, avait laissé la Belgique sans gouvernement pendant 541 jours. Crise qui avait d'ailleurs convaincu de nombreux nationalistes flamands de l'inutilité du gouvernement fédéral belge…

De l'autre côté de l'Atlantique, le Parti Québécois, parti favorable à la souveraineté du Québec et qui était dans l'opposition depuis 2003, a remporté l'élection générale en septembre 2012. Bien que ce parti n'ait obtenu qu'une majorité relative de sièges, c'est sa présidente, Pauline Marois, première femme Premier ministre de l'histoire du Québec, qui dirige le gouvernement minoritaire de la province. Mme Marois, qui a échappé à une tentative d'assassinat lors de son discours de la victoire, risque de retourner aux urnes en 2014, la vie des gouvernements minoritaires dépassant rarement les deux ans au Canada.

Écosse, Catalogne, Flandre, Québec : ces petites nations non souveraines possèdent un certain nombre de caractéristiques communes. Si elles ne sont pas souveraines au sens du droit international, elles disposent tout de même d'un État à l'échelon régional. Elles sont également unies par le fait qu'elles sont des sociétés globales qui possèdent des structures sociales et des institutions propres, un territoire spécifique et, dans la majorité des cas, une culture et une langue distinctes. Ainsi, le nationalisme présent dans ces sociétés prend forme au sein de sociétés civiles cohérentes. Non souveraines, elles bénéficient en revanche de larges mesures d'autonomie.

Comment expliquer la persistance, et même le retour, de l'affirmation nationale chez ces petites nations non souveraines ? Les groupes qui portent ces aspirations constituent-ils des mouvements réactionnaires dont les revendications s'opposent à la « modernité » et à la « mondialisation » ? L'indépendance politique pour de petites sociétés revient-elle, comme on l'entend souvent, à commettre un acte de suicide politique et économique ?

Un nationalisme engagé dans la « mondialisation »

Les petites nations non souveraines vont-elles dans le sens contraire de l'histoire ? Examinons les chiffres : depuis le début du XXe siècle, on note une importante augmentation du nombre de pays souverains dans le monde. En 1914, on n'en comptait que 53. Après la Seconde Guerre mondiale, ce nombre atteint 72. En 2013, on en dénombre 197, dont 195 sont membres ou observateurs de l'Organisation des Nations unies, y compris le Vatican et l'État de Palestine. À Londres en 2012, 205 pays ou territoires étaient représentés aux Jeux olympiques. L'accroissement du nombre de pays souverains va ainsi de pair avec la mondialisation.

Les mouvements nationalistes représentent plus des produits de la « modernité » que des mouvements de révolte contre la mondialisation. Cette dernière, et les divers processus d'intégration régionaux observables au cours des dernières décennies ont en fait provoqué un changement de nature du nationalisme. Alors qu'une relation est généralement établie entre nationalisme et protectionnisme, les choses ont évolué depuis une trentaine d'années : les nouveaux mouvements nationalistes ne constatent pas passivement la mondialisation, ils en sont les promoteurs en appuyant le développement de blocs régionaux et la libéralisation des échanges. Les Québécois ont accueilli avec plus d'enthousiasmes que les autres Canadiens l'Accord de libre-échange nord-américain (ALENA). Même si la crise financière a fait naître quelques doutes – les nationalistes écossais, par exemple, jugent utile de conserver la livre sterling en cas de sécession –, les Écossais, les Flamands et les Catalans sont des Européens convaincus et impliqués.

Le processus de construction européenne et, dans une moindre mesure, l'ALENA jouent le jeu des nationalistes provenant des petites nations non souveraines. Le développement d'une vaste zone de libre-échange ou d'un marché commun diminuant les coûts de l'indépendance et offrant de nombreux débouchés pour les produits locaux, l'asphyxie économique paraît alors moins probable, l'utilité du cadre étatique multinational moins prégnante et le coût d'une éventuelle sortie de ce cadre moins élevé. Tel est en tout cas le calcul que font des mouvements nationalistes comme le Scottish National Party (SNP) en Écosse ou le Parti Québécois.

Au Québec, en Écosse ou en Catalogne, les débats sur la viabilité économique de ces entités ont presque disparu. Une abondante littérature tend à confirmer que les petits pays non seulement s'en sortent mieux que les gros du point de vue de la croissance économique, mais parviennent aussi à mieux préserver leurs programmes sociaux. En Écosse, où l'on aime à souligner que les performances économiques ont été supérieures en Suède qu'aux États-Unis, nombreux sont ceux qui rêvent de reproduire les succès économiques mais aussi sociaux des pays scandinaves.

Les nationalismes québécois, catalan et écossais sont également des nationalismes de projection, c'est-à-dire que les entrepreneurs identitaires cherchent à internationaliser et à « projeter » la nation dans le monde afin de la faire reconnaître à l'étranger. La Catalogne possède quatre délégations (France, Belgique, Grande-Bretagne, Allemagne) auxquelles s'ajoutent trente-quatre bureaux commerciaux, quatre représentations culturelles et linguistiques, neuf agences de coopération, dix centres de tourisme, cinq représentants de l'industrie de la culture. La Flandre dispose d'une centaine de mini-ambassades dans le monde, essentiellement pour attirer les investissements étrangers et faire la promotion des exportations. Le Québec possède pour sa part vingt-sept mini-ambassades à travers le monde.

Si certains courants nationalistes sont nettement engagés dans les processus de mondialisation, il faut cependant éviter de généraliser. De nombreux leaders nationalistes, notamment au Pays basque, en Corse ou en Irlande du Nord, restent opposés à l'intégration européenne et à la mondialisation, qui favorisent selon eux la « colonisation économique étrangère » et constituent un obstacle à l'autodétermination politique.

Colonie de l'intérieur ou nationalisme de riches ?

Une thèse à la mode dans les années 1960 et 1970 consistait à présenter les revendications nationalistes provenant des petites nations non souveraines comme des processus de décolonisation de l'intérieur. Si cette thèse pouvait avoir un certain sens au Québec dans les années 1960, elle est moins pertinente dans le cas de la Catalogne qui est plus riche que le reste de l'Espagne, de l'Écosse depuis la découverte de pétrole dans la mer du Nord ou de la Flandre qui ne cesse de se plaindre des piètres performances économiques de la Wallonie.

En règle générale, la montée du nationalisme au sein des petites nations tend à se concrétiser plus facilement dans des régions relativement riches que dans les régions pauvres. Il ne s'agit donc pas de « colonies de l'intérieur ». Même si le Québec reçoit des paiements de péréquation du Canada, rares sont les Québécois qui pensent que l'indépendance ferait courir la province à la ruine. Le PIB par habitant d'un Québec souverain devancerait celui de nombreux pays européens pour se situer à un niveau comparable à ceux de la France, du Japon ou du Royaume-Uni.

Plus sérieuse est l'idée que ces mouvements nationalistes seraient des « nationalismes de riches ». Il est exact que plusieurs de ces mouvements ne souhaitent plus contribuer par des paiements de transfert ou de péréquation à la préservation de programmes sociaux ou au financement de l'éducation et des services de santé des autres communautés. C'est le cas de la « Padanie » en Italie du Nord, ou de la Flandre face à la Wallonie. Cette idée explique aussi, en partie, le sursaut nationaliste de la riche Catalogne ou le discours des nationalistes écossais qui affirment que le pétrole de la mer du Nord appartient à l'Écosse.

Plusieurs analystes soulignent la proximité que certains de ces mouvements nationalistes entretiennent avec la droite populiste et expliquent leurs récents succès par la crise financière de 2007-2008 qui favoriserait une sorte d'« égoïsme économique ». Il ne fait pas réellement de doute en effet que le nationalisme en Flandre ou en Italie du Nord s'appuie sur un discours populiste très marqué à droite. Il est exact également que la crise financière et ses conséquences funestes ont, dans certains cas, favorisé les tensions. Bien que prospère, la Catalogne a vu exploser son taux de chômage, qui atteint 23 %, et sa dette publique, aujourd'hui supérieure à 45 milliards d'euros. Conséquences de la crise, certains fonctionnaires catalans touchent leurs salaires de façon intermittente, et les enfants retournent vivre – avec leurs enfants – chez leurs parents... Le gouvernement catalan suspend régulièrement les prestations de sécurité sociale et certains médicaments ne sont plus remboursés.

Alors que l'appui à l'indépendance a franchi pour la première fois le cap symbolique des 50 % dans les enquêtes d'opinion, près d'un million de personnes ont manifesté pour l'indépendance dans les rues de Barcelone le 11 septembre 2012, lors de la fête nationale de la Catalogne qui commémore le siège de la capitale catalane en 1714. Deux mois plus tard, la CiU remportait les élections régionales (sans obtenir la majorité). Parti autonomiste jusqu'à tout récemment, la CiU s'est progressivement radicalisée et s'est aujourd'hui entendue avec le parti de gauche radicale pour la tenue d'un référendum sur l'indépendance en 2014 – un référendum dont Madrid a déjà annoncé qu'il ne reconnaîtra pas le résultat.

Si la crise économique favorise le développement du nationalisme, elle n'en est pas le déclencheur. Alors que certains économistes catalans soutiennent que la Catalogne transfère à Madrid l'équivalent de 8 % de son PIB chaque année, les tentatives pour élargir les prérogatives fiscales de la Catalogne se sont soldées par des échecs répétés depuis plus de dix ans. La crise financière fait aussi suite à un jugement du Tribunal constitutionnel sur un Accord constitutionnel qui, adopté en 2006 par le Parlement catalan et lors de diverses consultations populaires en Catalogne, reconnaissait à la Catalogne le statut de « nation » et le droit à l'autodétermination, lui accordait une certaine autonomie fiscale et judiciaire et assurait la prééminence de la langue catalane dans tous les domaines. Cette entente devait être adoptée par le parlement espagnol, les Cortès, mais a été jugée anticonstitutionnelle par la majorité des députés et, en 2010, par le Tribunal constitutionnel de Madrid.

Bien que certains courants nationalistes utilisent les difficultés économiques pour développer un argumentaire conservateur d'un point de vue économique, ce n'est pas partout le cas. En Écosse, la réponse du gouvernement britannique à la crise a incité Alex Salmond, le chef du SNP, à se démarquer de Londres en opposant son programme social-démocrate à la scandinave au projet néolibéral à l'américaine de la coalition conservatrice et libérale au pouvoir. Un phénomène comparable avait pu être observé au Québec lors du référendum de 1995 où le Parti Québécois, soutenu par les mouvements sociaux les plus progressistes, appelait à voter « oui » à l'indépendance pour résister au vent de droite qui venait de l'ouest, c'est-à-dire du Canada anglophone. Mais la courte victoire du « non » et la politique libérale menée par le Parti Québécois dans les années suivantes (mesures d'austérité, déficit zéro, etc.) ont brouillé les cartes. Un parti de gauche radicale, Québec solidaire, a émergé qui, bien que toujours favorable à l'indépendance, met surtout en avant son identité de gauche. Et le Parti Québécois ne parvient plus à trouver ses marques, en particulier depuis l'éclatement de la crise économique en 2007-2008. Ce nouveau contexte a affaibli le mouvement souverainiste au Québec au lieu de le renforcer.

Des mouvements racistes ou populistes ?

Si certains mouvements, comme la N-VA, se montrent ouvertement méprisants à l'égard des immigrants et des minorités religieuses « non européennes », on ne peut pas affirmer que les mouvements nationalistes soient uniment racistes, xénophobes et intolérants. Et si cette tendance « identitaire » peut s'observer, les petites nations non souveraines n'en ont pas l'exclusivité : rien n'indique par exemple que le « populisme » en

Catalogne soit plus élevé qu'au Danemark, en France ou dans le reste de l'Espagne.

Le Québec, la Catalogne et la Flandre accueillant de nombreux immigrants (par rapport à la taille de sa population, le Québec admet plus d'immigrants que la France), la question de l'« intégration » des immigrants représente un problème politique de taille pour les mouvements nationalistes, dont certains craignent que les nouveaux arrivants se rapprochent du groupe majoritaire (ou, dans le cas de la Belgique, aux francophones). Dans le débat Québec-Canada, la question de l'intégration des migrants pose par exemple la sensible question des pratiques religieuses et de ce que les Canadiens appellent les « accommodements raisonnables ». Si le Canada est un grand promoteur de l'idée de multiculturalisme et se montre tolérant à l'égard de l'expression publique des pratiques religieuses, les Québécois, inspirés par la conception française de la laïcité que de nombreux Canadiens anglophones perçoivent comme intolérante, sont plus réservés. En 2006, l'opinion publique québécoise a été indignée par le jugement de la Cour suprême du Canada autorisant le port du kirpan, un couteau symbolique porté par certains sikhs orthodoxes, dans les écoles primaires et secondaires du Québec.

Pour répondre aux angoisses identitaires, des politiques spécifiques sont mises en œuvre, notamment dans le domaine linguistique. Ainsi, au Québec, les immigrants doivent, à l'instar des Québécois francophones, envoyer leurs enfants à l'école française jusqu'à l'âge de seize ans. Des mesures semblables existent en Catalogne.

Malgré les tensions, profondes ou passagères, les responsables nationalistes, au Québec, en Catalogne ou en Écosse notamment, cherchent en général à développer un discours nationaliste inclusif, plus civique qu'ethnique, mettant en avant la territorialité plutôt que de présumés « liens de sang ». Il faut dire que les citoyens vivant au sein de ces petites nations non souveraines ont une très forte conscience de la multiplicité et de la fluidité de leurs identités. Depuis que l'on étudie cette question au moyen de sondages ou grâce à l'« échelle de Moreno », qui examine la combinaison des identités entre le pays et la nation minoritaire (par exemple Espagne et Catalogne, ou Canada et Québec), on constate que l'idée d'allégeance prioritaire à un État est une fiction. Depuis les années 1970, le Québec vit une « décanadianisation » de son identité : le nombre de répondants qui se disent « québécois seulement » ou « québécois et canadiens » est en constante augmentation, alors que la part de ceux qui se considèrent comme « canadiens seulement » est en net déclin. En Belgique, selon un sondage paru en 2010, les Flamands se disent davantage flamands (45 %) que belges (35 %), alors que les francophones se disent bien plus majoritairement belges (55 %) que wallons (9 %) ou bruxellois (2 %). En revanche, les francophones sont plus nombreux à se déclarer « citoyen du monde » (16 % contre 8 %) ou encore européen (16 % contre 8 %). En outre, les Québécois se considèrent également comme « canadiens-français », « canadiens et nord-américains », alors que les Écossais et les Catalans mettent en avant leur identité « européenne ».

Que cherchent-ils exactement ?

Dans ce contexte de volatilité électorale et de fluidité identitaire, les chefs des mouvements nationalistes cultivent une certaine ambiguïté sur leurs objectifs. Parce que ces mouvements trouvent un écho dans des milieux sociaux variés (ce ne sont pas des mouvements « bourgeois » comme on en trouvait au XIXe siècle en Europe), différents éléments idéologiques contradictoires ont été intégrés dans le discours politique afin de mobiliser les soutiens potentiels. D'où une certaine confusion, y compris sur des notions fondamentales. Que cherchent, au juste, les nationalistes : plus d'« autonomie » ou une pure et simple « indépendance » politique ? Preuve que la réponse n'est pas évidente, des formules politiques ambivalentes sont utilisées dans les débats politiques, telles que le concept de « souveraineté-association » (ou « souveraineté-partenariat ») au Québec, ou ceux de « devolution max » et d'« independence light » en Écosse... Les nationalistes écossais du SNP font, pour leur part, la promotion d'une « indépendance dans l'Europe ». La large victoire électorale en mai 2011 de ce parti, devenu majoritaire au Parlement écossais, a ouvert la voie à la tenue d'un référendum : David Cameron, Premier ministre britannique, et Alex Salmond, devenu Premier ministre écossais, ont conclu un accord sur les modalités de cette consultation qui aura lieu à l'automne 2014 (pour le moment les sondages n'accordent que 35 % d'appui au projet du SNP). Mais depuis que David Cameron a annoncé, sous la pression des « eurosceptiques » britanniques, un référendum sur la présence du Royaume-Uni dans l'Union européenne, la tournure des débats a évolué, non sans ironie : les nationalistes du SNP accusent le Premier ministre britannique de « séparatisme » et la plaisanterie veut que, s'ils veulent rester dans l'Europe, les Écossais devront voter « oui » à l'indépendance...

Il est trop tôt pour dire si 2014 sera une année historique pour les petites nations non souveraines. S'il semble probable que la Belgique connaîtra une nouvelle crise, on est loin d'être certain que le SNP gagnera son pari, que la Catalogne tiendra un référendum ou que la souveraineté sera l'enjeu principal des prochaines élections au Québec. Reste que, en ces temps d'incertitudes économiques, de contestations sociales, de tensions identitaires et d'interrogations démocratiques, la place de ces petites nations demeure une question centrale pour comprendre les mutations actuelles de la mondialisation.

Pour en savoir plus

Alain DIECKHOFF, *La Nation dans tous ses états*, Flammarion, Paris, 2000.

Alain G. GAGNON, André LECOURS et Geneviève NOOTENS (dir.), *Contemporary Majority Nationalism*, McGill-Queen's Press, Montréal, 2011.

Michael KEATING, *The Independence of Scotland : Self-Government and the Shifting Politics of Union*, Oxford University Press, Oxford, 2009.

James KENNEDY, *Liberal Nationalisms : Empire, State and Civil Society in Scotland and Quebec*, McGill-Queen's University Press, Montréal, 2013.

Stéphane PAQUIN, *La Revanche des petites nations. Le Québec, l'Écosse et la Catalogne face à la mondialisation*, VLB éditeurs, Montréal, 2001.

Les nouveaux mouvements sociaux, contre l'austérité et pour la démocratie

Raphaël Kempf
Avocat, collaborateur au *Monde diplomatique*
et à la *Revue des Livres*

Tout autour du globe, les années 2010 semblent marquer le retour du peuple dans un jeu politique dont on avait cherché à l'exclure. C'est d'en bas que la contestation se fait entendre. C'est au niveau – physique – de la rue et de l'espace public, au pied des gratte-ciel triomphants, que s'organisent de nouvelles solidarités. Et c'est au niveau – économique et social – d'une classe dite moyenne, et dont les rêves se sont asséchés, que s'exprime la critique du pouvoir de l'État néolibéral et des oligarchies financières et politiques. Les années 1980 furent celles de l'expansion mondiale de la finance et de l'hégémonie intellectuelle du capitalisme. La décennie suivante laissa penser, suite à la chute de l'URSS, qu'il n'y avait pas d'alternative au modèle économique dominant. Ces années pourraient être qualifiées d'« années d'hiver » des mouvements sociaux, pour reprendre une expression de Félix Guattari. Si, depuis 1999 et l'apparition du mouvement altermondialiste lors du sommet de l'Organisation mondiale du commerce

(OMC) à Seattle, il semble y avoir un retour de la contestation au niveau mondial, ce n'est qu'au tout début des années 2010 que des mouvements sociaux ont réussi à porter une critique d'un système économique et politique excluant les peuples de processus de décision qui, pourtant, se prétendent démocratiques.

C'est donc contre un sentiment de dépossession économique et politique, dans un contexte de crise financière et d'austérité imposée, que se soulèvent, depuis 2011, des pays entiers ou de petits groupes, des étudiants et des chômeurs. La promesse de la démocratie de marché n'a pas été tenue : les inégalités et la pauvreté sont plus grandes et, vu d'en bas, personne n'a le sentiment d'avoir prise sur le système politique. Ressentie tout autour de la planète, cette double exclusion forme la matrice, et le point commun, des mouvements sociaux qui ont ponctué ces trois dernières années.

Autre point commun : l'occupation de l'espace public. Prenant explicitement comme référence les révolutions tunisienne et égyptienne, et notamment l'occupation de la place Tahrir au Caire, des Espagnols s'installent sur les places du pays, y plantent leurs tentes et se disent « indignés ». Aux États-Unis et au Royaume-Uni, on va dormir dans la rue et fonder « Occupy ». En Israël, des manifestants s'indignent et vont coucher dehors pour dénoncer un système économique et politique qui ne tient plus ses promesses. Au Chili et au Québec, ce sont les étudiants qui vont manifester contre le coût des études universitaires. En France, en Italie, des groupes d'écologistes occupent une forêt contre la construction d'un aéroport ou s'organisent contre un projet de ligne ferroviaire à grande vitesse. En Grèce, le peuple descend régulièrement dans la rue pour dénoncer la politique d'austérité, comme à Chypre où, en mars 2013, la population s'est massivement opposée à un projet imposé par Bruxelles de taxation des dépôts des épargnants. En Turquie, au printemps 2013, la répression violente du gouvernement contre des manifestants opposés à la destruction du parc Gezi, proche de la place Taksim, à Istanbul, a fait naître un mouvement dans tout le pays. Des manifestations de solidarité ont eu lieu dans de nombreuses villes et ont permis de donner corps à une critique du pouvoir du Premier ministre Recep Tayyip Erdogan.

L'apparition de ces mouvements, un peu partout dans le monde, marque-t-elle le retour d'une puissance populaire qui pourrait jouer un rôle politique effectif ? Assistons-nous à l'émergence d'un « peuple mondial en lutte », comme l'écrivait François Cusset en novembre 2011 ? Encore faudrait-il pour cela que ces mouvements aient une réelle unité. Et, si les Indignés et Occupy apparaissent comme des groupes volontairement désorganisés et sans objectifs politiques précis, les étudiants chiliens et québécois sont au contraire organisés, dirigés par des leaders charismatiques, et savent ce qu'ils veulent, tandis que des militants écologistes français prônent l'autonomie et

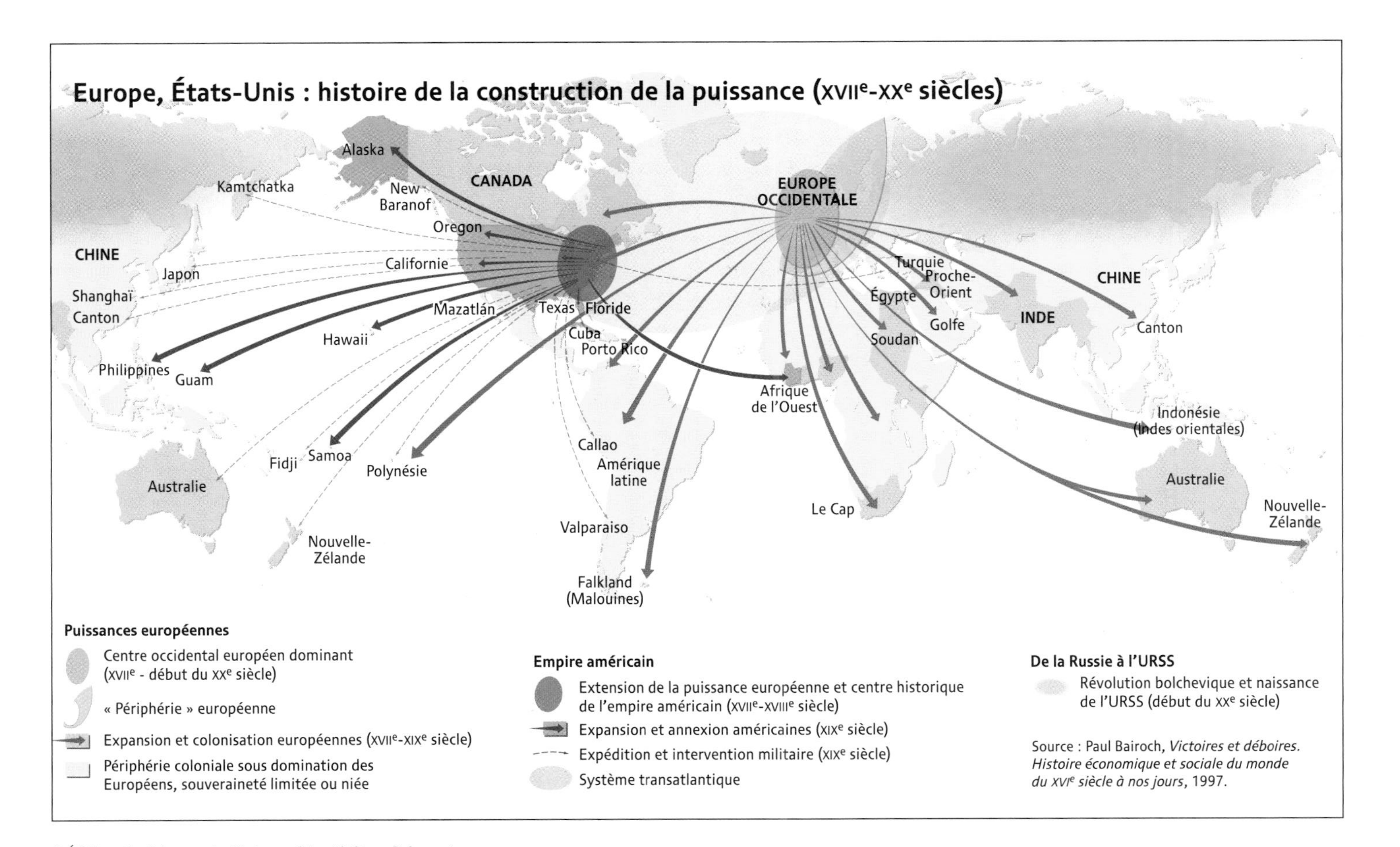
Europe, États-Unis : histoire de la construction de la puissance (XVIIe-XXe siècles)
Alaska
Kamtchatka
New Baranof
CANADA
EUROPE OCCIDENTALE
Oregon
CHINE
Japon
Californie
Shanghaï
Canton
Mazatlán
Texas
Floride
Cuba
Porto Rico
Hawaii
Philippines
Guam
Turquie
Proche-Orient
Égypte
Golfe
Soudan
INDE
CHINE
Canton
Afrique de l'Ouest
Indonésie (Indes orientales)
Callao
Amérique latine
Fidji
Samoa
Polynésie
Australie
Le Cap
Australie
Nouvelle-Zélande
Valparaiso
Nouvelle-Zélande
Falkland (Malouines)
Puissances européennes
Centre occidental européen dominant (XVIIe - début du XXe siècle)
« Périphérie » européenne
Expansion et colonisation européennes (XVIIe-XIXe siècle)
Périphérie coloniale sous domination des Européens, souveraineté limitée ou niée
Empire américain
Extension de la puissance européenne et centre historique de l'empire américain (XVIIe-XVIIIe siècle)
Expansion et annexion américaines (XIXe siècle)
Expédition et intervention militaire (XIXe siècle)
Système transatlantique
De la Russie à l'URSS
Révolution bolchevique et naissance de l'URSS (début du XXe siècle)
Source : Paul Bairoch, Victoires et déboires. Histoire économique et sociale du monde du XVIe siècle à nos jours, 1997.

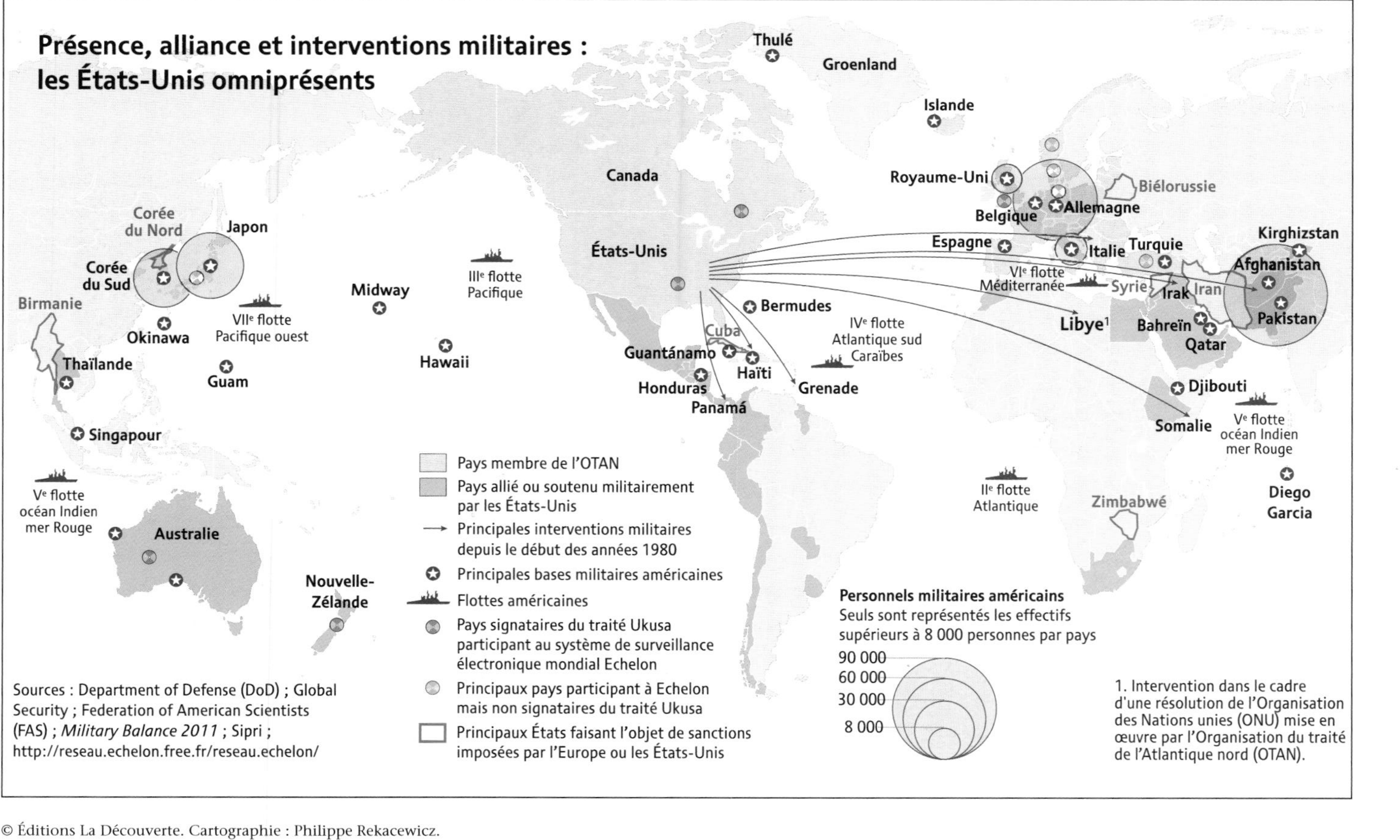
Présence, alliance et interventions militaires :
les États-Unis omniprésents
Thulé
Groenland
Islande
Canada
États-Unis
Royaume-Uni
Belgique
Allemagne
Biélorussie
Espagne
Italie
Turquie
Kirghizstan
Afghanistan
Pakistan
Syrie
Irak
Iran
Bahreïn
Qatar
Libye1
VIe flotte
Méditerranée
Djibouti
Somalie
Ve flotte
océan Indien
mer Rouge
Diego
Garcia
Zimbabwé
IIe flotte
Atlantique
IVe flotte
Atlantique sud
Caraïbes
Bermudes
Cuba
Guantánamo
Haïti
Grenade
Honduras
Panamá
Corée
du Nord
Japon
Corée
du Sud
Birmanie
Okinawa
VIIe flotte
Pacifique ouest
Midway
IIIe flotte
Pacifique
Hawaii
Thaïlande
Guam
Singapour
Ve flotte
océan Indien
mer Rouge
Australie
Nouvelle-
Zélande
Pays membre de l'OTAN
Pays allié ou soutenu militairement par les États-Unis
Principales interventions militaires depuis le début des années 1980
Principales bases militaires américaines
Flottes américaines
Pays signataires du traité Ukusa participant au système de surveillance électronique mondial Echelon
Principaux pays participant à Echelon mais non signataires du traité Ukusa
Principaux États faisant l'objet de sanctions imposées par l'Europe ou les États-Unis
Personnels militaires américains
Seuls sont représentés les effectifs supérieurs à 8 000 personnes par pays
90 000
60 000
30 000
8 000
1. Intervention dans le cadre d'une résolution de l'Organisation des Nations unies (ONU) mise en œuvre par l'Organisation du traité de l'Atlantique nord (OTAN).
Sources : Department of Defense (DoD) ; Global Security ; Federation of American Scientists (FAS) ; Military Balance 2011 ; Sipri ; http://reseau.echelon.free.fr/reseau.echelon/

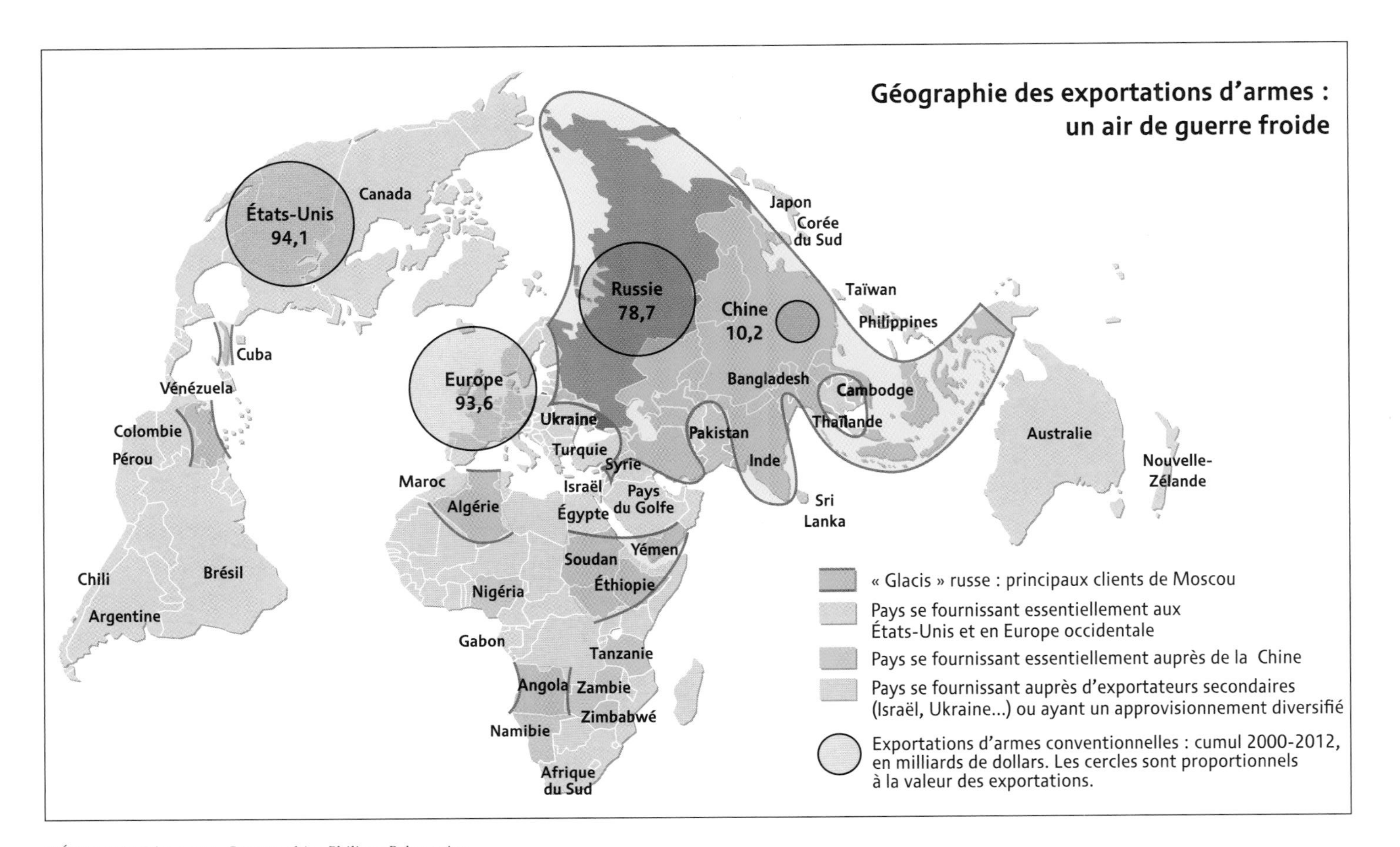
Géographie des exportations d'armes :
un air de guerre froide
États-Unis
94,1
Canada
Cuba
Vénézuela
Colombie
Pérou
Chili
Brésil
Argentine
Europe
93,6
Russie
78,7
Chine
10,2
Japon
Corée
du Sud
Taïwan
Philippines
Bangladesh
Cambodge
Thaïlande
Ukraine
Pakistan
Inde
Sri
Lanka
Turquie
Syrie
Israël
Pays
du Golfe
Égypte
Maroc
Algérie
Yémen
Soudan
Éthiopie
Nigéria
Gabon
Tanzanie
Angola
Zambie
Zimbabwé
Namibie
Afrique
du Sud
Australie
Nouvelle-
Zélande
« Glacis » russe : principaux clients de Moscou
Pays se fournissant essentiellement aux
États-Unis et en Europe occidentale
Pays se fournissant essentiellement auprès de la Chine
Pays se fournissant auprès d'exportateurs secondaires
(Israël, Ukraine...) ou ayant un approvisionnement diversifié
Exportations d'armes conventionnelles : cumul 2000-2012,
en milliards de dollars. Les cercles sont proportionnels
à la valeur des exportations.

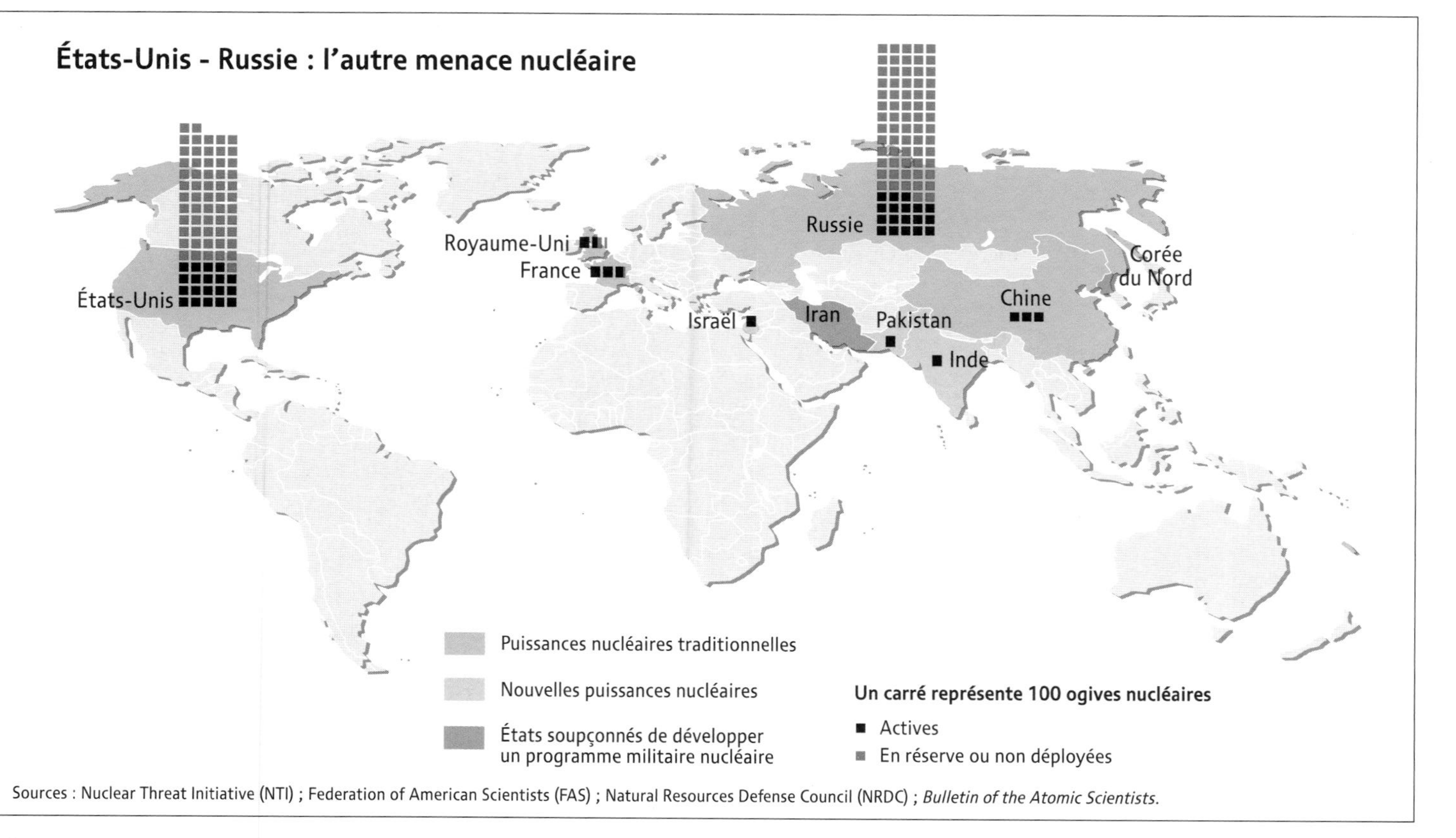
États-Unis - Russie : l'autre menace nucléaire
États-Unis
Royaume-Uni
France
Russie
Corée
du Nord
Chine
Israël
Iran
Pakistan
Inde
Puissances nucléaires traditionnelles
Nouvelles puissances nucléaires
États soupçonnés de développer
un programme militaire nucléaire
Un carré représente 100 ogives nucléaires
Actives
En réserve ou non déployées
Sources : Nuclear Threat Initiative (NTI) ; Federation of American Scientists (FAS) ; Natural Resources Defense Council (NRDC) ; Bulletin of the Atomic Scientists.

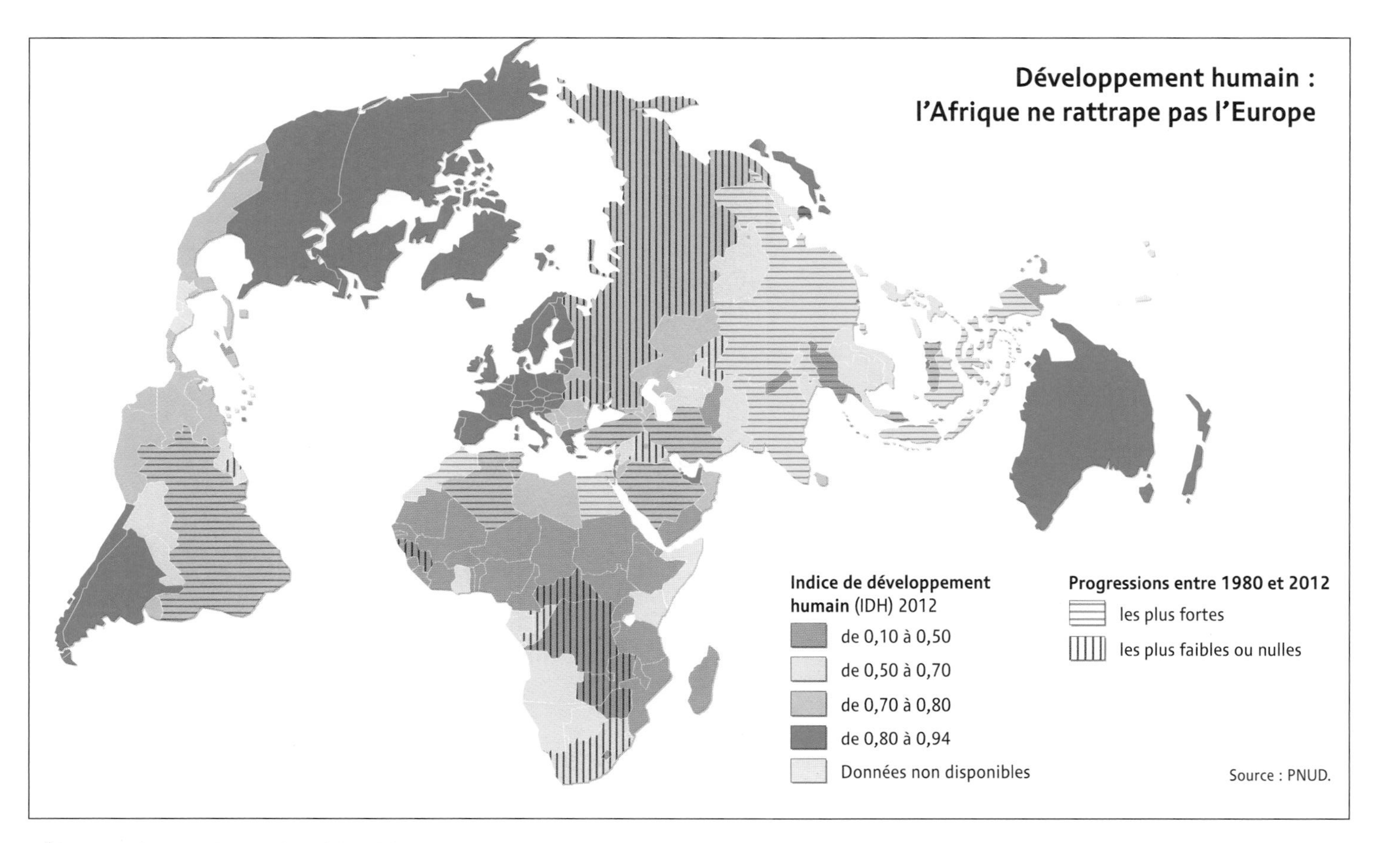
Développement humain :
l'Afrique ne rattrape pas l'Europe
Indice de développement humain (IDH) 2012
de 0,10 à 0,50
de 0,50 à 0,70
de 0,70 à 0,80
de 0,80 à 0,94
Données non disponibles
Progressions entre 1980 et 2012
les plus fortes
les plus faibles ou nulles
Source : PNUD.

Pays riches, pays pauvres : géographie du plein, géographie du vide

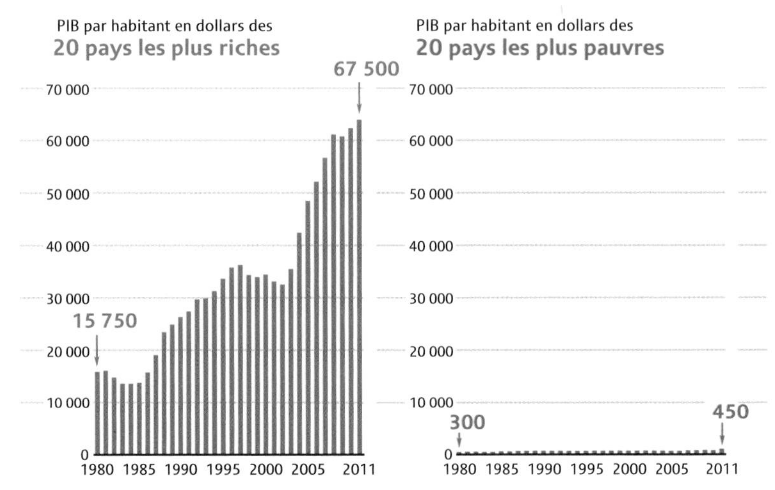

Source : base de données en ligne de la Banque mondiale.

Poids relatif de la population mondiale par grande région

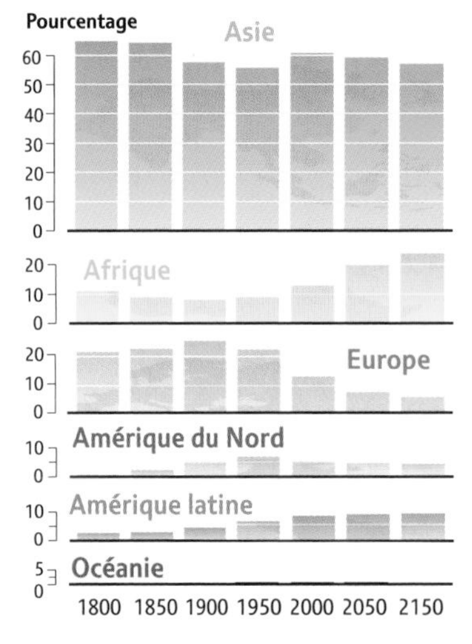

Evolution de la population mondiale par grande région

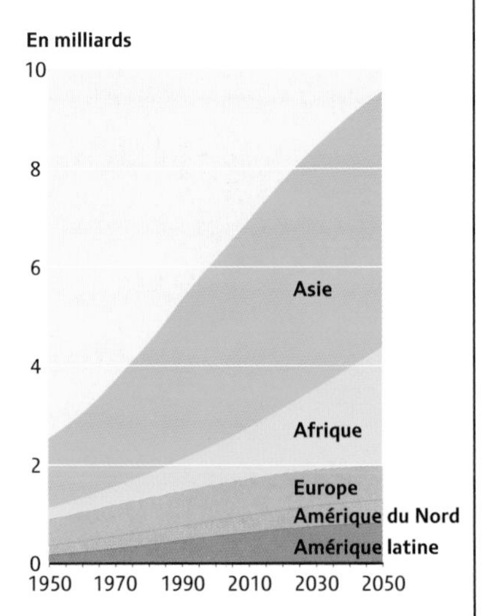

Sources : Division population des Nations unies ; « The world at six billion » (octobre 1999), Nations unies, New York ; *Indicateurs du développement africain 2007*, Banque mondiale.

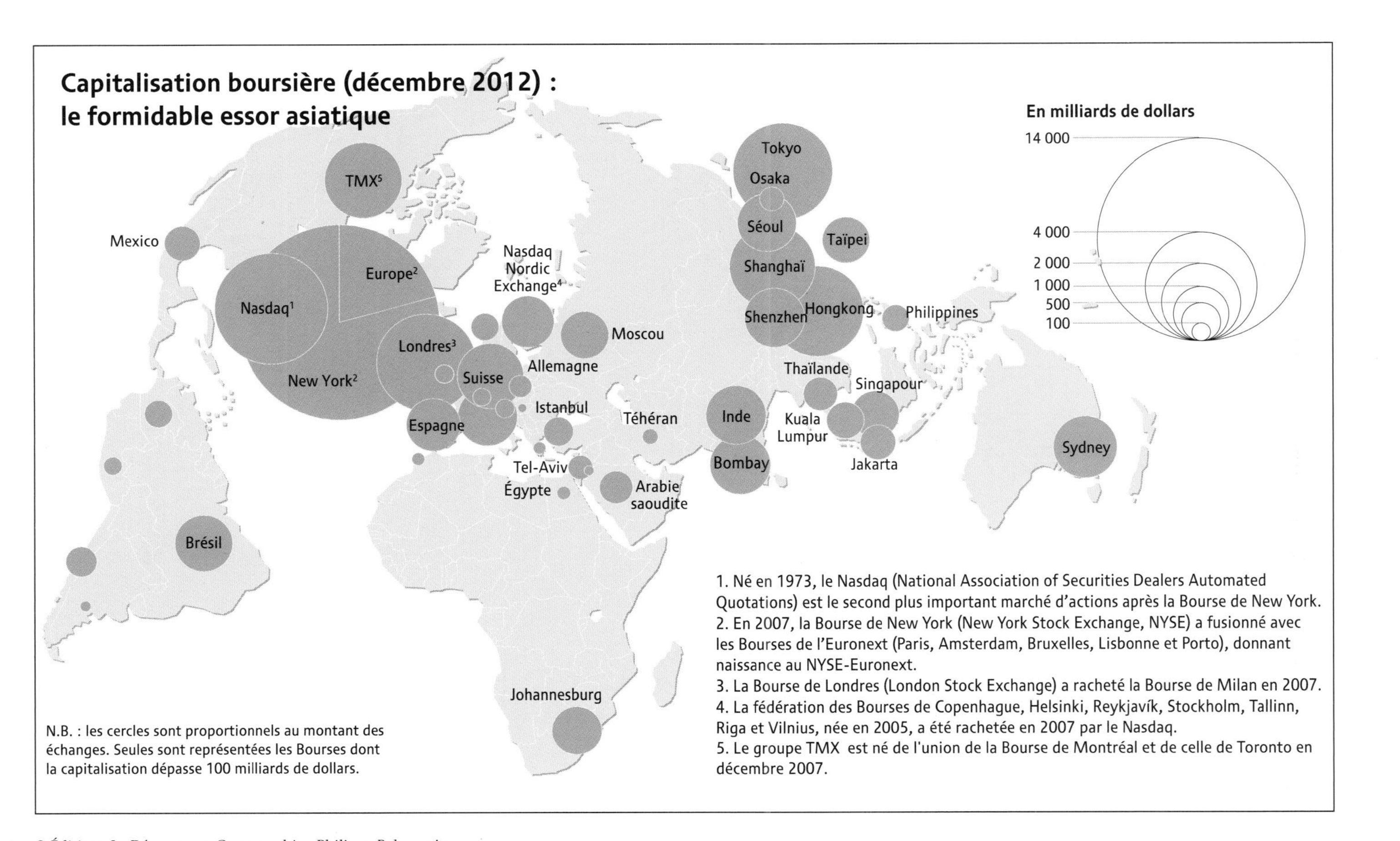
Capitalisation boursière (décembre 2012) :
le formidable essor asiatique
En milliards de dollars
14 000
4 000
2 000
1 000
500
100
TMX[5]
Mexico
Nasdaq[1]
Europe[2]
New York[2]
Londres[3]
Suisse
Espagne
Nasdaq
Nordic
Exchange[4]
Allemagne
Moscou
Istanbul
Téhéran
Tel-Aviv
Égypte
Arabie
saoudite
Johannesburg
Brésil
Tokyo
Osaka
Séoul
Shanghaï
Shenzhen
Hongkong
Taïpei
Philippines
Thaïlande
Singapour
Kuala
Lumpur
Jakarta
Inde
Bombay
Sydney
N.B. : les cercles sont proportionnels au montant des échanges. Seules sont représentées les Bourses dont la capitalisation dépasse 100 milliards de dollars.
1. Né en 1973, le Nasdaq (National Association of Securities Dealers Automated Quotations) est le second plus important marché d'actions après la Bourse de New York.
2. En 2007, la Bourse de New York (New York Stock Exchange, NYSE) a fusionné avec les Bourses de l'Euronext (Paris, Amsterdam, Bruxelles, Lisbonne et Porto), donnant naissance au NYSE-Euronext.
3. La Bourse de Londres (London Stock Exchange) a racheté la Bourse de Milan en 2007.
4. La fédération des Bourses de Copenhague, Helsinki, Reykjavík, Stockholm, Tallinn, Riga et Vilnius, née en 2005, a été rachetée en 2007 par le Nasdaq.
5. Le groupe TMX est né de l'union de la Bourse de Montréal et de celle de Toronto en décembre 2007.

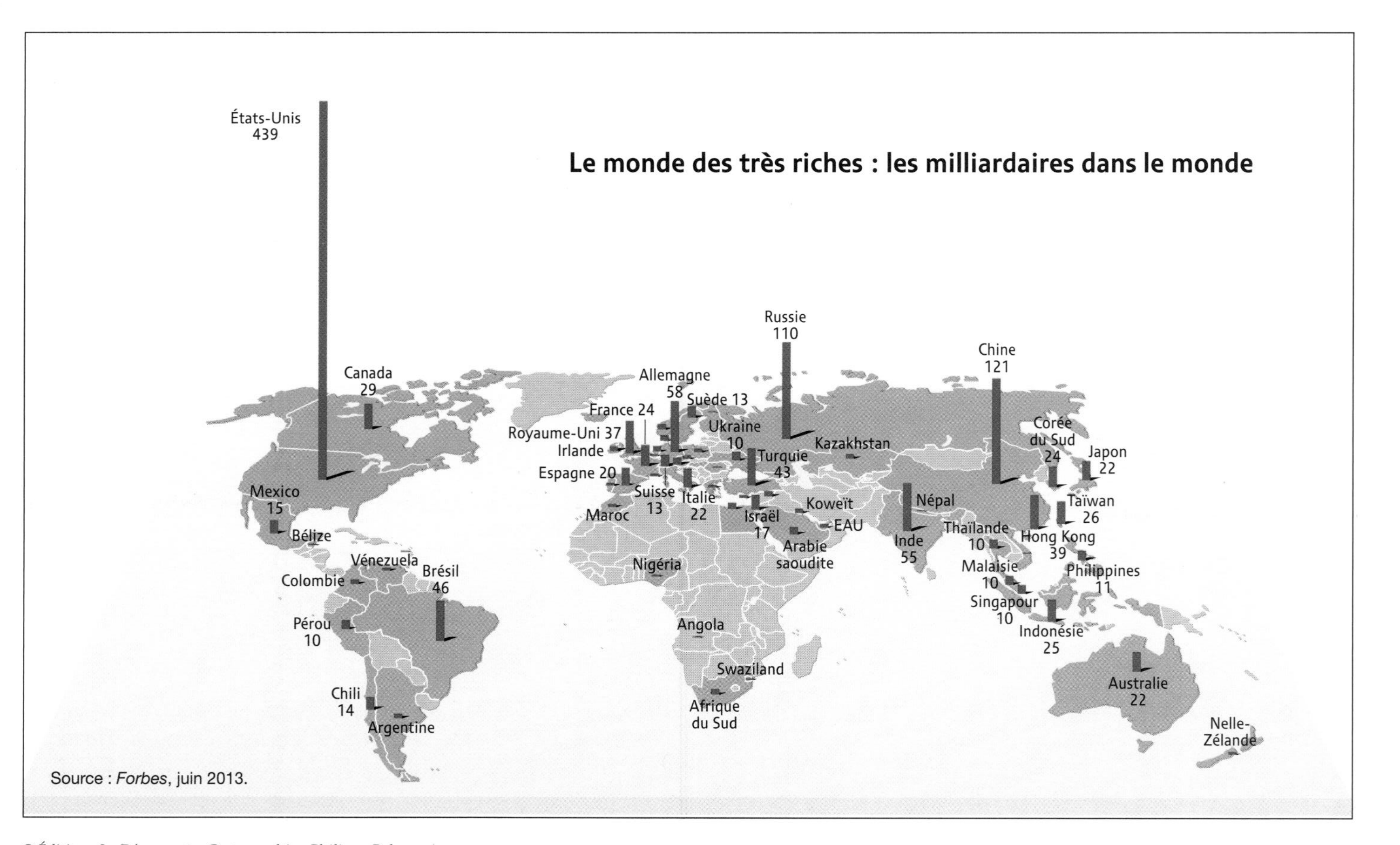
Le monde des très riches : les milliardaires dans le monde
États-Unis
439
Canada
29
Mexico
15
Bélize
Vénezuela
Colombie
Brésil
46
Pérou
10
Chili
14
Argentine
Allemagne
58
Suède 13
France 24
Royaume-Uni 37
Irlande
Espagne 20
Suisse
13
Italie
22
Maroc
Ukraine
10
Russie
110
Turquie
43
Kazakhstan
Israël
17
Koweït
EAU
Arabie
saoudite
Nigéria
Angola
Swaziland
Afrique
du Sud
Népal
Inde
55
Chine
121
Corée
du Sud
24
Japon
22
Taïwan
26
Hong Kong
39
Thaïlande
10
Malaisie
10
Singapour
10
Philippines
11
Indonésie
25
Australie
22
Nelle-
Zélande
Source : *Forbes*, juin 2013.

le rejet de toute hiérarchie, mais savent parfaitement ce contre quoi ils luttent. Malgré ces différences d'organisation et d'objectifs, tous se battent pourtant pour le droit de participer effectivement au devenir collectif des sociétés, et d'en être des acteurs à part entière.

Espagne et États-Unis : « This is what democracy looks like ! »

Pourquoi, en Espagne, aux États-Unis, au Royaume-Uni, en Israël, des gens de tous âges et conditions – mais surtout des étudiants ou jeunes diplômés chômeurs – sont-ils allés planter leurs tentes sur des places publiques et ont décidé d'y rester, d'y dormir, d'y vivre pendant quelques semaines ? Étonnante fortune de la tente. Elle a permis de recréer du collectif en réunissant des personnes indignées par l'état de l'économie et du système politique institutionnel, déçues par les renoncements des partis de gauche arrivés au pouvoir. Mais, au-delà de cette indignation, il était souvent difficile de savoir ce que voulaient ces mouvements, même s'ils ont dénoncé pêle-mêle le pouvoir de la finance et de l'oligarchie politique, la crise du logement et du chômage, les partis politiques et l'absence de véritable représentativité démocratique. C'est que la force des Indignés résidait surtout dans les formes qu'ils ont données à leur mouvement : expression d'un désir d'autonomie, de démocratie directe, de consensus collectif et rejet des chefs et de toute hiérarchie.

En Espagne, le mouvement prend naissance le 15 mai 2011, lorsque des manifestants se retrouvent à occuper la place de la Puerta del Sol à Madrid, à la suite d'un appel lancé par diverses organisations dont « Democracia real ya ! » (Démocratie réelle maintenant !), constituée quelques mois plus tôt autour de diverses revendications (droit au logement, réforme de la loi électorale...). Le succès de l'occupation surprendra tous les participants, qui y organisent des assemblées générales et dont les décisions sont prises par consensus. De nombreuses personnes viennent s'installer sur la place dans les jours qui suivent, espérant y trouver un moyen de donner corps et substance à leur indignation. José Luis Moreno Pestaña, un sociologue ayant participé au mouvement parlera à ce sujet d'un sentiment de « jouissance dans la discussion publique ». Si le campement madrilène est levé le 12 juin 2011, les Indignés espagnols, désormais désignés comme le « 15M », investissent les quartiers, où ils organisent des assemblées, luttent contre les expulsions locatives, ou squattent des immeubles abandonnés pour y tenir les réunions des groupes de travail du 15M. Gênés aux entournures par les élections législatives de l'automne 2011, au cours desquelles ils décideront de ne prendre aucun parti, les Indignés n'en ont pas moins donné un nouveau souffle politique à l'Espagne, qui perdure aujourd'hui dans la contestation des politiques d'austérité du gouvernement conservateur de Mariano Rajoy.

Aux États-Unis, c'est le 17 septembre 2011 que le mouvement Occupy Wall Street fait son apparition lors d'une occupation de Zuccotti Park, une place située au pied des gratte-ciel, à deux encablures de la Bourse de New York. Lancé par *Adbusters*, un magazine critique de la publicité et du capitalisme, l'appel à occuper Wall Street recevra un écho étonnant. Des occupations se mettent en place dans tous les États, y compris ceux qui sont parmi les plus républicains comme le Tennessee, où Occupy Nashville prend localement une importance étonnante. Comme les Indignés, le mouvement Occupy conteste le pouvoir de la finance et l'absence de représentativité politique. Il dit représenter les « 99 % » de la population, demande l'annulation de l'arrêt *Citizens United* de la Cour suprême qui a permis aux entreprises privées d'investir presque sans limites dans les campagnes électorales, et se bat sur le terrain pour récupérer des maisons dont les locataires ont été expulsés. La force d'Occupy réside aussi dans une inventivité permanente des formes d'action. Les mégaphones sont interdits ? On redécouvre une technique d'amplification collective des voix. Des happenings sont organisés devant l'Opéra de New York, ou des manifestations dans ses quartiers les plus pauvres. Un slogan – de nature performative – exprime mieux que tout ce qu'est Occupy Wall Street : « C'est ça, la démocratie ! », criaient en chœur les manifestants arpentant les rues, en se désignant eux-mêmes. Pour eux, la démocratie réside ainsi dans le fait de s'assembler collectivement, de manifester et de débattre, de réoccuper l'espace public, et non dans le simple fait d'aller voter pour des partis dont la représentativité est contestée.

Les mouvements Indignés et Occupy opèrent donc une critique radicale de la démocratie et du système économique. Radicale en ce sens qu'ils cherchent à les refonder par la racine. Lorsque des assemblées générales réunissent des centaines de personnes qui débattent de la manière dont doit se prendre une décision collective (au consensus ou à la majorité ? dans quelles conditions ? quel est le rôle des modérateurs ?), il y a là un processus proto-constitutionnel de définition des règles permettant d'agir collectivement. C'est l'expression d'un désir de refondation du politique. L'absence de chefs et de hiérarchie est aussi un élément essentiel de ces mouvements qui, là encore, veulent tout reprendre à zéro. Mais l'horizontalisme et le consensualisme sont aussi ce qui a empêché ces mouvements d'avoir un véritable poids politique. S'ils ont changé la vie de ceux qui y ont pris part, s'ils ont pu orienter les débats politiques nationaux sur les inégalités ou certains problèmes précis (logement, chômage), s'ils ont permis quelques réussites concrètes (sur les expulsions locatives), il n'en reste pas moins que l'absence de toute idéologie politique structurée a fait obstacle, pour le moment, à une transformation majeure. Ces mouvements apparaissent donc désorganisés et sans buts politiques précis, mais ces tâtonnements leur permettront sûrement de recréer du collectif sur le long terme.

Chili, Québec : de la défense de l'université à la critique du néolibéralisme

Si, au cours des années 2000, la France a connu de nombreux mouvements étudiants (contre le contrat première embauche, ou la loi sur l'autonomie des universités), ces derniers n'ont jamais réussi à questionner fondamentalement la société dans son ensemble. Il est d'autres pays où, au contraire, les mouvements étudiants ont pris une importance telle qu'ils ont conduit ces sociétés à s'interroger sur elles-mêmes et leur modèle économique.

Au Chili, en avril 2011, les étudiants commencent à manifester pour dénoncer le système de l'enseignement universitaire hérité de Pinochet. Sous la dictature, le général et ses « Chicago boys », économistes formés dans cette ville des États-Unis, ont fait du pays un laboratoire du néolibéralisme. Ils ont ainsi poussé au développement de nombreuses universités privées, dont les frais d'inscription sont exorbitants. Aujourd'hui, au Chili, l'enseignement supérieur devient très difficilement accessible aux couches les plus pauvres en raison de son coût. Comme l'expliquait benoîtement le président Sebastian Pinera aux étudiants en lutte, « l'éducation est un bien de consommation comme un autre ». En 2011, donc, le mouvement étudiant prend une ampleur étonnante, sous la direction de leaders charismatiques, et notamment de Camila Vallejo, militante communiste et présidente de la Fédération des étudiants de l'université du Chili (FECH), qui devient rapidement l'égérie des étudiants. Bien qu'organisé à la base en assemblées générales, le mouvement ne rejette pas les principes de hiérarchie et d'organisation. Contrairement aux Indignés ou à Occupy Wall Street – dont les étudiants chiliens emprunteront pourtant certains des slogans –, ils ne rechignent pas à avoir des chefs. Ils considèrent même que ces figures permettent de mieux faire passer leurs revendications dans la société. Lesquelles revendications ont très rapidement dépassé la simple question universitaire. Poser le problème des frais de scolarité aboutissait naturellement à questionner l'impôt, les inégalités et la répartition des richesses dans la société. Le mouvement, rejoint par des familles entières lors des grandes manifestations, a ainsi reçu un tel écho qu'il a contraint le gouvernement de droite à négocier et a permis à la société chilienne de s'interroger sur son modèle économique.

Le « printemps érable » des étudiants québécois a surpris la province au début de l'année 2012. Le gouvernement provincial du Premier ministre Jean Charest pensait faire passer facilement une hausse des frais d'inscription à l'université – qui sont parmi les plus faibles d'Amérique du Nord. Mais les étudiants se sont mobilisés rapidement et en masse contre ce projet. Comme au Chili, sous la direction de quelques leaders charismatiques, comme Gabriel Nadeau-Dubois de la Coalition large de l'association pour une solidarité syndicale étudiante (Classe), ils se sont organisés, mis en grève, et ont ponctué le printemps 2012 de manifestations monstres. Le gouvernement a réagi en adoptant une loi restreignant drastiquement la liberté de manifester. Le mouvement a alors dû élargir son discours à la défense de cette liberté. Mais finalement, sous la pression des étudiants, le nouveau gouvernement québécois élu en septembre 2012 a annulé la hausse des frais d'inscription. Depuis, le débat porte sur l'indexation de cette hausse sur l'inflation, et nombre d'étudiants continuent à manifester pour la gratuité totale de l'enseignement supérieur.

Ces mouvements étudiants, nés d'une revendication précise, en sont venus à bousculer leurs sociétés. La question de l'université pose ainsi celle du modèle économique. Ces manifestations ont donc permis – comme les Indignés ou Occupy Wall Street – de modifier le débat public national en le faisant porter sur les inégalités, la recherche des financements pour l'université (et donc de la répartition des richesses), mais aussi sur la pression policière et la liberté de manifester. Leur succès tient aussi à leur organisation : contrairement aux mouvements espagnols et états-uniens, les étudiants chiliens et québécois se sont donné des leaders, et n'ont jamais cherché à agir uniquement par « consensus ».

Sur l'écologie : des mouvements locaux pour une critique globale

Les mouvements pour la défense de l'environnement peuvent apparaître moins politiques, et moins à même de provoquer une transformation sociale que les manifestations étudiantes ou des Indignés. Ils sont souvent accusés de ne chercher à protéger qu'un milieu naturel immédiat (Nimby : « *not in my backyard* »). Pourtant, des mouvements écologistes focalisés sur des projets particuliers en viennent à produire une critique globale de la société. Ainsi, la contestation des gaz de schiste ne concerne pas uniquement ceux qui habitent à proximité des puits de forage. La dénonciation d'une autoroute, d'une ligne à haute tension ou d'un TGV permet d'interroger la pertinence de la voiture, des déplacements ou de la manière de produire de l'électricité.

En France, la lutte contre un projet d'aéroport à Notre-Dame-des-Landes, non loin de Nantes, a permis de fédérer une certaine gauche. Critiquer ce projet, soutenu à bout de bras par un gouvernement socialiste est un moyen pour de nombreux militants anarchistes et écologistes de questionner l'ensemble du modèle de développement et son impact sur ce qu'il reste de milieu naturel en France et en Europe. Cette lutte est aussi pour eux le moyen de créer des formes de vie alternatives, autonomes et non hiérarchisées. Ainsi des militants campent-ils depuis plusieurs années sur le site du futur aéroport pour en empêcher la construction. Si cette lutte est, comme celle des Indignés ou d'Occupy Wall Street, fondée sur l'autonomie et l'absence de hiérarchie, elle a des objectifs clairs (le retrait du projet d'aéroport) et permet d'expérimenter de nouvelles formes de vie et de relations.

Des mouvements de contestation globale à ceux qui ne luttent que sur une question précise, les citoyens ont semblé donner à nouveau de la voix ces dernières années, malgré la répression dont ils ont fait l'objet. Les États ont en effet systématiquement déployé contre eux un appareil répressif important (par la violence policière et l'expulsion, comme aux États-Unis, au Chili ou à Notre-Dame-des-Landes, mais aussi en menaçant d'interdire la liberté de manifester, comme au Québec). Ces mouvements sont véritablement gênants pour les pouvoirs institués, et pourraient donc contribuer à les faire vaciller.

Pour en savoir plus

Maude Bonenfant, Anthony Glinoer, Martine-Emmanuelle Lapointe (dir.), *Le Printemps québécois. Une anthologie*, Ecosociété, Montréal, 2013.

Jade Lindgaard (dir.), *Occupy Wall Street !*, Les Arènes, Paris, 2012.

José Luis Moreno Pestaña, « Le mouvement du 15-M : social et "libéral", générationnel et "assembléiste". Un témoignage », *Savoir-Agir*, n° 17, septembre 2011 (<www.savoir-agir.org>).

José Luis Moreno Pestaña, « Vie et mort des assemblées », *La Vie des idées*, 25 mars 2013 (<www.laviedesidees.fr>).

John Nichols, *Uprising. How Wisconsin Renewed the Politics of Protest, from Madison to Wall Street*, Nation Books, New York, 2012.

Tidal : <www.occupytheory.org>.

La montée de l'islamophobie en Europe

Nilüfer Göle
Directrice d'études à l'École des hautes études en sciences sociales

En adoptant un discours opposé à l'immigration musulmane d'un côté, nationaliste et eurosceptique de l'autre, les partis d'extrême droite se déplacent des marges vers le centre de l'échiquier politique et ne cessent de s'imposer comme des forces politiques alternatives aux partis de centre, de droite et de gauche dans les pays européens. On gardera en mémoire les élections européennes de 2009, quand les pays les plus libéraux d'Europe ont été surpris par leurs succès électoraux. En Angleterre, le Parti national britannique (BNP) a réalisé sa première entrée au Parlement européen en remportant deux sièges. Aux Pays-Bas, le riche héritage multiculturaliste a été mis à mal par la victoire du Parti pour la liberté (PVV). En Norvège, le Parti du progrès, parti populiste anti-immigration, est aujourd'hui la deuxième force politique du pays. Le Parti libéral autrichien (FPÖ), nostalgique du IIIe Reich, est donné favori pour les prochaines élections parlementaires prévues pour la fin septembre 2013. En Grèce, Aube dorée (Association populaire) a fait son entrée au Parlement lors des législatives de mai 2012. Avec le slogan « La Grèce aux Grecs », ce parti opte pour un discours ouvertement antieuropéen, souverainiste et xénophobe.

Ces partis, tout en s'inscrivant dans la lignée des mouvements d'extrême droite, en faisant à l'occasion usage des symboles chrétiens ou des emblèmes nazis, acquièrent de nouveaux traits politiques et se transforment en mouvements néopopulistes. Ils renouvellent leur agenda politique en prenant l'islam comme cible et changent de visage avec la nouvelle génération de leurs porte-parole. Le Front national français, le plus ancien parti d'extrême droite européen, a rejoint cette nouvelle vague de droite populiste, avec le remplacement de Jean-Marie Le Pen par sa fille, Marine, à la tête du parti. Ces jeunes porte-parole s'attellent à « décomplexer » les sociétés européennes dans leur combat contre l'islam et à exploiter toutes les tensions identitaires qui les traversent actuellement. Ils ne sont plus ostracisés comme des mouvements « extrémistes » et racistes mais gagnent en audibilité au plus près de la société. Les ingrédients du populisme dépassent largement les formations politiques. Les nouveaux alignements autour des valeurs culturelles et identitaires, l'effacement des frontières entre la gauche et la droite, la libération de la parole raciste et la crise du multiculturalisme constituent un terreau favorable à la montée de ces mouvements néopopulistes.

La critique du multiculturalisme

L'abandon du multiculturalisme par l'*intelligentsia* de gauche et l'affirmation des « valeurs culturelles européennes », présentées comme opposées à celles de l'islam, ont joué un rôle décisif dans le tournant identitaire en Europe. Si on se limite à la période récente, les premières critiques à l'encontre du multiculturalisme ont été formulées aux Pays-Bas en 2000 par l'écrivain et journaliste Paul Scheffer, intellectuel phare de la gauche libérale [1], suivi dix ans plus tard par certains dirigeants politiques européens de premier plan. Dans ce premier temps, le multiculturalisme est critiqué sous prétexte qu'il serait responsable de l'isolement des communautés immigrées, en particulier musulmanes, en les dissuadant de « s'intégrer » au sein

1 Paul SCHEFFER, « The multicultural drama », *NRC Handelsblad*, 29 janvier 2000.

des pays hôtes. Mais très vite, la critique se déplace de la question migratoire à la thématique culturelle. Le supposé conservatisme religieux des musulmans et leurs pratiques réputées rétrogrades à l'égard des femmes sont mis en avant à travers des « illustrations » récurrentes (mariages forcés, crimes d'honneur, etc.). Intellectuels et féministes, de droite et surtout de gauche, héritiers dans leur majorité de la contre-culture des années 1960, dénoncent sans nuances ces pratiques et appellent les dirigeants politiques et l'opinion publique au « courage ». « Il est temps, affirment-ils en substance, de lever les tabous qui refrènent les critiques de l'islam. »

Reste que ces « tabous », largement imaginaires, ont déjà été levés depuis longtemps. Oriana Fallaci, journaliste italienne de renom, fut l'une des premières à réclamer un tel « courage » dans son livre *La Rage et l'Orgueil*, publié après les attentats du 11 septembre 2001 [1]. Best-seller international, ce manifeste anti-islam donna le coup d'envoi d'un combat agressif contre les musulmans, affublés dans ce pamphlet de qualificatifs méprisants [2]. Il faut réagir, insistait-elle, et se mobiliser contre l'islam qui envahit et menace la civilisation occidentale de l'intérieur : « Chez nous, il n'y a pas de place pour les muezzins, pour les minarets, pour la fausse sobriété, pour leur foutu Moyen Âge, pour leur foutu tchador [3]. » Ainsi Oriana Fallaci désignait-elle les adversaires à combattre : des « ennemis » que l'on retrouvera sous la plume de nombreux autres écrivains, penseurs, journalistes européens par la suite, et dans la bouche de différents responsables politiques au cours des débats sur l'interdiction des tenues islamiques en France (2004, 2010) et des minarets en Suisse (2009).

Ce combat contre l'« islam » n'est pas simplement motivé par un esprit séculier rétif à toute croyance religieuse. Il se teinte dans certains cas d'une exaltation du christianisme, trait que l'on peut même détecter chez certains intellectuels européens pourtant héritiers de la gauche universaliste, voire athée. L'écrivain français Michel Houellebecq, très critique de toutes les religions monothéistes, figure plutôt athée et nihiliste du paysage littéraire, avouera ainsi son affection pour le catholicisme [4]. La critique du multiculturalisme s'accompagne le plus souvent d'une violente offensive contre le relativisme culturel et de la promotion de la hiérarchisation des cultures – hiérarchie qui, sans surprise, valorise les « valeurs occidentales » et la tradition dite « judéo-chrétienne ».

Après des années d'offensive, les polémiques antimusulmanes trouveront un écho officiel dans le discours de certains dirigeants politiques.

1 Oriana Fallaci, *La Rage et l'Orgueil*, Plon, Paris, 2002.

2 Bruno Cousin et Tommaso Vitale, « Oriana Fallaci ou la rhétorique matamore », *Mouvements*, n° 23, septembre-octobre 2002, p. 146-149.

3 Oriana Fallaci, *La Rage et l'Orgueil*, *op. cit.*

4 « Entretien avec Michel Houellebecq », *Lire*, septembre 2001.

Angela Merkel affirmera ainsi, en octobre 2010, que le modèle d'une Allemagne multiculturelle, où cohabiteraient harmonieusement différentes cultures, a « totalement échoué ». En lieu et place du relativisme culturel, la chancelière allemande défendra devant le congrès des jeunes de son parti la nécessité de renforcer la tradition judéo-chrétienne comme guide des valeurs allemandes [1]. La page de l'Holocauste tournée, la culture juive, jadis stigmatisée, devient ainsi un nouveau référent dans la définition identitaire de l'Europe. Des discours comparables ont été entendus dans la bouche du président français Nicolas Sarkozy et dans celle du Premier ministre britannique David Cameron.

Xénophobie, racisme, islamophobie

Comment comprendre ce tournant identitaire en Europe ? S'agit-il de xénophobie, d'une nouvelle forme de racisme ou d'islamophobie ? Selon le philosophe allemand Jürgen Habermas, ces débats publics sur l'islam sont les indices alarmants d'une Europe « malade de la xénophobie [2] ». En observant ce tournant en Allemagne, il ne cache pas son inquiétude. Habermas condamne l'instrumentalisation de l'héritage juif pour définir la culture européenne. L'Allemagne, écrit-il, est « en proie à des accès d'agitation et de confusion politique autour des questions de l'intégration, du multiculturalisme et de la culture "nationale" comme "culture de référence" (*Leitkultur*), provoquant des débats qui ont eu pour corollaire d'aggraver, au sein du grand public, les tendances xénophobes [3] ». Le philosophe français Jacques Rancière parle, quant à lui, de la montée d'une nouvelle forme de racisme qui ne résulte pas d'une « passion populaire » mais qui « vient d'en haut ». Ce « racisme d'en haut » est selon lui « soutenu au premier chef par une bonne partie de l'élite intellectuelle [...] qui se revendique comme une *intelligentsia* de gauche, républicaine et laïque [4] ».

Pour Tariq Modood, cette attitude à l'égard de l'islam traduit un « racisme culturel ». Politologue et défenseur du multiculturalisme en Angleterre, il constate que ce racisme culturel ne se limite pas uniquement aux considérations sur la couleur de la peau, les différences de race et d'ethnie, mais englobe des traits culturels et des stéréotypes dépréciatifs [5]. Comme l'ont montré de nombreux chercheurs, la formulation du racisme n'a cessé d'évoluer depuis un demi-siècle, passant d'un registre « biologique » à un

---

1 « Angela Merkel admet l'échec du multiculturalisme allemand », *Le Figaro*, 17 octobre 2010.

2 Jürgen Habermas, « L'Europe malade de la xénophobie », *Le Monde*, 4 janvier 2011.

3 *Ibid.*

4 Jacques Rancière, « Racisme, une passion d'en haut », <www.mediapart.fr>, 11 septembre 2010.

5 Tariq Modood, *Multiculturalism*, Polity, Cambridge, 2007.

registre « culturel », puis « religieux ». C'est dans ce cadre qu'a émergé, dans les années 1990, le terme d'« islamophobie » qui cherche à décrire cette hostilité particulière à l'islam – un phénomène qui s'inscrit en partie dans la lignée de l'antimahométisme chrétien du Moyen Âge et de l'arabophobie de l'ère coloniale.

Xénophobie, racisme élitiste, racisme culturel, islamophobie : tous ces termes témoignent de la crispation actuelle des sociétés européennes, des politiques, des intellectuels, de gauche comme de droite, à l'égard de l'islam. Cette focalisation autour de la visibilité de l'islam ne se limite cependant pas à une extension du racisme. On peut les distinguer, comme le fait le politologue Vincent Geisser : « L'islamophobie n'est pas simplement une transposition du racisme antiarabe, antimaghrébin et anti-jeunes de banlieue : elle est aussi une *religiophobie* [1]. » Selon lui, parmi les signes perçus comme « étrangers », ce sont dorénavant ceux qui ont une connotation religieuse qui sont visés en priorité dans les débats publics. L'islamophobie met en avant l'identité « religieuse » de l'altérité, inscrit le rejet de l'islam dans la filiation d'une sécularisation perçue comme caractéristique de l'« Occident », exacerbe une politique de peur, d'invasion et de menace. Cette rhétorique qui oppose un « nous » occidental à un « eux » musulmans n'hésite pas à renverser les rapports entre majorité et minorités : « Les "vraies victimes" ne seraient pas les musulmans stigmatisés par le regard de l'autre majoritaire mais les Français "de souche" agressés au plus profond de leur identité nationale par l'islamisation galopante et toutes les formes de mondialisme et de cosmopolitisme [2]. »

Les nouveaux visages du populisme européen

En faisant sauter les verrous de la vie publique et en remettant en cause les modalités de l'antiracisme tel qu'il s'était imposé depuis les années 1980, on ouvre la voie aux mouvements néopopulistes. Cautionnée par certaines figures de la droite traditionnelle et de la gauche, l'idée d'un racisme à l'envers, d'un « racisme antiblanc », fait le bonheur de la mouvance populiste [3]. En reprenant à leur compte « la rage et l'orgueil », ils s'opposent aux politiques multiculturalistes jugées laxistes et mettent en avant la « virilité » de leur combat contre l'islam. Ils font converger la défense

1 Vincent Geisser, *La Nouvelle Islamophobie*, La Découverte, Paris, 2003, p. 10-11.

2 *Ibid.*, p. 76.

3 L'appel contre « les ratonnades anti-Blancs », publié le 25 mars 2005 à l'initiative du philosophe Alain Finkielkraut et signé par de multiples personnalités (Jacques Julliard, Bernard Kouchner, Pierre-André Taguieff, Chahdortt Djavann, Ghaleb Bencheikh et Élie Chouraqui), met en avant un « racisme antiblanc » suite aux agressions en marge des manifestations lycéennes anti-CPE à Paris. Depuis lors, cette notion, jadis exclusivement portée par l'extrême droite, divise le milieu de l'antiracisme français.

de la nation avec celles des valeurs libérales post-1968. Cette recomposition des « valeurs » brouille profondément le traditionnel clivage droite/gauche.

« Progressisme » et « conservatisme » devenant parfois difficiles à distinguer, les nouveaux courants antimusulmans se distinguent des générations précédentes et affichent à l'occasion un *habitus* proche de la contre-culture européenne. Des leaders d'extrême droite, comme l'Autrichien Heinz-Christian Strache, qui s'affuble d'un t-shirt à l'effigie de Che Guevara, ou le Suisse Oscar Freysinger, meneur de la campagne « contre les minarets », qui porte de longs cheveux en queue-de-cheval, n'hésitent pas à emprunter des emblèmes de révolte culturelle. Faisant de l'islam leur cible privilégiée et tentant de constituer un large front contre ce prétendu « danger », ils se présentent comme des défenseurs de l'égalité des sexes, du féminisme, de la liberté d'expression, de la lutte contre l'homophobie et critiquent l'antisémitisme. En détournant l'héritage culturel de gauche, ils promeuvent des valeurs auxquelles la génération précédente de l'extrême droite, patriarcale, xénophobe et antisémite, était hostile.

La trajectoire de Marine Le Pen est symptomatique de ce processus. Tout en profitant de son lignage, elle marque un renouvellement politique en rupture avec la tradition paternelle qui représentait la France profonde et catholique. Si le père se faisait le porte-parole du « petit peuple » contre les élites établies et formées dans les grandes écoles, la fille, avocate et députée européenne, se montre plus ambiguë lorsqu'elle se drape des idéaux « républicains », prétend défendre la « laïcité » et adopte une posture « féministe » pour combattre le voile islamique des jeunes filles. Ce faisant, elle ne fait que s'aligner sur le discours « républicain » et « laïque » porté par les forces politiques traditionnelles, droite comme gauche, depuis la première « affaire » de voile islamique en 1989.

Se voulant à la pointe du « combat », les nouvelles figures du populisme d'extrême droite s'ingénient à lancer de nouvelles controverses publiques. C'est en suscitant un vif débat autour de la construction des minarets en Suisse qu'Oscar Freysinger, jusque-là inconnu, a gagné en popularité à l'échelle européenne. Le référendum suisse de 2009 est par la suite devenu une référence majeure dans les débats publics européens autour de la construction des mosquées. L'affiche utilisée pour l'occasion a été réappropriée et utilisée par presque tous les autres partis d'extrême droite européens. On y distingue le drapeau suisse transpercé par des minarets en forme de missiles. Une figure de femme en voile intégral, au premier plan, complète le tableau. Exploitant les stéréotypes de l'islam, déshumanisé et sans visage, menaçant la paix d'un côté et les libertés des femmes de l'autre, le graphisme mise sur le sentiment d'invasion, de la menace, de la mise en cause de la nation.

Aux Pays-Bas, le court-métrage intitulé *Fitna* (« désordre social » en arabe), réalisé en 2008 par Geert Wilders, actuel dirigeant du Parti pour la liberté, articule lui aussi le thème de la menace terroriste et la question de la femme en islam : des images de terrorisme islamiste, de lapidations, d'excisions et de femmes en *burqa* s'y retrouvent mêlées sans distinction. Wilders invite les Européens à « défendre leur liberté en stoppant l'islamisation ». Pour ce faire, il va jusqu'à demander l'interdiction de la vente du Coran qu'il compare à *Mein Kampf*.

En France, Marine Le Pen attire l'attention publique en comparant les prières du vendredi, que nombre de musulmans sont contraints de pratiquer dans la rue en raison du déficit de lieux de culte islamiques dans le pays, à l'« occupation allemande ». Cette comparaison des musulmans avec les nazis lui a valu une plainte pour incitation à la haine raciale mais lui a également assuré une belle publicité médiatique. Cherchant à attirer à elle la haine montante à l'égard de l'islam, Marine Le Pen ne manque pas une controverse et dénonce sans relâche le voile, la polygamie, la viande halal, la prétendue « interdiction » du porc dans les cantines, les « mosquées-cathédrales »... Toute pratique musulmane est à ses yeux une manifestation à caractère politique et toute tolérance vis-à-vis des minorités musulmanes conduirait à la discrimination des Français « de souche ». Jusqu'au-boutiste, la présidente du Front national va jusqu'à réclamer une loi « intégrale » interdisant les signes religieux dans tout « l'espace public », y compris dans la rue. Et cela au nom d'une « laïcité » qui garantit pourtant la liberté de croyance et de culte.

Tout comme Marine Le Pen, les autres leaders des partis d'extrême droite européens redéfinissent l'agenda politique en faisant de l'islam leur point de fixation. Le Parti autrichien de la liberté multiple les campagnes anti-mosquées. La Ligue du Nord en Italie organise des parades de cochons afin de profaner les terrains réservés à la construction des mosquées. En France, l'association Riposte laïque lance un appel de rassemblement citoyen autour d'un « apéritif saucisson pinard » pour la commémoration du 18 juin 1940. Incarnées dans les emblèmes du « terroir » (cochon, vin, etc.), les valeurs nationales sont ainsi définies en opposition radicale avec une culture islamique perçue, dès lors, comme irrémédiablement « étrangère ».

Le discours islamophobe, qui se généralise dans les débats publics, est ainsi exploité par les mouvements néopopulistes dans une optique nationaliste et eurosceptique. D'une manière paradoxale, ces crispations sur l'islam, parce qu'elles font converger les néopopulismes européens lors, notamment, de rassemblements « contre l'islamisation », représentent une dynamique d'européanisation. Mais une « européanisation » fondée sur le rejet viscérale d'une partie des citoyens : les Européens de confession musulmane.

Pour en savoir plus

Thomas Deltombe, *L'Islam imaginaire. La construction médiatique de l'islamophobie en France (1975-2005)*, La Découverte, Paris, 2005 (rééd. 2007).

John L. Esposito et Ibrahim Kalin, *Islamophobia : The Challenge of Pluralism in the 21st Century*, Oxford University Press, Oxford, 2011.

Olivier Esteves, *De l'invisibilité à l'islamophobie : Les musulmans britanniques (1945-2010)*, Presses de Sciences Po, Paris, 2011.

Vincent Geisser, *La Nouvelle Islamophobie*, La Découverte, Paris, 2003.

Béatrice Giblin et Yves Lacoste (dir.), « L'extrême droite en Europe », *Hérodote*, n° 144, 1er trimestre 2012.

Abdellali Hajjat et Marwan Mohammed, *Islamophobie*, La Découverte, Paris, 2013.

Raphaël Logier, *Le Mythe de l'islamisation. Essai sur une obsession collective*, Seuil, Paris, 2012.

Gérard Noiriel, *À quoi sert l'identité « nationale »*, Agone, Marseille, 2007.

Dominique Reynié, *Populismes : la pente fatale*, Plon, coll. « Tribune libre », 2011.

Zeev Sternhell, *Ni gauche, ni droite. L'idéologie fasciste en France*, Gallimard, coll. « Folio Histoire », Paris, 2012.

Dynamiques islamistes dans le monde arabe

Laurent Bonnefoy
Chercheur CNRS
Stéphane Lacroix
Chercheur au CERI

Dans les médias, mais aussi sans doute dans le champ académique, les analyses dominantes ont longtemps présupposé la centralité des logiques internationales dans la structuration des mouvements islamistes, sunnites comme chiites, du monde arabe. D'Al-Qaida aux Frères musulmans, en passant par le Hezbollah libanais, l'idée de réseaux islamistes transnationaux coordonnés, mettant en application une doctrine cohérente en faveur d'un projet politique, social et religieux (global, régional ou parfois au profit d'un État : Iran ou Arabie saoudite en particulier), a structuré une large part des perceptions.

Dans le contexte des « printemps arabes » et face aux succès électoraux des partis issus des Frères musulmans ou des courants salafistes sunnites, ce discours a été ravivé par le rôle supposé de la diplomatie qatarienne qui, à coups de financements « extravagants », contrôlerait pour une large part ces mouvements islamistes à son profit. Rumeurs sur le rôle de la chaîne Al-Jazeera, théories du complot, alimentées notamment par les franges libérales ou laïques en Tunisie ou ailleurs, ont volontiers mis en avant les connexions internationales et les manipulations supposées qui étaient liées à la récupération par les islamistes des processus révolutionnaires.

Néanmoins, dès la fin des années 1990, certains travaux avaient déjà commencé à décrire une réalité plus complexe, pointant notamment une tendance à l'« islamo-nationalisation » des mouvements islamistes, Frères musulmans et Hezbollah en tête. Les processus découlant des « printemps arabes » ont fini de contredire les approches pariant sur le poids de la coordination et de la centralisation des mouvements islamistes. Si des logiques et dynamiques transversales peuvent être observées (par exemple pour ce qui concerne la quête de respectabilité et le polissage des discours, en particulier des Frères musulmans participant aux nouveaux pouvoirs sans que cela paraisse être concerté), ce sont malgré tout l'intégration dans les contextes locaux et l'autonomisation des mouvements et réseaux qui priment aujourd'hui. Dès lors, les différents mouvements islamistes de toutes tendances semblent engagés dans une certaine normalisation sur les scènes politiques nationales.

Le Hezbollah et la Syrie

Face à la crise syrienne, le Hezbollah, qui domine la scène politique libanaise depuis le basculement de majorité au Parlement en 2011, a rapidement été placé dans une situation délicate. Son alliance avec le régime Al-Assad apparaissait comme structurelle et incarnait la politique régionale de la puissance iranienne. Néanmoins, ce sont autant les signes d'un engagement en appui au pouvoir baasiste qu'une autonomisation qui se sont initialement manifestés. Les accusations d'alliance interchiite portées par la frange sunnite, et particulièrement les salafistes libanais autour de la figure montante d'Ahmad al-Asir, n'ont pu se crédibiliser que très progressivement, à mesure que l'engagement de miliciens du Hezbollah aux côtés de l'armée syrienne devenait évident. De fait, la hausse de la violence, la répression et la lecture confessionnelle du conflit initialement encouragée par le régime syrien, puis accentuée par certains acteurs sunnites de l'opposition armée, ont fonctionné comme une prophétie autoréalisatrice, amenant, en l'absence de solution négociée, le Hezbollah à prendre parti par les armes, et de façon plus ou moins directe, pour son allié Bachar al-Assad.

Toutefois, cette option n'était pas écrite même si, de toute évidence, contrairement par exemple au cas du Hamas palestinien – autre « client » de Damas –, la rupture était improbable. Il reste que le Hezbollah a largement joué la carte de la dissociation de la situation libanaise et du conflit syrien. Il veilla à préserver la stabilité du gouvernement libanais jusqu'en mars 2013 (dirigé, selon la Constitution, par un sunnite) et à se forger une image de respectabilité et de modération, comme au cours de la visite du pape Benoît XVI au Liban en septembre 2012 en participant activement à l'accueil du souverain pontife. Face à la crise syrienne, le Hezbollah développa initialement une approche pragmatique. Les débats sur la brutalité de la répression notamment, bien que discrets, furent visiblement importants en interne sans que l'on n'en connaisse pourtant la teneur exacte. Le congrès du parti a par ailleurs été repoussé, sans doute afin de ne pas laisser les divisions au sujet de la situation syrienne éclater. En mars 2012, son chef Hassan Nasrallah appela les parties en conflit en Syrie à déposer les armes et à dialoguer. Les mois passant, la balance interne au parti penchait de plus en plus en faveur d'un engagement direct dans le conflit mais le leadership du parti veillait parallèlement à ne pas mettre en péril sa position dominante dans le complexe jeu politique libanais. Préoccupations et contraintes locales semblaient dès lors effectivement rester centrales.

Les Frères musulmans aux affaires

À l'autre bout du champ islamiste, les partis issus des Frères musulmans ou, du moins, inspirés par ce mouvement étaient soumis à des dynamiques semblables. En arrivant au pouvoir ou en s'en approchant, que ce soit en Tunisie, en Égypte, au Maroc, en Libye ou au Yémen, leur ancrage dans des considérations locales primait de façon évidente. Le cas de la présidence Mohamed Morsi en Égypte a été particulièrement emblématique de cette évolution. Dès les premiers mois de son mandat commencé en juin 2012, Morsi s'est surtout comporté sur la scène internationale comme le porteur d'un certain renouveau du nationalisme égyptien, sans faire preuve d'un penchant philo-islamique (ou philo-islamiste) particulièrement marqué. Les relations avec le Hamas palestinien étaient certes bien meilleures, sur un plan personnel, qu'elles ne l'étaient sous le règne de Hosni Moubarak. Mais la question gazaouie a continué d'être traitée depuis Le Caire sous un angle essentiellement sécuritaire, et l'ouverture des frontières que certains craignaient – ou appelaient de leurs vœux – n'a pas eu lieu.

Les Frères musulmans ont d'ailleurs tout fait pour maintenir la relation avec Israël, allant jusqu'à reprendre en novembre 2012 le rôle de médiateur entre le Hamas et l'État hébreu que Moubarak avait maintes fois joué par le passé, avec un succès salué par l'ensemble des parties puisqu'il a permis d'éviter une nouvelle guerre que beaucoup croyaient inéluctable. Ce n'est pas non plus l'idéologie qui a incité la présidence Morsi à renouer les liens diplomatiques avec Téhéran, liens rompus pendant les trois décennies du régime Moubarak et que le régime issu du coup d'état militaire de juin 2013 pourrait choisir de ne pas remettre en cause. Le réchauffement égypto-iranien a d'ailleurs valu à Morsi des critiques assassines au sein de son propre camp, traversé par un anti-chiisme rendu plus virulent encore par le soutien de Téhéran au régime syrien. Dans ce nouveau jeu diplomatique égyptien, le Qatar, dont le rôle a tant fait couler d'encre, n'a été qu'un partenaire parmi d'autres, même s'il s'est montré particulièrement actif dans son soutien aux Frères (sans pour autant se priver de prendre langue avec leurs opposants, notamment salafistes). La politique étrangère de Morsi correspondait ainsi surtout à ce que d'aucuns appelleraient une « diplomatie émergente », mettant l'accent sur les relations Sud-Sud pour mieux peser face au Nord. Quelques jours avant sa visite à Téhéran pour le Sommet des non-alignés, c'est d'ailleurs en Chine que Morsi se rendait pour la première visite officielle de son mandat.

Dans le champ politique égyptien, les Frères ont fait preuve, surtout dans un premier temps, du même pragmatisme pour ce qui est des alliances. On les a vus ainsi, pendant les élections législatives de la fin 2011, ouvrir leur « coalition démocratique » à des partis issus de la mouvance libérale, comme Ghad al-Thawra de l'ancien candidat à la présidentielle Ayman Nour, ou du courant nassérien, comme Al-Karama de Hamdin Sabbahi, futur candidat à la présidentielle qui a depuis versé dans l'opposition radicale aux Frères et a joué un rôle moteur dans les mobilisations anti-Morsi de la fin juin 2013.

En Tunisie, le parti islamiste Ennahda est allé plus loin en formant une « troïka » de gouvernement avec deux partis de tendance laïque : le Congrès pour la République, de l'actuel président Moncef Marzouki, et Takattol, parti social-démocrate dont est issu le président de l'Assemblée constituante, Moustafa Ben Jaafar. Qu'on ne se méprenne pas sur notre propos : il ne s'agit pas de dire ici que les Frères ou Ennahda sont, ou non, des démocrates sincères – à cette question seul l'avenir permettra de répondre. Mais force est de constater que leur action relève de logiques politiques, voire politiciennes, motivées par des considérations essentiellement nationales.

On peut d'ailleurs remarquer que, alors même que des « partis frères » furent un temps au pouvoir simultanément en Égypte et en Tunisie, aucun contact privilégié ne semble s'être noué entre les deux exécutifs, trop absorbés par les contextes locaux dans lesquels ils évoluaient. Personne dans la mouvance fériste ou ailleurs, n'a du reste sérieusement évoqué l'idée d'une unité politique, même sur le mode fédéral, entre les différents régimes issus du printemps arabe.

La politisation des salafistes

Les développements survenus au sein de la mouvance salafiste depuis 2011, particulièrement en Égypte ou au Yémen, reflètent cette même volonté de s'inscrire dans un cadre politique national, alors même que la doctrine salafiste était initialement marquée par une méfiance, voire un refus, face à l'engagement dans la sphère politique. Les premiers à franchir le pas de l'entrée en politique furent les salafistes égyptiens, qui annoncèrent à partir du printemps 2011 la création d'une petite dizaine de partis politiques. La principale de ces formations est le parti Al-Nour (la Lumière), fondé par la principale organisation salafiste d'Égypte, la « Prédication salafiste » (*da'wa salafiyya*) d'Alexandrie. Les débats qui traversent depuis 2011 Al-Nour illustrent les effets du processus de politisation. Pour nombre de cheikhs salafistes, Al-Nour avait initialement vocation à n'être qu'un groupe de pression défendant les intérêts de ce qui devait demeurer avant tout un mouvement de prédication religieuse.

Avec le temps, néanmoins, les leaders du parti se prirent au jeu, s'identifiant au champ politique national et à ses règles avec l'objectif affiché de faire de leur formation un « parti politique égyptien comme les autres ». Ils développèrent, avec l'aide d'universitaires de différents bords, un programme politique s'inscrivant explicitement dans le cadre démocratique national et allant jusqu'à prôner une séparation entre politique et prédication, arguant que l'un et l'autre relevaient de logiques distinctes. Cela donna lieu à des conflits, se soldant par le départ en décembre 2012 des principaux leaders d'Al-Nour qui fondèrent un autre parti, le parti de la Patrie (*al-Watan*), qui, s'il maintient la référence au salafisme, se veut ouvert à tous les Égyptiens. Tout en prétendant rester fidèle à sa ligne d'origine, le parti Al-Nour est lui aussi sorti transformé de l'expérience. On vit ainsi à partir du début 2013 les nouveaux leaders d'Al-Nour faire front commun avec l'opposition libérale et révolutionnaire contre le gouvernement du président Mohamed Morsi au point d'apporter leur caution au coup d'État qui le renversa en juillet 2013.

Si Frères et salafistes égyptiens sont aujourd'hui à couteaux tirés, rappelons ici que leurs relations ne furent jamais bonnes. Ils s'étaient d'abord opposés aux législatives de la fin 2011, formant deux coalitions distinctes qui ne se firent aucun cadeau au cours de la campagne. Puis les salafistes employèrent tous les moyens possibles pour faire échouer Morsi à l'élection présidentielle, soutenant au premier tour son rival Abd al-Mun'im Abu al-Futuh, pourtant réputé plus libéral. Cette rivalité entre deux mouvances se réclamant du même référentiel islamique contribue paradoxalement à séculariser l'islamisme et par là même accélère les dynamiques de politisation et de normalisation en cours.

Notons que si c'est en Égypte que le processus est le plus avancé, des dynamiques similaires s'observent dans les autres pays de la région. Au Yémen, des salafistes se réclamant du modèle d'Al-Nour ont fondé l'« Union Rashad », tandis qu'en Tunisie ce sont trois partis salafistes qui ont vu le jour en 2012. Quant à l'Arabie saoudite, dont le sens commun voudrait qu'elle soit « derrière » les mouvements salafistes, tout porte à croire au contraire qu'elle se méfie des dynamiques de politisation en cours et ne possède pas d'influence réelle sur les partis précités.

Les « franchises » d'Al-Qaida

Hors du conflit syrien dans lequel sont impliqués de multiples groupes islamistes armés, c'est, dans le monde arabe, au Yémen qu'Al-Qaida apparaît comme le plus présent sous une forme institutionnalisée. Al-Qaida dans la péninsule Arabique (AQPA), officiellement créé en janvier 2009 suite à la fusion des branches yéménite et saoudienne du mouvement, connaît une « transnationalisation » en trompe l'œil. À cet égard, le Front al-Nusra en Syrie, qui a émergé au cours de l'année 2012 en tant que principal acteur de l'opposition armée au régime mais aussi en tant que gestionnaire politique de premier plan des « zones libérées », semble concerné par des dynamiques comparables. Dans les deux cas, le recours plus ou moins explicite à un label partagé, à des références communes et l'apport de combattants étrangers (dont le nombre reste inconnu et fait l'objet de nombreux fantasmes) ne peuvent occulter l'ancrage territorial de ces groupes islamistes armés dans un contexte spécifique.

Dès lors, les préoccupations internationales liées à la lutte contre les États-Unis et les puissances européennes, qui ont structuré les acteurs se revendiquant d'Al-Qaida durant toute la décennie 2000, paraissent secondaires par rapport à des conflits plus localisés. Dans le cas du Yémen, ce conflit oppose dorénavant l'armée nationale (appuyée par des drones américains) à une guérilla qui certes se revendique de l'héritage et du label d'Al-Qaida, mais s'éloigne progressivement des « canons » du mouvement terroriste, notamment en veillant de façon assez systématique à diriger ses attaques contre les combattants et non les civils. Au Yémen toujours, cette dynamique normalise AQPA dans le *continuum* des conflits qui opposent, depuis le milieu des années 2000, l'État central à ses différentes périphéries. En la matière, la chute du président Ali Abdallah Saleh, après trente-trois ans de règne, suite à une mobilisation révolutionnaire amorcée début 2011, n'a pas entraîné de rupture significative.

Par ailleurs, à la faveur de ce mouvement révolutionnaire et des divisions qu'il a induites dans l'armée yéménite, la prise de pouvoir dans certaines localités du sud du pays par AQPA mais sous un label différent, celui d'Ansar al-Sharia (les « partisans de la loi islamique »), a confronté les mouvements armés à des demandes sociales fortes. L'arrivée aux affaires se faisait certes dans un contexte de guerre et était limitée, dans le temps comme dans l'espace, mais les groupes armés devaient, dans ce contexte, faire la preuve de leur capacité à gérer la cité.

La justice pouvait être expéditive mais il fallait gérer les routes, le ramassage des ordures et les services sanitaires, même de façon rudimentaire. Le succès, même ponctuel, créait donc en retour des obligations qui transforment le mouvement. De ce fait, de nouveaux débats sont lancés autour de la gestion des affaires microlocales. Dans ce contexte, de nouvelles figures de combattants émergent, qui apparaissent plus ancrées dans le tissu local des tribus par exemple ou dans le mouvement sécessionniste sudiste (qui remet en cause l'unité entre les deux Yémen prononcée en 1990 et qui connaît depuis 2007 un développement remarqué). Parallèlement, les oppositions armées se fondent sur des antagonismes locaux bien davantage qu'idéologiques. C'est ainsi que le pouvoir central yéménite s'appuie sur des milices issues de tribus, qu'il finance et arme, et en délaisse d'autres qui bien souvent finissent par s'aligner avec le mouvement armé. Cette spirale de la violence se révèle d'autant plus déstabilisatrice qu'elle inscrit les rivalités et les conflits dans l'expérience quotidienne des individus. De ce fait, ce passage au local, couplé à une importante répression, d'un groupe initialement perçu comme transnational par essence génère des blocages qui rendent la pacification particulièrement ardue.

Pour en savoir plus

Amin Allal et Thomas Pierret (dir), *Au cœur des révoltes arabes. Devenir révolutionnaires*, Armand Colin, Paris, 2013.

Amel Boubekeur et Olivier Roy (dir.), *Whatever Happened to the Islamists ? Salafis, Heavy Metal Muslims and the Lure of Consumerist Islam*, Hurst, Londres, 2012.

Jean-Pierre Filiu, *Le Nouveau Moyen-Orient. Les peuples à l'heure de la révolution syrienne*, Fayard, Paris, 2013.

Gilles Kepel, *Passion arabe. Journal 2011-2013*, Gallimard, Paris, 2013.

Sabrina Mervin (dir.), *Hezbollah. État des lieux*, Actes Sud, Arles, 2008.

Xavier Ternisien, *Les Frères musulmans*, Fayard, Paris, 2011.

Crise stratégique pour le mouvement palestinien

Dominique Vidal
Historien et journaliste

L'Organisation de libération de la Palestine (OLP) fêtera, en 2014, son cinquantième anniversaire. À son crédit, deux grands acquis. Le premier est d'avoir rassemblé les Palestiniens – de l'intérieur comme de l'extérieur – et de les avoir symboliquement tous ramenés en Palestine. Le second est d'avoir gagné à sa cause l'immense majorité de l'opinion mondiale, ce que reflète l'admission de la Palestine en tant qu'État – non membre – par l'Assemblée générale de l'Organisation des Nations unies (ONU), le 29 novembre 2012. Mais, sur le terrain, elle n'a pas atteint ses objectifs stratégiques.

Sa première Charte, en 1964, se fixait pour but « la libération de toute la Palestine [1] ». Le 1er janvier 1969, le Fatah – le mouvement de Yasser Arafat – proclame que sa fonction est la « restauration de l'État palestinien indépendant et démocratique dont tous les citoyens, quelle que soit leur religion, jouiront de droits égaux ». Un mois plus tard, porté par les organisations de *fedayin*, son leader accède à la présidence de l'OLP dont une nouvelle rédaction de la Charte définit nettement la Palestine comme la « patrie du peuple arabe palestinien » et affirme le « droit [de ce dernier] à l'autodétermination et à la souveraineté ».

En juin 1974, après avoir affronté le roi Hussein de Jordanie et avant d'être happée par la guerre civile libanaise, l'OLP s'engage sur une nouvelle voie : le Conseil national palestinien, son parlement en exil, réuni au Caire, se prononce pour l'établissement d'une « autorité indépendante, nationale et combattante sur toute partie libérée du territoire palestinien » – laquelle coexisterait donc, *de facto*, avec ce qu'elle appelle à l'époque l'« entité sioniste ».

---

1 Sur l'évolution de la stratégie de l'OLP, lire Farouk MARDAM-BEY, « Palestine laïque et démocratique : les avatars d'un mot d'ordre », *in* Dominique VIDAL (dir.), *Palestine-Israël : un État, deux États ?*, Sindbad, Paris, 2011.

L'invasion israélienne du Liban, en 1982, précipite le mouvement : la centrale palestinienne soutient le plan de paix soviétique de Léonid Brejnev, puis celui du prince saoudien Fahd – le premier prévoit le « droit à l'existence de tous les États de la région » et le second que le « Conseil de sécurité garantit la paix entre tous les États de la région ».

Le tournant de 1988

Mais le véritable tournant se produit le 15 novembre 1988 : en pleine « *intifada* des pierres », une nouvelle réunion du Conseil national palestinien, à Alger, proclame l'indépendance de l'État de Palestine tout en reconnaissant les résolutions 181 de l'Assemblée générale onusienne du 29 novembre 1947 et 242 du Conseil de sécurité du 22 novembre 1967, donc l'existence de l'État d'Israël dans la mesure où ce dernier se plie au droit international. Un mois plus tard, Yasser Arafat s'engage devant l'Assemblée générale des Nations unies, réunie exceptionnellement à Genève [1], à reconnaître Israël et à renoncer au terrorisme.

Cette reconnaissance unilatérale devient bilatérale lors des accords d'Oslo, en septembre 1993, avec l'échange de lettres entre Yasser Arafat et Itzhak Rabin. Plus précisément, le président de l'OLP reconnaît l'État d'Israël tandis que le Premier ministre israélien reconnaît... l'OLP comme « seul représentant du peuple palestinien ». Hélas, l'assassinat d'Itzhak Rabin, le 5 novembre 1995, fait dérailler le « processus de paix », qui avorte définitivement en juillet-août 2000, lors du sommet de Camp David. Le temps écoulé depuis – rythmé par une seconde *intifada*, une nouvelle intervention au Liban et un terrible massacre à Gaza – a fini de rendre la situation inextricable.

Non seulement ces quatre décennies de stratégie politico-diplomatique de l'OLP ne lui ont pas permis d'obtenir l'État palestinien sur 22 % de son territoire historique auxquels elle s'était résignée, mais la colonisation des Territoires occupés a été multipliée par plus de cent ! La Cisjordanie ressemble – entre mur, colonies, routes de contournement et *checkpoints* – à cet « archipel » symbolisé par une carte désormais célèbre de *L'Atlas du Monde diplomatique* [2]. Annexée, Jérusalem-Est est littéralement truffée de colonies juives qui regroupent près de la moitié de sa population et séparent la ville de son *hinterland* palestinien. Quant à la bande de Gaza, elle ressemble à une prison à ciel ouvert sous blocus israélo-égyptien.

---

1 Les États-Unis lui ayant refusé un visa pour venir à New York, l'Assemblée générale de l'ONU s'était déplacée à Genève pour l'écouter.

2 « Un monde à l'envers », *L'Atlas géopolitique du Monde diplomatique*, hors-série, mars 2009.

Retour à l'idée binationale ?

Quel paradoxe ! À l'heure où l'Assemblée générale des Nations unies admet enfin en son sein – mais comme observateur – l'État de Palestine, jamais sa perspective n'a paru aussi lointaine. D'où le retour de l'idée, longtemps oubliée, d'État unique. Avec une différence de taille : alors que dans les années 1930 et 1940 elle était portée par des intellectuels juifs, c'est désormais du côté palestinien qu'elle trouve le plus de partisans – une minorité, certes, mais croissante.

Les arguments avancés par ces « binationalistes » méritent d'être pris en compte. Le premier tient au caractère repoussoir de l'idée même d'État ethnique ou ethnico-religieux. Après les guerres des Balkans et le génocide des Tutsis, comment ne pas lui préférer la formule d'un seul État qui assurerait à tous les citoyens des droits humains égaux, individuels et collectifs, quelles que soient leur origine et leur religion, de manière plus conforme à l'idéal démocratique et multiculturel de nombreux citoyens du monde ? Autre atout : l'État unique paraît fournir des réponses à un grand nombre de questions en souffrance depuis l'occupation de la Palestine en 1948, puis en 1967. L'enchevêtrement des populations arabes et juives, l'importance de la minorité arabe d'Israël et le fait accompli de la colonisation de la Cisjordanie sont de nature à décourager quiconque prétendrait séparer les deux peuples. Une solution binationale, nous disent ses tenants, réglerait notamment d'elle-même la question des frontières, des colonies et de Jérusalem.

Pour autant, les contre-arguments ne manquent pas de poids. Et d'abord la volonté des deux peuples : une large majorité de Palestiniens et la quasi-totalité des Israéliens entendent vivre chacun dans son propre État. Serait-il juste de les contraindre à vivre dans le même ? Et serait-ce réaliste ? Qui ne peut le moins ne peut *a fortiori* le plus. Or autant la création d'un État palestinien, même réellement indépendant, aux côtés d'Israël ne remet pas totalement en cause l'entreprise sioniste, autant celle d'un véritable État binational implique la fin du principe même d'État juif qui en constitue le cœur. Sur quel rapport de forces s'appuyer pour lui arracher le second quand on n'a pas réussi à lui imposer le premier ?

Faute d'un rapport de forces suffisant, ne risque-t-on pas, en guise d'État binational et avec les meilleures intentions du monde, d'entériner l'actuel « Grand Israël », autrement dit un système inspiré de l'apartheid, même s'il ne dit pas son nom et ne ressemble pas trait pour trait à son modèle original sud-africain ?

Prenons des exemples précis. Dans l'État binational ainsi constitué, que deviendraient les colonies juives de Cisjordanie ? Sous couvert des droits de la minorité palestinienne d'Israël, faudra-t-il en accepter le maintien ? Et les droits au retour, celui des réfugiés palestiniens, sur la base du principe défini par la résolution 194 de l'Assemblée générale de l'ONU du 11 décembre 1948, mais aussi celui des Juifs, tel qu'Israël y prétend dans une des lois fondamentales qui lui tiennent lieu de Constitution ? Quel serait en outre le statut de Jérusalem dans un État binational ? Comment s'en organiserait l'économie et notamment qui déciderait de la gestion des richesses du sous-sol, en premier lieu l'eau (et le gaz qui vient d'y être découvert en mer) ? Quelles garanties constitutionnelles et juridiques protégeraient les droits des différentes communautés nationales et religieuses, etc. ?

Cinq facteurs

Demeure une ultime question, d'ordre à la fois tactique et stratégique. L'un des rares acquis palpables de ces décennies de combat politique et idéologique relève de la conviction progressivement acquise par la communauté internationale que les Palestiniens ont droit à leur État aux côtés d'Israël, dans les frontières tracées par les armistices de 1949 et avec sa capitale à Jérusalem. Leur faut-il renoncer à cet atout en annonçant au monde que, désormais, ils exigent un seul État binational ? Autrement dit, sont-ils prêts à recommencer le long travail de conviction ? Ne serait-ce pas scier la branche sur laquelle ils s'appuient, comme d'ailleurs le mouvement de solidarité ? La communauté internationale ne risquerait-elle pas d'en prendre prétexte pour se désintéresser de la question palestinienne, transformée de conflit international en question intérieure ?

On en conviendra : le choix entre un État et deux États ne constitue donc pas un débat simple, que l'on pourrait trancher à coups d'idées reçues, *a fortiori* de dogmes. Pour le mener sérieusement, il convient de prendre en compte toutes les cartes, aux sens propre et figuré. Une série de facteurs peuvent faire pencher la balance d'un côté ou de l'autre. Hélas, actuellement, la plupart pèsent du même côté : contre la naissance d'un État palestinien indépendant...

Le premier de ces facteurs est palestinien : il s'agit de la division du mouvement national palestinien. Malgré l'accord signé au printemps 2011 et plusieurs rencontres depuis entre Mahmoud Abbas et Khaled Meshaal, les négociations entre le Fatah et le Hamas n'ont guère progressé, qu'il s'agisse de la tenue d'élections présidentielle et législatives, de la formation d'un gouvernement d'union ou de la réorganisation des services de sécurité. Ce retard, qui tient d'abord au contenu même des dossiers en débat – et donc au rapport de forces entre les deux mouvements –, comporte aussi une dimension tactique : Washington et Tel-Aviv voient d'un très mauvais œil la formation d'un gouvernement d'union entre les différentes composantes du mouvement palestinien. Or celle-ci constitue une condition *sine qua non* de toute avancée vers une paix durable.

Le deuxième facteur est israélien. Force est de constater que le mouvement social sans précédent qu'a connu Israël en 2011 n'a pas trouvé de débouché politique lors des élections de février 2013. Si, pour la première fois depuis

1992, le nouveau gouvernement ne comprend pas de ministres des partis ultra-orthodoxes, ce qui importe aux partisans israéliens de la laïcité, il reste plus que jamais aux mains des partisans de la colonisation de la Cisjordanie et de Jérusalem-Est. Même Tzipi Livni (Tnuah, « le mouvement ») et Yaïr Lapid (Yesh Atid, « Il y a un avenir »), théoriquement plus ouverts à l'idée de relancer les négociations avec l'Autorité palestinienne, ne semblent guère pressés de le faire. D'autant qu'ils coexistent avec Naftali Bennett et son « Foyer juif » qui exigent... l'annexion pure et simple de la zone C, soit plus de 60 % de la Cisjordanie ! Le Likoud de Benyamin Netanyahou et Israël Beteinou excluent également la création d'un État palestinien dans les frontières de 1967.

Le troisième facteur, dont les conséquences apparaissent les plus difficiles à cerner, est la vague révolutionnaire qui déferle depuis plus de deux ans sur le monde arabe. Il s'agit de toute évidence d'un phénomène de longue portée, qui a d'ores et déjà ébranlé le dispositif sur lequel reposait, depuis la guerre de 1967, l'hégémonie américaine et israélienne au Moyen-Orient, avec le concours des dictatures arabes. L'onde déstabilisatrice pourrait faire tomber le régime de Damas et s'étendre, au-delà de Bahreïn, aux autres émirats du Golfe, voire, à plus long terme, à l'Arabie saoudite. Mais, en attendant, elle détourne l'attention des opinions qui, si elles gardent la Palestine au cœur, ont d'autres préoccupations immédiates.

On hésite à citer l'Union européenne comme quatrième facteur de déblocage possible du « processus de paix », tant la politique proche-orientale de Bruxelles relève de la schizophrénie. Les condamnations répétées des violations israéliennes du droit international n'empêchent en effet nullement l'Union de « rehausser » ses liens avec l'État hébreu. Bruxelles se contente du rôle de banquier, dont l'aide contribue à payer les salaires des fonctionnaires de l'Autorité palestinienne et à... reconstruire les infrastructures détruites par Israël !

Obama I et Obama II

Le cinquième facteur, sans doute le plus influent, est la politique suivie par les États-Unis vis-à-vis d'Israël. Obama II ressemblera-t-il, de ce point de vue, à Obama I, humilié à plusieurs reprises durant son premier mandat par Benyamin Netanyahou ? Le président réélu aurait, *a priori*, les moyens de hausser le ton. Car non seulement il l'a emporté sur un challenger ouvertement soutenu par Tel-Aviv, mais il a conservé les suffrages de 70 % des électeurs juifs américains. Les urnes, à l'inverse, ont été moins généreuses pour le Premier ministre israélien, sorti affaibli des élections législatives de janvier 2013.

Bref, le président américain dispose désormais d'une marge de manœuvre plus importante. En fera-t-il usage face à Israël ? Ses déclarations au cours de son premier voyage au Proche-Orient, à la mi-mars 2013, ne vont pas dans ce sens. Son principal objectif était ostensiblement de séduire l'opinion israélienne, quitte à reprendre à son compte le récit sioniste de l'histoire juive et à balayer sous le tapis toutes les questions qui fâchent, à commencer par la colonisation accélérée de Jérusalem-Est et de la Cisjordanie. La comparaison de ses discours avec celui du Caire, en février 2009, est à cet égard éclairante. Il reviendra au secrétaire d'État américain, John Kerry, de prendre, au mieux, des initiatives diplomatiques afin de relancer des négociations entre Tel-Aviv et l'Autorité palestinienne pour « sauver » la solution à deux États.

Car c'est ainsi qu'apparaît désormais l'enjeu. Les faits accomplis sur le terrain – l'occupation et la colonisation de Jérusalem-Est et de la Cisjordanie – bloquent à tel point la situation qu'une nouvelle explosion de violence n'est pas à exclure. Faudra-t-il une troisième *intifada* pour que les Palestiniens voient enfin reconnu leur droit à l'autodétermination ?

Pour en savoir plus

Dominique VIDAL (dir.), *Palestine-Israël : un État, deux États ?*, Sindbad/Actes Sud, Arles, 2011.

Jacques BENDELAC, *Israël-Palestine : demain, deux États partenaires ?*, Armand Colin, Paris, 2012.

Éric HAZAN et Eyal SIVAN, *Un État commun entre le Jourdain et la mer*, La Fabrique, Paris, 2012.

L'Afrique convoitée par les multinationales du Sud

Jean-Joseph Boillot
Conseiller économique au Club du CEPII

Le rapport annuel de l'agence des Nations unies chargée du suivi des investissements directs étrangers, la Conférence des Nations unies sur le commerce et le développement (CNUCED), montre bien la montée en puissance des firmes multinationales (FMN) originaires des pays du Sud. D'après son édition 2012, leur poids représenterait environ le tiers des actifs comme du chiffre d'affaires des cent premières entreprises mondiales. En termes d'emploi, la proportion monte même à près de 60 %. S'il faut donc bien prendre en compte l'importance actuelle des multinationales du Sud, il faut aussi comprendre que c'est dans les pays du Sud, où les perspectives de croissance à moyen terme depuis la crise sont de 5 à 6 % par an (contre 1 à 2 % dans les pays du Nord), que se joue dorénavant la grande bataille des industries mondiales. De ce point de vue, l'Afrique constitue aujourd'hui un laboratoire assez unique d'observation des futures batailles entre multinationales avec un grand nombre d'idées fausses qu'il convient de rectifier.

La première erreur serait de croire que l'Afrique ne figure toujours pas sur le radar de la plupart des grandes entreprises mondiales. Certes, l'Afrique, dans son acception large de cinquante-quatre pays, n'a reçu en 2011 – selon le rapport de la CNUCED – que 4 % du volume total des investissements directs à l'étranger (IDE) dans le monde. En réalité, leur part était montée à 7 % en 2010 avant les révolutions arabes qui ont largement interrompu les flux vers cette région. La progression est en revanche saisissante vers les pays subsahariens puisque les IDE ont progressé de 85 % en 2011, pour atteindre 37 milliards de dollars, soit autant que le pic de 2008, et devraient encore bondir de 50 % en 2012.

La deuxième idée fausse serait de croire que ces batailles entre multinationales ne concernent que les matières premières. En réalité, la répartition par secteur des IDE vers l'Afrique montre que l'industrie extractive n'en aurait représenté que 28 % en 2011 contre 38 % pour l'industrie manufacturière et surtout 34 % pour les services qui incluent des secteurs aussi stratégiques que les télécommunications ou le secteur financier.

La troisième idée fausse serait de croire que la Chine est en train de faire une « razzia » sur l'Afrique. Oui, la Chine est un nouveau partenaire de poids en Afrique avec près d'une vingtaine de milliards d'IDE en 2012. Et cela représente 12 % de ses investissements cumulés entre 2005 et 2012, soit cinq fois plus que pour le poids de l'Afrique dans les IDE des pays de l'OCDE. Mais, vu d'Afrique, les IDE chinois ne représentent que le dixième du total et le tableau de la répartition géographique montre que la part des pays développés reste aux alentours de 50 %. La Chine justifie en outre cette forte présence relative en Afrique par le fait que les pays riches freinent au maximum les investissements chinois sur leurs terres comme on a pu le voir aux États-Unis à de nombreuses reprises.

Il faut du reste ne pas se focaliser sur la seule Chine. La plupart des pays émergents s'intéressent en effet à l'Afrique, de l'Inde au Brésil en passant par la Malaisie et Singapour. Si on en juge par les opérations les plus récentes, la part des pays émergents dans les IDE vers le continent africain devrait ainsi être supérieure à 60 % en 2013. Ce qui frappe surtout dans le cas de l'Afrique, c'est une intéressante bataille de géants dans laquelle on retrouve à la fois toutes les multinationales du Sud, y compris celles d'Afrique qu'on oublie trop souvent, mais également les multinationales du Nord qui commencent à comprendre l'ampleur et l'enjeu du « réveil de l'Afrique » et qui cherchent de nouveaux atouts compétitifs dans leurs modèles économiques pour résister à la concurrence des multinationales du Sud.

Ruée asiatique sur l'Afrique

Les entreprises du Sud ne profitent pas toutes de la même façon de l'enjeu africain. Pour certaines multinationales, l'Afrique n'est qu'un marché de plus qui leur permet de se renforcer, parfois massivement. Pour d'autres, le continent africain est plus stratégique encore : c'est grâce à lui qu'elles acquièrent une dimension multinationale. Dans tous les cas, la balkanisation du marché africain leur impose presque toujours une stratégie panafricaine.

Du côté asiatique, les IDE chinois, qui auraient atteint 15 milliards de dollars en 2011, ne touchent pas moins de cinquante des cinquante-quatre pays du continent. Le secteur des mines arrive en tête avec près de 30 % et contribue indéniablement à une redistribution des cartes mondiales du secteur puisque l'Afrique est le continent le plus riche du monde toutes matières premières confondues (le tiers de la planète). Avec 35 % des approvisionnements pétroliers chinois en provenance d'Afrique, des groupes comme CNPC ou Sinopec sont entrés dans le groupe très sélectif des grandes *majors* pétrolières du monde. Mais, toujours dans le cas chinois, le secteur manufacturé n'arrive pas très loin derrière puisqu'il représente 22 % des IDE chinois en Afrique. Des entreprises comme Huawei et ZTE ont acquis en quelques années une position de quasi-monopole sur le marché africain des équipements de téléphonie. Au point que la plupart des opérateurs, même occidentaux, les utilisent. Le secteur de la construction arrive en troisième position (16 %) avec des performances de prix et de délais saluées par tous les pays africains comme pour les routes ou les installations portuaires. Or nous ne sommes qu'au début d'un vaste chantier puisqu'on estime que les investissements d'infrastructures en Afrique représenteront près de 100 milliards de dollars par an d'ici 2020. Il est alors compréhensible que les multinationales occidentales du secteur tentent par tous les moyens de revenir dans le jeu.

Mais les entreprises chinoises sont loin d'être les seules à s'implanter et à se déployer en Afrique. Alors que 73 % des matières premières importées par l'Asie viennent aujourd'hui d'Afrique, toutes les entreprises extractives asiatiques s'y intéressent. L'Afrique est également un marché prometteur où les places sont à prendre dès maintenant. Ce qui ne peut manquer d'attirer l'attention des firmes asiatiques dont l'offre est souvent plus adaptée à ce type de marché en termes de prix et de technologie simplifiée. Ainsi, le volume des échanges commerciaux de l'Inde avec l'Afrique croît désormais plus vite que ceux de la Chine (même s'ils restent inférieurs en valeur absolue : 57 milliards de dollars en 2011 contre 166 pour la Chine). Bien qu'elles soient en général plus discrètes, les entreprises indiennes sont peut-être aussi nombreuses en Afrique que les entreprises chinoises. Ceci s'explique en partie par l'ancienneté de leur implantation, de nombreuses entreprises indiennes émanant d'une diaspora implantée depuis des décennies dans divers pays africains, comme c'est le cas notamment en Afrique du Sud ou dans plusieurs pays d'Afrique de l'Est. Pour le premier de ces pays, la forte implantation indienne constitue un positionnement stratégique puisque l'Afrique du Sud est une véritable plateforme capitalistique sur l'Afrique [1]. Au Kénya, en Ouganda ou en Éthiopie, l'Inde arrive en outre en tête des investisseurs extérieurs. Des entreprises, dont certaines étaient jusqu'à il y a peu totalement inconnues, ont prospéré dans cette zone. C'est le cas par exemple de Karuturi, qui est devenu le premier exportateur mondial de roses, ou d'Esimo, originaire pour sa part du Bengale, qui vient de faire un investissement de 100 millions de dollars pour développer plus largement l'agro-industrie de l'Éthiopie.

La concurrence chinoise n'empêche pas des groupes comme Tata, Essar ou même Mittal d'être très présents dans un grand nombre de pays d'Afrique de l'Ouest ou du Nord. ArcelorMittal South Africa est ainsi le premier producteur d'acier aujourd'hui en Afrique (7,8 millions de tonnes par an) et le groupe Mittal vient encore de renforcer ses investissements (1 milliard de dollars) dans une vieille implantation au Libéria dont il a complètement relancé l'extraction de minerai de fer et la production d'acier. Le groupe Essar, quant à lui, intervient dans une dizaine de pays africains et ses opérations couvrent non seulement la filière des métaux mais aussi le pétrole et le transport maritime, comme du reste les groupes Mittal et Tata. Ce dernier groupe, d'ores et déjà présent dans treize pays africains, multiplie les investissements pour poursuivre son développement dans les secteurs des infrastructures, de l'hôtellerie, de l'automobile et des mines. Il y a enfin le numéro trois de la téléphonie sur le continent africain qui n'est autre désormais que l'indien Airtel. Ce dernier avait même failli racheter en 2011 le numéro un du continent, le sud-africain MTN, mais le gouvernement sud-africain s'y est opposé pour des raisons stratégiques. Airtel s'est alors tourné vers le groupe koweïtien Zain pour lui racheter ses activités mobiles en Afrique (pour la bagatelle de 10,7 milliards de dollars).

Du côté asiatique encore, si le Japon est encore assez présent, son aura des années 1980 a pâli face aux firmes beaucoup plus agressives originaires de

---

1 Voir le texte d'Augusta Conchiglia, p. 249.

Corée, de Malaisie, de Singapour, de Thaïlande ou du Vietnam. Il ne pèse plus que 2 % des IDE vers l'Afrique, moins que la Corée.

De la Turquie au Brésil...

Le rachat de la filiale africaine du koweïtien Zain le démontre en creux : les pays du Moyen-Orient (et d'Afrique du Nord) s'intéressent eux aussi à l'Afrique. Ce sont d'ailleurs ces pays qui sont les premiers acquéreurs de terres cultivables sur le continent noir, et non la Chine comme on le lit souvent.

Un pays comme la Turquie a adopté ces dernières années une stratégie panafricaine dont la compagnie aérienne Turkish Airlines est un symbole fort. Celle-ci est en effet en train de développer un des tout premiers réseaux aériens sur le continent, faisant d'Istanbul une plateforme majeure entre l'Asie et l'Afrique. Le Premier ministre Recep Tayyip Erdogan entreprenait ainsi, en janvier 2013, une véritable tournée africaine, passant par le Gabon, le Niger et le Sénégal, habituellement considérés comme faisant partie du « pré carré » français, avec l'objectif d'atteindre des échanges commerciaux avec l'Afrique de 50 milliards de dollars d'ici 2015. Il était accompagné d'une délégation d'affaires représentant en particulier les secteurs de l'agroalimentaire, de la pharmacie, du textile, des biens de consommation et du BTP. Dans ce dernier secteur, les firmes turques se font de plus en plus remarquer au sud du Sahara depuis dix ans. Après leur expérience de premier plan sur le marché pharaonique du Moyen-Orient ou de la reconstruction en ex-URSS, elles sont bien décidées à concurrencer les entreprises de BTP chinoises. En outre, le rôle important d'Ankara dans la résolution de la crise au Soudan vaut aujourd'hui à la Turquie une entrée de choix sur le secteur des hydrocarbures dans cette zone. C'est dans le cadre de ce déploiement que la Turquie a, ces dernières années, ouvert dix-neuf ambassades supplémentaires sur le continent africain.

Comparativement, les multinationales brésiliennes paraissent moins présentes, mises à part Vale dans le secteur minier et Petrobras dans celui des hydrocarbures. Et ce en décalage avec la priorité diplomatique de Brasilia vers l'Afrique comme au moment de la création en 2003 de l'IBAS (Inde, Brésil et Afrique du Sud) conçu comme une alliance démocratique au sein du forum des BRICS. Le président Lula s'est ainsi rendu à vingt-huit reprises en Afrique entre 2003 et 2010, mais les échanges économiques entre les deux partenaires ont plutôt eu tendance à stagner. La raison en est assez simple : les complémentarités entre le Brésil et l'Afrique sont assez faibles puisque tous les deux sont de gros producteurs agroalimentaires et de matières premières et de gros importateurs de produits « *made in China* ».

Le Sud en Afrique, c'est d'abord l'Afrique elle-même

Il y a enfin, et surtout, les joueurs africains eux-mêmes qui commencent à émerger comme de véritables multinationales africaines. Ils pèsent en valeur un peu plus que la Chine, et bien plus en nombre d'opérations, probablement dans un rapport de un à trente compte tenu de la petite taille relative de ces groupes, dont certains prétendent pourtant au statut de multinationales. Il y a d'abord l'Afrique du Sud qui représente la moitié de la capitalisation boursière de l'Afrique. Vingt groupes sud-africains, parmi lesquels MTN (télécoms) ou Sasol (chimie), trônent au sommet des cinq cents premières entreprises africaines du classement annuel du magazine *Jeune Afrique*. Qu'il s'agisse de groupes miniers, bancaires, télécoms ou financiers, les entreprises sud-africaines, historiquement très implantées en Afrique australe, couvrent désormais le continent tout entier (et se développent pour certaines bien au-delà).

Si les multinationales sud-africaines surclassent leurs homologues continentales dans de nombreux domaines, il faut tout de même souligner l'importance des entreprises nigérianes qui commencent elles aussi à s'affirmer. C'est le cas par exemple du groupe Dangote, vaste conglomérat présent dans l'agroalimentaire, le ciment, les transports, les assurances, etc. Ce groupe est aujourd'hui une des vingt plus grosses capitalisations d'Afrique. Depuis la prise de contrôle en 2010, à la Bourse de Lagos, d'un autre groupe local, Benue Cement, le groupe est désormais capable de concurrencer sévèrement la plus grosse multinationale du secteur cimentier, le français Lafarge.

Autre groupe incontournable : le géant ivoirien Sifca qui, très touché par la crise ivoirienne, remonte rapidement la pente. Sa filiale Sania commercialise ses huiles dans toute l'Afrique de l'Ouest jusqu'au Nigéria et au Ghana, concurrençant le groupe ivoiro-israélien Dekel Oil. Les grandes batailles stratégiques se précisent d'ailleurs dans le secteur agroalimentaire avec la montée du numéro un mondial de l'huile de palme, le singapourien Olam, qui a lancé une vague d'acquisitions sur le continent, en prenant également une participation dans le groupe Sifca.

Enfin, il ne faudrait pas oublier les pays d'Afrique du Nord proprement dits, comme le Maroc ou l'Algérie, dont les groupes se sont lancés à la conquête du continent il y a quelques années. Ces groupes se transforment désormais en multinationales panafricaines jouant cette fois sur leur effet de proximité géographique et culturelle (l'islam est la deuxième religion en Afrique). Le groupe bancaire Attijariwafa s'est ainsi consolidé au Maroc pour pouvoir se lancer à la conquête de l'Afrique, où il est désormais présent dans onze pays grâce à son acquisition en 2008 de cinq filiales locales du Crédit Agricole (Côte d'Ivoire, Gabon, Sénégal, Congo, Cameroun). De véritables holdings marocaines, comme les groupes ONA ou AKWA, apparaissent désormais parmi les cent premiers groupes africains. On le voit, l'histoire des multinationales du Sud ne fait que commencer…

Pour en savoir plus

Jean-Joseph Boillot et Stanislas Dembiski, *Chindiafrique. La Chine, l'Inde et l'Afrique feront le monde de demain*, Odile Jacob, Paris, 2013.

Heriberto Harrow et Juan Pablo Cardenal, *Le Siècle de la Chine. Comment Pékin refait le monde à son image*, Flammarion, Paris, 2013.

Conférence des Nations unies sur le commerce et le développement (Cnuced), *Rapport sur l'investissement dans le monde. Vers une nouvelle génération de politiques de l'investissement*, <http://unctad.org>, New York/Genève, juin 2012.

« Les 500 premières entreprises africaines 2013 », *Jeune Afrique*, hors-série, février 2013.

Mafias : mondialisation et redéploiement

Rocco Sciarrone
Professeur de sociologie à l'université de Turin[1]

Les mafias se caractérisent par la manière singulière dont elles entremêlent deux orientations, l'une économique, assimilable à celle d'une entreprise (même illégale ou, plus précisément, évoluant dans la zone de contact entre marchés légaux et illégaux), l'autre politique, que l'on peut rapprocher de celle d'un groupe détenteur de pouvoir (même dans sa version de « société secrète »). Ces entités criminelles opèrent donc en combinant ces deux logiques d'action, l'une dirigée vers l'accumulation de richesses, l'autre vers la recherche du pouvoir. Cette spécificité – qui distingue le plus les mafias des autres types de criminalité organisée – apparaît clairement dans le rapport que les mafieux tentent de mettre en place

1 Cet article a été traduit de l'italien par Béatrice Didiot.

avec les sphères de l'économie légale, de la politique et des institutions. De ce point de vue, le cas des mafias italiennes est certainement très représentatif, même si des organisations criminelles similaires s'observent en Russie et dans d'autres États d'Europe de l'Ouest, mais aussi en Amérique latine et en Asie. Des groupes mafieux italiens, émanant précédemment de Cosa nostra (la mafia sicilienne) et, plus récemment, surtout de la 'Ndrangheta et de la Camorra (organisations criminelles originaires respectivement de la Calabre et de la Campanie), sont implantés dans d'autres pays européens, mais aussi aux États-Unis, au Canada et en Australie.

Mondialisation et transplantation des mafias

Selon certains observateurs, la capacité d'expansion territoriale des mafias se serait accrue du fait de la mondialisation et renforcée dans le contexte de la crise économique et financière des dernières années. On parle à ce propos de « criminalité organisée transnationale », expression utilisée pour désigner un ensemble – de fait, hétérogène – de phénomènes criminels dépassant les frontières d'un seul État avec le déploiement de l'activité des groupes concernés au niveau international. Ce type de criminalité, caractérisé par un haut degré de mobilité et d'adaptation aux dynamiques économiques globales, est considéré comme particulièrement insidieux. La dangerosité de ces groupes criminels proviendrait de leur capacité à conclure des alliances stratégiques avec d'autres acteurs économiques, légaux ou illégaux ; à tourner à leur avantage les différences législatives, économiques et culturelles existant entre les États ; à adopter de nouvelles techniques de blanchiment des capitaux en exploitant les réseaux télématiques et les instruments monétaires électroniques.

Néanmoins, selon certains chercheurs, la mondialisation tendrait au contraire à entraver la transplantation des mafias dans de nouveaux territoires, en particulier dans des environnements économiques fortement orientés vers l'export et donc ouverts à la concurrence économique internationale. L'hypothèse d'une pure relation de cause à effet entre mondialisation et expansion territoriale apparaît de toute façon simpliste. Il semble plus utile d'étudier comment les processus de transformation économique et sociale conditionnent la structure des opportunités criminelles. Depuis leurs origines, les groupes mafieux se tournent vers de nouveaux espaces et de nouveaux marchés, mais la réussite – ou les résultats – de ces mouvements dépend du contexte et de multiples facteurs. Dans bien des cas, l'expansion ne résulte pas d'un choix explicite ou intentionnel, mais d'un éloignement des zones d'origine pour fuir la répression des appareils publics ou encore pour échapper à des vendettas internes ou à des affrontements avec des groupes criminels rivaux.

Les mafias peuvent trouver des opportunités favorables non seulement durant les phases de croissance économique (par exemple quand émergent de nouveaux marchés et que les autorités publiques ne parviennent pas à les réguler efficacement), mais aussi pendant les moments de crise, lorsque de nombreux acteurs économiques risquant d'être expulsés du marché peuvent, dans l'espoir de s'y maintenir, accepter ou solliciter les services proposés par les groupes criminels. Ainsi les mafieux peuvent-ils proposer des ressources financières à des entrepreneurs en manque de crédits ou leur offrir leur protection pour décourager d'éventuels concurrents.

En effet, la crise économique actuelle a notamment mis au jour le haut degré de vulnérabilité des marchés, en particulier face aux infiltrations criminelles, faisant état de liens inquiétants entre les formes les plus traditionnelles du crime organisé et ce que l'on appelle la « criminalité en col blanc ». Les interprétations selon lesquelles l'économie mondiale serait destinée à être dominée par les mafias sont cependant fallacieuses. Ainsi en va-t-il de la thèse, guère plausible, de l'existence d'un « système criminel intégré » ou d'une sorte de « multinationale du crime », ou encore de l'émergence d'une sorte de superstructure criminelle à échelle internationale.

En fait, on distingue plutôt une tendance à la constitution de cartels oligopolistiques, ou plus fréquemment d'alliances fluides et contingentes, afin d'intervenir sur des marchés illégaux bien précis (le trafic de stupéfiants, par exemple). Les modalités d'action et d'organisation, fondées sur des réseaux de relations flexibles et dynamiques, répondent avant tout à la nécessité de dissimuler les transactions illicites. Il est toutefois difficile de réaliser des économies d'échelle avec ces activités, dont l'expansion est limitée par des risques ou des contraintes soit internes (opportunisme et compétition avec d'autres acteurs criminels) soit externes (répression des institutions publiques).

Enfin, retenons que l'on observe actuellement une reconfiguration de ces mêmes marchés illégaux, qui apparaissent plus déstructurés qu'auparavant et subissent, au même titre que les marchés légaux, les effets de la mondialisation et de la crise économique.

Entre légalité et illégalité

La frontière entre légalité et illégalité est mobile : en règle générale, c'est la première qui définit la seconde. D'après certains observateurs, on assiste, dans le contexte de la mondialisation, à un élargissement de la sphère de l'illégalité. D'autres analystes estiment que le problème réside davantage dans le progressif entremêlement des deux sphères, qui rend leur distinction plus difficile. Dans un cas, c'est le déplacement de la frontière entre légalité et illégalité qui est mis en évidence, avec l'extension des marchés illicites qui en découle. Dans l'autre, on souligne plutôt l'opacité de cette frontière, ou le fait qu'elle tend à devenir plus poreuse, débouchant sur une interpénétration croissante des économies licite et illicite.

Internet, qui offre de nouvelles opportunités en matière de blanchiment et de transfert de fonds illicites au niveau international, illustre bien ces dynamiques. Permettant à l'espace électronique de s'affranchir des juridictions conventionnelles, les nouvelles technologies informatiques favorisent des transactions qui échappent aux mécanismes de contrôle traditionnels. On trouve, par exemple, facilement des sites offrant, dans des conditions de confidentialité et d'anonymat strictement garantis, des services utiles en matière de blanchiment virtuel, telle la constitution de sociétés *offshore* – notamment de trusts et d'IBC (*international business company*, dont la propriété est protégée par des filtres inviolables). Et il est encore plus simple d'ouvrir des comptes bancaires *offshore*, de se procurer des cartes de crédit et de faux documents d'identification, voire d'acquérir des licences bancaires.

Dans cette perspective, l'expansion des mafias peut être considérée comme l'une des multiples expressions du déclin des États-nations, et, plus généralement, des capacités régulatrices de la politique. Les groupes criminels les plus structurés trouvent un terrain fertile là où la garantie de la protection du droit de propriété et du respect des contrats devient problématique. Ils peuvent alors fonctionner comme des sortes de « gouvernements privés » de l'économie en se spécialisant, *via* l'usage de la violence, dans la production et la vente de protection, ou en se proposant comme médiateurs et garants de transactions intervenant dans des conditions de grande incertitude.

Historiquement, ce genre de contextes a favorisé le développement d'organisations criminelles de nature mafieuse. C'est vrai des mafias italiennes, mais aussi de la criminalité organisée russe ou encore des cartels de narcotrafic colombiens et mexicains. Au-delà de leurs spécificités historiques et géographiques, ces groupes criminels parviennent tous à évoluer dans et entre les divers environnements institutionnels, tirant profit des opportunités et ambiguïtés qui prospèrent entre les règles existantes, l'absence de règles et les ambivalences normatives. Ils opèrent dans des environnements où la légalité est faible, où la corruption et la violence sont élevées, où la sécurité des biens et des personnes n'est pas garantie et où les rapports entre les groupes illégaux et le pouvoir politique se révèlent déterminants.

Processus d'enracinement et d'expansion

Ces dernières années, les mafias ont manifesté une logique d'action extraterritoriale, tout en conservant leur enracinement local : ce phénomène s'est exprimé, d'un côté, par la persistance de liens territoriaux favorables à l'implantation, de l'autre, par la capacité d'expansion de ces groupes vers de nouveaux espaces. Ce type de criminalité opère efficacement aussi bien à l'échelle locale que globale. Au niveau local interviennent des processus d'enracinement territorial et la quête de pouvoir ; au niveau global, des processus d'expansion et d'accumulation de richesses. Ces différentes dimensions s'entremêlent : la dynamique d'expansion peut par exemple déboucher sur un nouvel enracinement, tout comme un plus haut niveau de pouvoir peut engendrer de plus grandes opportunités de profit.

L'expansion territoriale des mafias intervient surtout à travers des stratégies de *colonisation* et d'*imitation*. Il s'agit, dans le premier cas, du déploiement de groupes mafieux sur un nouveau territoire ; selon que leur activité sera plus orientée vers le contrôle de celui-ci ou vers celui des trafics illicites, il s'agira de groupes *territoriaux* ou de groupes *d'affaires*. Le second cas correspond aux dynamiques de groupes criminels autochtones qui tendent à reproduire les modalités d'action et d'organisation des groupes mafieux. Ainsi assiste-t-on, *via* des processus d'adaptation locale, à la fois à l'expansion de mafias « vieilles » sur de nouveaux territoires et à l'émergence de mafias « nouvelles », formées sur le modèle des précédentes.

Les groupes mafieux tendent à pénétrer divers marchés en acquérant une position de force. Le contrôle et la gestion des trafics illicites peuvent constituer un premier pas dans la mise en œuvre de nouvelles implantations criminelles de type mafieux. Dans cette mesure, la colonisation d'un nouveau territoire résulte souvent, elle aussi, d'une action engagée à d'autres fins – elle peut naître par exemple de l'extension d'un réseau de trafics illicites. Dans de nombreux cas d'expansion nouvelle, les organisations criminelles cherchent d'abord à contrôler un ou plusieurs secteurs des marchés illégaux, puis se spécialisent dans l'offre de protection pour les activités illégales développées par d'autres entités criminelles et finissent par stabiliser des formes plus étendues de contrôle de la communauté locale.

Des mécanismes comme celui-ci peuvent expliquer le passage du contrôle de trafics illicites à celui d'activités économiques, légales et illégales, intervenant sur un territoire déterminé. Dans ce cas, au-delà de l'utilisation efficace de la violence, le groupe mafieux poursuit une série d'autres objectifs : mettre au point une forme de gestion du marché du travail (important facteur d'approbation et de légitimation), donner de la « visibilité » au pouvoir détenu par l'organisation, prévoir des activités de couverture pour ses membres impliqués dans des activités illicites, mettre en place des circuits de blanchiment efficaces. Atteindre ces objectifs permet de jeter les bases de la prise de contrôle du territoire, même si d'autres conditions doivent être réunies, telles la présence d'une main-d'œuvre criminelle, la possibilité d'assurer son impunité et la capacité d'instaurer des échanges avec la sphère politique.

Ces dernières années, les groupes mafieux les plus structurés manifestent une tendance à étendre et ramifier leurs réseaux relationnels et d'affaires dans le domaine des activités légales. Contrairement à une idée répandue, les capacités entrepreneuriales des mafieux sont toutefois modestes. Pour saisir les opportunités d'enrichissement qu'offre l'économie légale, ils ont donc besoin de connaissances et de compétences détenues par d'autres acteurs (entrepreneurs, professionnels d'un secteur, fonctionnaires, etc.). Ainsi se créent les conditions d'instauration d'échanges réciproquement avantageux entre les différentes parties. Les mafieux disposent eux aussi de ressources très appréciables aux yeux de leurs « alliés » : la violence, qui confère l'avantage dans les rapports de compétition économique ; de considérables sommes d'argent immédiatement déblocables, des services de protection et d'intermédiation prêts à l'usage. Un soutien issu de la sphère criminelle permet donc de s'assurer une position privilégiée sur le marché.

Ce type d'échanges explique la configuration des « zones grises » qui se constituent à la frontière du monde légal et du monde illégal, des marchés licites et illicites. Les groupes parvenant à évoluer aux limites des deux mondes peuvent profiter de multiples liens sociaux, qui élargissent leurs opportunités. C'est donc dans la « zone grise » qu'intervient la rencontre avec des acteurs apparemment insoupçonnables, qui favorisent l'ancrage des groupes criminels dans des activités formellement légales. Ces zones ayant des frontières poreuses, il est très difficile d'y tracer de franches lignes de démarcation, et l'on ne peut pas toujours y faire le distinguo entre les conduites licites et illicites.

Dès lors, parler d'infiltration de la mafia dans l'économie légale apparaît réducteur. On observe bien plutôt un phénomène d'interpénétration, fondée sur des relations de collusion et de complicité. La tendance à former et reproduire ces « alliances de l'ombre » semble en pleine croissance. Dans divers environnements territoriaux, en effet, les échanges occultes et les accords collusifs apparaissent de plus en plus comme le moyen de se maintenir sur le marché, d'acquérir et de redistribuer des avantages, voire, en temps de crise, de survivre économiquement.

Paysages criminels

La configuration ressortant de l'analyse développée jusqu'ici peut s'appréhender en termes d'ensemble de flux criminels à géométrie variable, à l'intérieur duquel circulent des personnes, des biens, des capitaux, des informations et des compétences diversement empreints d'illégalité. Même s'ils s'influencent réciproquement, ces flux ne constituent pas un réseau global uni et homogène. Ils forment plutôt des « paysages criminels », avec des acteurs et des activités évoluant dans la sphère de l'illégalité, à la limite de la légalité ou à cheval entre légalité et illégalité ; ce n'est donc pas seulement la sphère de la criminalité au sens strict (déjà très diversifiée) qui est à considérer ici, mais aussi la vaste « zone grise » caractérisée par des rapports d'échange, de cohabitation, de collusion et de complicité avec le monde de la criminalité. Il s'agit de configurations criminelles particulières produisant des situations de « dérèglement », qui favorisent à leur tour des comportements opportunistes entraînant une dégradation de la sphère publique et rendant moins coûteuses et risquées les pratiques illégales.

Plus que d'autres, cette situation révèle combien on est encore loin de pouvoir esquisser les grands traits d'un « globalisme juridique » qui permettrait de contrecarrer la fragmentation des souverainetés nationales et surtout la prolifération de l'illégalité déjà courante dans les environnements économique et financier. On voit notamment clairement combien ce que l'on appelle la « gouvernance globale », fondée sur le développement d'un réseau de pouvoir publics supranationaux, manque d'un « gouvernement global » à même de la soutenir : on observe certes une croissance du nombre des producteurs de droit, mais un droit de plus en plus faible ou de plus en plus négocié et de moins en moins contraignant. L'une des conséquences d'un tel processus est le développement de vastes espaces d'informalité et de zones grises, propres à favoriser la croissance de formes expansives de criminalité organisée.

Pour en savoir plus

Jean-Louis Briquet et Gilles Favarel-Garrigues (dir.), *Milieux criminels et pouvoir politique. Les ressorts illicites de l'État*, Karthala, Paris, 2008.

Francesco Forgione, *Mafia Export. Comment les mafias italiennes ont colonisé le monde*, Actes Sud, Arles, 2010.

Misha Glenny, *McMafia : enquête au cœur de la criminalité internationale*, Denoël, Paris, 2009.

Carlo Morselli, *Inside Criminal Networks*, Spinger, New York, 2009.

Jacques de Saint-Victor, *Un pouvoir invisible. Les mafias et la société démocratique (XIXe-XXIe)*, Gallimard, Paris, 2012.

Rocco Sciarrone, *Mafie vecchie, mafie nuove. Radicamento ed espansione*, Donzelli, Rome, 2009.

Federico Varese, *Mafias on the Move : How Organized Crime Conquers New Territories*, Princeton University Press, Princeton, NJ, 2011.

Le pétrole non conventionnel pourra-t-il retarder le déclin de la production mondiale de brut ?

Matthieu Auzanneau
Journaliste et auteur du blog « Oil Man » (lemonde.fr)

La production de pétrole conventionnel a atteint son maximum historique en 2006. Elle n'augmentera plus « jamais », a fait savoir l'Agence internationale de l'énergie (AIE) en novembre 2010. Ce franchissement du pic des extractions de pétrole conventionnel (le brut liquide classique, qui constitue plus de 80 % de la production totale) n'a jeté qu'un trouble passager dans la presse économique, captivée par le boom des huiles et des gaz de schiste aux États-Unis. Cette nouvelle ruée vers l'or noir paraît pourtant avoir un avenir incertain. Mais, pour l'heure, elle est présentée comme suffisante pour faire ravaler aux Cassandres leur prédiction d'un début imminent de la fin du pétrole.

L'essor des pétroles non conventionnels et extrêmes (huiles de schiste, sables bitumineux, agrocarburants, *offshore* très profond, Arctique, etc.) ne pourra pas indéfiniment compenser le déclin d'un grand nombre des champs existants de pétrole conventionnel, et perpétuer l'essor continu des capacités mondiales de production d'or noir débuté avec la révolution industrielle. Le groupe de pétrogéologues qui, dès 1998, avait prédit le pic du pétrole conventionnel de 2006, estime toujours que, faute de réserves suffisantes, les extractions mondiales de brut amorceront un déclin irréversible au cours de la prochaine décennie, et peut-être même avant 2020. Lorsque tôt ou tard il adviendra, ce déclin fera entrer en terre inconnue une humanité dont la croissance économique et démographique, depuis la révolution industrielle, est fonction de l'expansion d'une machinerie thermo-industrielle dont le pétrole demeure le liquide matriciel.

L'inévitable déclin des champs existants

C'est principalement autour du golfe Persique et dans une moindre mesure en Afrique que les compagnies pétrolières occidentales ont découvert durant l'après-guerre la plupart des champs pétroliers géants (les

« éléphants ») qui procurent encore aujourd'hui l'essentiel des exportations mondiales. Au cours des années 1970, afin de riposter aux nationalisations imposées par les pays membres de l'OPEP, les compagnies occidentales entreprirent, à la faveur de l'envolée des prix du baril provoquée par les chocs pétroliers, de développer les premiers grands champs situés dans des zones techniquement très délicates (mais situées du « bon côté » du canal de Suez) : en Alaska, en mer du Nord et dans le golfe du Mexique. L'industrie n'a cessé depuis de chercher de nouvelles sources intactes de pétrole dans des conditions toujours plus ardues.

Rien n'y a fait : en dépit des progrès technologiques, le montant annuel des nouvelles découvertes de brut décline depuis le milieu des années 1960. Entre-temps, la production a doublé. La courbe ascendante des extractions et celle, déclinante, des découvertes se sont croisées au milieu des années 1980 : depuis une génération, l'humanité consomme plus de pétrole qu'elle n'en découvre.

Lorsqu'à la fin des années 2000 les cours du baril se sont installés à des hauteurs sans précédent, les compagnies pétrolières ont pu mettre en production les pétroles non conventionnels et extrêmes dont l'exploitation massive ne pouvait être rentable auparavant. Pas le choix : malgré la crise de 2008, la demande de pétrole n'a cessé de croître, entraînée désormais par la Chine et les autres économies émergentes. Pendant ce temps, la production mondiale de brut et de ses substituts s'est accrue faiblement au regard de la flambée des cours du baril débutée en 2003 – et bien moins que ce que promettait l'industrie. En 2012, elle a légèrement dépassé 89 millions de barils par jour (Mb/j), selon Washington.

Le pic de la production de pétrole conventionnel de 2006 pose aux pétroliers un problème inouï. Depuis plus d'une décennie, la production pétrolière « existante » (celle dont nous disposerions si aucun nouveau champ n'était foré) décroît, année après année. C'est nouveau. Jusque dans les années 1990, cette production existante augmentait d'elle-même, sans qu'il soit nécessaire de faire de nouvelles découvertes : il suffisait de creuser de nouveaux puits un peu plus loin et un peu plus profond dans des champs déjà connus. La plupart des principales régions pétrolifères, exploitées souvent depuis plus d'un demi-siècle, n'avait pas encore atteint la « maturité », l'étape marquant le début du processus inéluctable de déclin.

Quelles nouvelles ressources ?

La mi-temps de l'âge du pétrole a depuis été sifflée. Un jeune ingénieur français qui travaille sur des champs matures au large de l'Indonésie (l'un des plus anciens pays producteurs, dont la production décline depuis 1991) témoigne : « La pression est énorme, les directions réclament sans arrêt d'augmenter la production, or, à l'heure actuelle, on s'estime heureux quand on réussit à la maintenir ! » À l'échelle mondiale, le taux de déclin de la production existante est désormais proche de 5 % par an. « Dans les pays de l'OPEP ou en Russie, le taux de déclin [de certains champs] peut atteindre 6 à 9 % par an », confie le directeur scientifique du groupe Total, Jean-François Minster.

Ce taux de déclin de la production existante, c'est la vitesse du tapis roulant sur lequel l'industrie de l'or noir doit dorénavant courir, pour réussir ne serait-ce qu'à maintenir la production en l'état, année après année. Si elle n'y parvenait pas, l'économie mondiale serait inévitablement happée sur la pente descente située au-delà de ce que l'on appelle le « pic pétrolier », l'instant historique à partir duquel la production mondiale atteindra son maximum avant de décliner, faute de réserves suffisantes encore exploitables.

Réussir à creuser assez de puits nouveaux pour reconstituer chaque année 5 % de la production mondiale est un défi titanesque. Compte tenu d'un tel taux de déclin, Peter Voser, l'ex-patron de la compagnie Shell, a indiqué en 2011 qu'« il faudrait que le monde ajoute l'équivalent de quatre Arabie saoudite ou de dix mers du Nord au cours des dix prochaines années rien que pour maintenir l'offre à son niveau actuel, avant même un quelconque accroissement de la demande [1]. » Quatre Arabie saoudite (ou dix mers du Nord), cela fait *grosso modo* la moitié de la production mondiale actuelle ! Autre indice qu'un phénomène nouveau, non anticipé et extrêmement périlleux pour l'économie mondiale, est sans doute en train d'émerger : le cumul de la production des cinq *majors* historiques du pétrole (Exxon, Chevron, BP, Shell et Total) a atteint un maximum en 2004, et chuté d'un quart depuis, en dépit d'un très fort accroissement des investissements [2].

De quelles ressources géologiques intactes l'industrie dispose-t-elle pour pouvoir encore développer la production ? Plusieurs zones pétrolières majeures ont déjà franchi leur « pic » et sont entrées en déclin, en particulier les États-Unis (dès 1971), la mer du Nord (au début des années 2000) ou encore le Mexique (en 2004). L'AIE s'attend désormais à voir diminuer à court ou moyen terme les extractions de la Russie, du Nigéria, de l'Iran et de la Chine. L'AIE, qui est chargée de conseiller les pays riches de l'OCDE, met aussi en garde contre un possible déclin des exportations d'autres poids lourds tels que le Vénézuela, l'Angola, l'Algérie, la Libye et même l'Arabie saoudite.

---

1 Ed Crooks, « Shell chief warns of era of energy volatility », *Financial Times*, 21 septembre 2011.

2 Matthieu Auzanneau, « La production totale des 5 "majors" du pétrole a chuté d'un quart depuis 2004 », <http://petrole.blog.lemonde.fr>, 21 février 2013.

Le seul pays pétrolier important dont la production peut être accrue de façon significative semble être l'Irak. Les réserves du pays, épargnées par un quart de siècle de guerres et d'embargos, restent amples. Des difficultés techniques et politiques persistantes (notamment les profonds désaccords entre le Kurdistan irakien et le gouvernement central de Bagdad) ont cependant forcé l'Irak à revoir plusieurs fois à la baisse ses objectifs de production future au cours des dernières années.

Il faudra donc compter sur les pétroles non conventionnels et extrêmes, plus polluants, plus coûteux, plus techniques et, incidemment, très délicats à déployer à grande échelle. D'après l'AIE, tout accroissement futur de la production mondiale devra nécessairement venir de ces hydrocarbures plus lourds ou au contraire plus légers que le brut classique, ou bien puisés dans des zones compliquées (*offshore* très profond, Arctique), ou encore synthétisés dans de gigantesques usines à partir de charbon, de gaz naturel ou de végétaux.

Ruée ver les huiles et les gaz de schiste

Les huiles et gaz dits « de schiste » – « de roches-mères », à plus proprement parler – permettent depuis 2010 de relancer, pour la première fois depuis l'amorce du déclin de l'Alaska à la fin des années 1980, la production des États-Unis, ex-premier producteur mondial devenu premier importateur mondial. Il s'agit d'hydrocarbures qui, contrairement aux sources conventionnelles, n'ont pas été expulsés loin au-dessus de leurs roches-mères. Pour les récupérer, il faut fracturer la roche avec de l'eau sous haute pression, mélangée à du sable et à un cocktail de dizaines de produits chimiques. Cette technique controversée est utilisée depuis plusieurs décennies, tout comme celle des nécessaires forages horizontaux, également présentés à tort comme une révolution technologique.

L'ennui, c'est que la fracturation ne permet de libérer les hydrocarbures que dans un périmètre restreint. Un puits d'huile ou de gaz de schiste voit ses extractions s'effondrer en général dès les premiers mois d'exploitation, pour se réduire presque à néant au bout de quelques années. Afin de maintenir un niveau d'extraction élevé, il est donc indispensable de forer sans cesse de nouveaux puits : environ cent fois plus que pour un champ conventionnel. L'exploitation des huiles et gaz de schiste restera à la fois gourmande en capitaux et vulnérable à tout aléa du marché. Le leader actuel aux États-Unis, Chesapeake, roule au bord d'un précipice : il tente de se dessaisir de 12 milliards de dollars d'actifs (puits, pipelines, etc.) afin de rembourser ses lourdes dettes.

Sur un arbre fruitier, on commence en général par cueillir les meilleurs fruits : les forages ont débuté dans les poches géologiques les plus accessibles, les *sweet spots*. Au fil des années à venir, les nouveaux *sweet spots* seront de plus en plus rares. La production d'huile de schiste de l'État du Montana a atteint son pic en 2007, et s'est effondrée depuis. Dans l'État voisin du Dakota du Nord, là où le boom des huiles de schiste est le plus intense, le nombre de forages, après avoir atteint un record en juin 2012, a diminué au cours de la seconde partie de l'année 2012. Si cette tendance devait se poursuivre, la production ne tarderait pas à chuter, inévitablement.

L'administration Obama estime pour l'heure que la production d'huile de schiste pourra atteindre 2 Mb/j d'ici à 2020... pour amorcer son déclin immédiatement après. Si tout va bien, cela pourrait suffire à ramener la production américaine totale aux alentours de 11 Mb/j et refaire des États-Unis (provisoirement) le premier producteur mondial. Les Américains, qui consument aujourd'hui près de 19 Mb/j, resteront très loin de l'indépendance énergétique que certains promettent.

Une nouvelle ruée vers les huiles de schiste s'apprête à démarrer en Californie. Elle risque de s'y heurter à l'un des électorats les plus sensibles à l'écologie aux États-Unis. D'autres campagnes de prospection s'amorcent en Pologne et en Ukraine (avec en ligne de mire l'espoir de s'affranchir de la Russie) ou encore en Chine. L'Allemagne pourrait bientôt rejoindre le mouvement. Mais, à chaque fois, il s'agit surtout d'extraire du gaz de schiste, non du pétrole. Un ancien directeur stratégie du groupe Total, Pierre-René Bauquis, tranche : « Si on trouve dix ou vingt cas analogues au Dakota du Nord sur la planète, cela ne rehaussera le pic [pétrolier] que d'environ 5 Mb/j et n'en reculera la date que de quatre à cinq ans [1]. »

Les autres sources non conventionnelles

Les sables bitumineux du Canada constituent l'autre grande source d'espoir pour « Big Oil ». Les carrières de l'Alberta sont d'ores et déjà la première source d'importation des États-Unis. Mais leur future expansion est entravée pour l'instant par la décision du président américain Obama de suspendre un projet de pipeline géant, Keystone XL. Au Vénézuela, le développement de la ceinture de l'Orénoque, autre colossal gisement potentiel de pétrole lourd, demeure atrophié : les titanesques infrastructures nécessaires ne trouvent pas assez d'investisseurs, à cause de la défiance réciproque entre les banques et les compagnies pétrolières étrangères d'une part, et le régime chaviste d'autre part.

Les agrocarburants sont encore une autre source majeure de pétroles non conventionnels. Les grands producteurs sont les États-Unis (maïs) et le Brésil (canne à sucre). Impact environnemental de plus en plus critiqué et surtout

1 Pierre-René Bauquis, « Les nouvelles découvertes et gaz de schiste retarderont à peine le pic pétrolier », *Le Monde*, 5 mai 2012.

concurrence avec les cultures vivrières : les perspectives de développement ne sont pas infinies. Aux États-Unis, plus de 40 % des récoltes de maïs (OGM) du premier producteur mondial de céréales finissent déjà dans les réservoirs d'essence. Mais l'éthanol américain ne fournit que 0,9 Mb/j.

En raison de l'énormité des infrastructures qu'il nécessite, le pétrole synthétique à base de gaz naturel, de charbon ou encore de micro-algues ne devrait pas, selon la plupart des observateurs, fournir une production significative à un horizon discernable. Au Qatar, la plus vaste usine de « *gas-to-liquid* » du monde a coûté 18 milliards de dollars, et ne peut produire plus de 140 000 b/j.

La grande majorité des nouveaux projets de production pétrolière se situe désormais en mer, à grande ou à très grande profondeur ; c'est encore un signe du début de la fin du pétrole. Là encore, les meilleurs fruits ont sans doute déjà été cueillis. La plate-forme pétrolière dont l'explosion est responsable de la marée noire du golfe du Mexique en avril 2010 détenait le record mondial de forage en profondeur. En mer Caspienne, dans les eaux territoriales kazakhes, le projet de Kachagan, qui a nécessité la construction de plusieurs îles artificielles, est si complexe et coûteux qu'il menace de ne jamais devenir rentable. Plus au sud, dans les eaux de l'Azerbaïdjan, l'ensemble de champs très fracturés dénommé Azeri-Chirag-Guneshli, après avoir donné pendant dix ans une seconde jeunesse au plus vieux pays pétrolier du monde, semble amorcer un net déclin structurel.

Le pôle Nord, ultime région du globe riche en ressources intactes, a pu apparaître comme un nouvel eldorado. Le Kremlin et la compagnie américaine Exxon se sont alliés en 2011 pour explorer l'océan Arctique, dont l'accès est facilité par la fonte de la banquise (elle-même induite par la consumation des énergies fossiles). Mais une série récente d'échecs techniques dus aux conditions climatiques toujours extrêmes a refroidi les optimistes : l'AIE estime que l'Arctique ne saurait fournir une production de brut significative d'ici à 2035.

Au large du Brésil, enfin, les champs de pétrole situés à plus de sept kilomètres sous la surface des flots pourraient apporter presque 2 Mb/j supplémentaires d'ici à 2020, selon Petrobras, la compagnie nationale. De quoi faire du Brésil l'unique nouveau grand pays exportateur d'ici là. En attendant, les extractions brésiliennes ont reculé de 2 % en 2012, à cause du déclin des champs matures situés sur la terre ferme.

Le brut irakien, les sables bitumineux du Canada et l'*offshore* très profond du Brésil sont les principales nouvelles sources d'extraction attendues au cours de cette décennie. Cela suffira-t-il ? Désormais, le P-DG du groupe Total, Christophe de Margerie, annonce un « pic des capacités » de production à l'horizon « 2020-2025 » [1]. Mais ce pic pétrolier risque d'advenir plus tôt encore : lorsqu'on additionne – en suivant un scénario très volontariste soumis par Total – les possibles sources nouvelles indispensables pour faire face au déclin de la production existante d'ici à la prochaine décennie, on atteint à peine à la moitié des fameuses « quatre Arabie saoudite » nouvelles indispensables d'ici à la prochaine décennie pour faire face au déclin de la production existante [2].

Ce possible déclin imminent du pétrole, qui reste la première source d'énergie de l'humanité, est un péril aussi colossal qu'ignoré. La question du pic pétrolier a pourtant été récemment l'objet de nombreux rapports alarmants, publiés notamment par les états-majors des armées américaine, britannique et allemande.

Pour en savoir plus

Kjell ALEKLETT, *Peeking at Peak Oil*, Springer-Verlag, New York, 2012.

Matthieu AUZANNEAU, *L'Homme-pétrole*, La Découverte, Paris (à paraître).

Dr Roger H. BEZDEK, Robert L. HIRSCH et Robert M. WENDLING, *The Impending World Energy Mess : What It Is and What It Means to You !*, Apogee Prime, Toronto, 2010.

Serge ENDERLIN, Serge MICHEL et Paolo WOODS, *Un monde de brut : sur les routes de l'or noir*, Seuil, Paris, 2003.

Jean-Marc JANCOVICI et Alain GRANDJEAN, *Le plein, s'il vous plaît. La solution au problème de l'énergie*, Seuil, Paris, 2006.

Tadeusz W. PATZEK et Joseph A. TAINTER, *Drilling Down : The Gulf Oil Debacle and Our Energy Dilemma*, Springer-Verlag, New York, 2011.

Daniel YERGIN, *The Quest : Energy, Security, and the Remaking of the Modern World*, Penguin, New York, 2012.

1 Marie-Béatrice BAUDET, Denis COSNARD et Pierre LE HIR, « Christophe de Margerie : "Le changement climatique, c'est sérieux" », *Le Monde*, 10 janvier 2013.

2 Matthieu AUZANNEAU, « Pic pétrolier : deux vice-présidents de Total répondent à "Oil Man" », <http://petrole.blog.lemonde.fr>, 21 août 2012.

Éradiquer la « pauvreté » ou valoriser les cultures populaires ?

Paul Ariès
Politologue, co-organisateur du Forum mondial de la pauvreté

Il n'y a pas un monde « développé » et un monde « sous-développé ». Il serait plus juste de parler d'un seul monde, mais d'un monde *mal développé*, avec d'un côté vingt-huit pays qui, représentant 14 % de la population mondiale, s'approprient 52,1 % du PIB mondial et, d'un autre côté, soixante pays représentant 35,5 % de l'humanité mais n'ayant droit qu'à 11 % des richesses produites. Nations dominées politiquement et exploitées économiquement durant des siècles, quarante-quatre de ces soixante pays se trouvent en Afrique et en Océanie, dix en Asie, six en Amérique latine. Mais, si la « pauvreté » fait à nouveau parler d'elle, c'est aussi parce que, du fait de la grave crise économique qui frappe les anciens pays industrialisés, une nouvelle « culture du pauvre » semble émerger dans les pays du Nord, où s'observe un phénomène de « démoyennisation » de la société dont témoigne en particulier le chômage massif des jeunes. Et cela au moment même où une frange de la population dans les pays dits « émergents », au Sud, semble s'enrichir à grande vitesse... Dans cette situation nouvelle, et alors que la crise est également sociale, politique et écologique, c'est le concept même de « pauvreté » qu'il convient de questionner.

Derrière les chiffres et les mots, la culpabilisation des « pauvres »

La lutte contre la pauvreté figure officiellement en tête des préoccupations de la communauté internationale. Le premier des Objectifs du millénaire pour le développement (OMD), adoptés en 2000 par les États membres de l'ONU et par les grandes organisations internationales, consiste à réduire de moitié, par rapport à 1990, et en quinze ans, la part des individus vivant avec moins de 1,25 dollar par jour. Ces dernières années, les institutions internationales, à commencer par la Banque mondiale (BM) et le Fonds monétaire international (FMI), se sont montrées très confiantes dans la réalisation de cet objectif. Il faut pourtant faire preuve de prudence devant un tel optimisme. Car, si la « pauvreté extrême » recule effectivement, cela s'explique principalement par l'expansion économique des pays émergents, la Chine en particulier. Et ce recul provient en partie de manipulations statistiques, les chiffres de référence étant sans cesse revus à la hausse : alors qu'on estimait à 800 millions les personnes en situation d'« extrême pauvreté » en 1980, ce chiffre a aujourd'hui été réévalué à 1,9 milliard. En augmentant artificiellement le nombre de pauvres d'hier, on relativise ainsi, rétroactivement, la pauvreté d'aujourd'hui... D'une manière générale, la pauvreté, considérée comme un fléau ou comme une survivance en marge de la modernité, tend à être statistiquement sous-estimée. La pauvreté concerne pourtant officiellement 57 % de l'humanité (4 milliards d'individus dont 2,8 milliards ne disposant que de deux dollars par jour et 1,8 milliard ne disposant que d'un dollar). Mais, si on considère la population mondiale au regard des critères occidentaux de bien-être jugés non négociables (George W. Bush soutenait ainsi qu'avec un PIB moyen de 49 000 dollars par an « le mode de vie américain n'est pas négociable »), plus de 75 % de l'humanité, dont une part réside dans les pays riches, sont alors considérés comme « pauvres ».

Ce ne sont donc pas les pauvres qui sont marginaux, mais les possédants. La notion de richesse (en revenu ou en patrimoine) commence en deçà du sens commun : avec un patrimoine de 5 000 euros, nous appartenons déjà aux 50 % les plus riches de la planète ; avec 37 500 euros, nous comptons au rang des 10 % les plus fortunés ; avec 340 000 euros, nous appartenons au 1 % les plus riches. Quel sens peut-il y avoir à parler de la pauvreté comme d'un « problème » si cette situation est celle de la majorité des êtres humains ? Derrière les chiffres, une évolution importante, d'ordre plus « qualitatif », doit être soulignée : l'affaiblissement des économies informelles au Sud, qui permettaient à des milliards d'humains de vivre (et pas seulement de survivre). Aussi, pendant que l'Occident s'autocongratule, de nombreuses voix s'élèvent contre les faux-semblants des OMD et la politique en trompe l'œil qu'ils légitiment. Alors que l'« extrême pauvreté » touche encore un quart de l'humanité, beaucoup se sont émus de la faiblesse d'un « objectif » officiel qui se préoccupe bien peu de ceux qui meurent de cette « extrême pauvreté », c'est-à-dire la moitié d'entre eux. D'autres accusent les institutions financières internationales (IFI) de poursuivre la mise sous tutelle des pays pauvres. Pour recevoir le concours du Fonds fiduciaire pour la réduction de la pauvreté et pour la croissance, créé par le FMI, ces pays doivent en effet élaborer, conjointement avec les IFI, un Document stratégique de réduction de la pauvreté (DSRP) conçu dans la même optique libérale que les politiques d'ajustement structurel qui ont, par le passé, fait tant de dégâts.

Dans ce contexte, l'apparente générosité occidentale semble avoir pour ambition de poursuivre le démantèlement des protections collectives pour mieux intégrer les individus dans le marché mondial. Une logique que l'on retrouve d'ailleurs dans les politiques élaborées par les IFI pour « secourir » les pays du Nord les plus durement frappés par la crise financière (Grèce, Chypre, etc.).

Observant les évolutions en cours, les associations du Sud et du Nord réunies au Forum mondial de la pauvreté en juillet 2012 sont parvenues à la conclusion suivante : si la pauvreté est aujourd'hui de nouveau une préoccupation majeure, ce n'est pas parce que les « pauvres » parviennent mieux à se faire entendre, mais parce que le thème de la « pauvreté » permet aux différents pouvoirs d'acquérir une nouvelle légitimité. La « lutte contre la pauvreté » sert en outre, bien souvent, à établir une distinction entre les différentes catégories populaires – les propos de Christine Lagarde, actuelle directrice du FMI, faisant en mai 2012 allusions aux enfants du Niger pour appeler les contribuables grecs à plus de discipline, fournissent une illustration saisissante de cet état d'esprit... On retrouve dans ces mécanismes la thèse centrale du sociologue Georg Simmel : les pauvres ne sont jamais la finalité des politiques de lutte contre la pauvreté et la « pauvreté » elle-même est un concept qui renvoie moins aux besoins véritables des pauvres qu'à ceux du système qui la produit.

Si, donc, la question de la pauvreté est revenue à l'ordre du jour, c'est surtout parce que les libéraux et les conservateurs ont préalablement imposé leur conception de la « pauvreté ». Alors que la pauvreté est traditionnellement analysée dans les milieux progressistes comme le résultat d'une relation sociale (ce qui fait qu'il serait plus exact de parler d'appauvris/sement et d'enrichis/sement plutôt que de « pauvres » et de « riches »), pour les conservateurs, la pauvreté est plutôt une question culturelle et morale. Les néolibéraux envisagent ainsi la pauvreté comme un problème individuel, lié en particulier à l'auto-exclusion du marché : ce ne serait plus l'opposition des intérêts qui conduirait à la pauvreté mais une série de facteurs « subjectifs » et « culturels ». Cette approche relève en réalité d'une entreprise de culpabilisation des pauvres – et de déculpabilisation des riches – dans la mesure où elle sous-entend que le pauvre n'est pas réellement victime, mais plutôt acteur de sa pauvreté (« pauvreté choisie », « chômage volontaire », etc.), culturellement condamné à un échec qui se reproduira sur plusieurs générations s'il ne prend pas ses « responsabilités ». Cette vision de l'histoire, qui est celle des vainqueurs de la « guerre économique », n'est bien sûr pas sans conséquences : elle est à la source de la réduction des minima sociaux, de la flexibilisation du marché de l'emploi, etc.

De la « pauvreté » comme manque aux « cultures populaires » comme richesse

Signe de la colonisation des esprits par un imaginaire économique, cette approche néolibérale renforce la lecture purement négative de la pauvreté en termes de manque : en économie, le manque de pouvoir d'achat ; en sociologie, le manque de relations sociales ; en psychologie, le manque d'équilibre dû à des blessures intérieures ; en sciences de l'éducation, le manque de culture ; en science politique, l'incapacité à s'exprimer et l'abstention politique, etc. Une telle conception laisse penser que le « pauvre » est en réalité un riche dépourvu de ressources, notamment financières, et oublie qu'il possède une autre richesse, d'autres modes de vie et d'autres valeurs. La lutte contre la pauvreté est ainsi, le plus souvent, une lutte contre les normes et les valeurs des populations pauvres. Elle aboutit à l'imposition d'un étalon, où se confondent le quantitatif et le qualitatif : le *niveau* de vie des riches tend à discréditer le *style* de vie des pauvres. Cette tendance n'est pas récente : le grand historien de la pauvreté Bronisław Geremek a pu montrer que, si les approches et les contextes évoluent, quelques grands invariants persistent, parmi lesquels la différence établie entre les « bons » et les « mauvais » pauvres, entre les « méritants » et les autres [1]. Dans ce contexte, faire la guerre à la pauvreté, c'est d'abord, souvent, faire la guerre aux pauvres et à leurs modes de vie.

En opposition à la définition de la pauvreté par le « manque », on pourrait avancer l'hypothèse d'une « fécondité » des cultures des pauvres ou, plus précisément, des cultures populaires. Penser ou agir du point de vue des « gens de peu », selon l'expression du philosophe et sociologue Pierre Sansot, permet, au lieu de chercher de nouvelles réponses à des questions biaisées, de poser de nouvelles questions. À commencer par celle-ci : n'y a-t-il pas une forme de positivité, même potentielle, dans les modes de vie de ceux qui sont qualifiés de « pauvres » ?

Depuis plusieurs décennies, divers auteurs, originaires de tous les continents, se sont engagés sur cette piste de réflexion. Tous aboutissent à l'idée que le terme de « pauvreté » n'est pas problématique seulement parce qu'il agrège des situations différentes, mais aussi parce qu'il empêche d'appréhender la richesse des cultures populaires. Il faut sans doute se méfier, comme le rappelait le sociologue Pierre Bourdieu, d'un « culte de la "culture populaire" » qui, sous prétexte d'exalter « le peuple », relèverait d'une forme de « racisme de classe » en réduisant « les pratiques populaires à la barbarie ou à la vulgarité » et enfoncerait les pauvres en « convertissant la privation en choix » [2]. Tout en évitant cet écueil, il reste cependant possible, et nécessaire, de changer les termes du débat sur la rareté en économie. En posant l'hypothèse qu'il n'y a de « rareté » que par rapport aux modes de vie des riches, on ouvre un vaste programme de recherche sur les cultures populaires, c'est-à-dire les façons de faire, de sentir, de vivre (en matière d'habitat,

1 Bronisław Gemerek, *Les Fils de Caïn. L'image des pauvres et des vagabonds dans la littérature européenne du XVe au XVIIIe siècle*, Flammarion, Paris, 1991.

2 Pierre Bourdieu, *Méditations pascaliennes*, Seuil, Paris, 1997, p. 91.

d'alimentation, de loisirs, de santé, etc.), qui ne s'expliquent pas seulement par une différence de pouvoir d'achat.

Ces nouvelles cultures de la pauvreté viennent principalement des pays pauvres, d'Amérique du Sud, d'Afrique mais aussi d'Asie, en raison d'une meilleure résilience des cultures populaires au capitalisme. De nouvelles expressions émergent pour dire les nouveaux chemins de l'émancipation : le « *sumak kawsay* » des Amérindiens, le « *buen vivir* » d'Amérique du Sud, le « Bonheur national brut » (BNB) en Asie, la philosophie négro-africaine d'une existence qui ne serait pas fondée sur le désir d'accumulation [1]. Cette pensée en construction vient aussi bien des théologies de la libération que des courants culturalistes, des milieux écologistes ou d'un néomarxisme andin, négro-africain ou hindou. Sa force intuitive est de considérer la positivité de la pauvreté, sans rien méconnaître de sa part négative. C'est d'ailleurs parce que cette positivité existe que les pauvres ne font jamais ce que l'on attend d'eux, qu'ils ne consacrent pas, par exemple, un gain supplémentaire à améliorer l'ordinaire mais à faire bombance, à faire la fête, au grand dam de ceux qui, dans les agences internationales ou ailleurs, veulent le « bien » des pauvres sans prendre la peine de les écouter.

Faute d'être capable de reconnaître l'existence de modes de vie alternatifs, la thèse dominante confond presque toujours « misère » et « pauvreté ». Tel est le constat qu'ont fait nombre de penseurs, comme le diplomate iranien Majid Rahnema (dans son ouvrage *Quand la misère chasse la pauvreté*), le philosophe et économiste indien Amartya Sen (qui explique qu'auparavant « il y avait la pauvreté, mais il n'y avait pas la misère ») ou l'économiste et militant français Gustave Massiah (« la pauvreté, c'est quand on est privé du superflu ; la misère, c'est quand on est privé de l'essentiel »). De fait, dans bien des pays africains ou orientaux, le mot « pauvre » ne se confond pas avec le terme « misérable » : il se réfère aux individus qui n'ont plus personne dans leur vie. En distinguant nettement « misère » et « pauvreté », en acceptant de décentrer le regard et d'en finir avec l'économisme dominant, nous pouvons échapper au piège d'une définition biaisée de la pauvreté et, ainsi, revaloriser les cultures populaires, les véritables autochtonies et l'idée de frugalité, de simplicité, de convivialisme.

Un modèle de vie alternatif

La sous-estimation statistique et la culpabilisation systémique des pauvres s'accompagnent du refus de voir ce que ces derniers pourraient apporter au futur de l'humanité. La positivité des modes de vie populaires est pourtant manifeste au regard de la situation écologique. Pour le dire

---

1 Basile-Juléat Fouda, *La Philosophie négro-africaine de l'existence. Herméneutique des traditions orales africaines*, L'Harmattan, Paris, 2013.

simplement : un pauvre ne prend pas l'avion, voyage beaucoup moins souvent et beaucoup moins loin, mange moins de viande, consomme moins d'eau, etc. Si l'on prend comme repère les objectifs fixés par le Groupe d'experts intergouvernemental sur l'évolution du climat (GIEC) de ne pas dépasser une hausse de deux degrés de la température terrestre moyenne au cours du XXIe siècle, seuls les modes de vie des pauvres sont écologiquement responsables puisqu'ils se situent au-dessous de deux tonnes d'émission de carbone [1].

Cette positivité des modes de vie populaires est également incontestable du point de vue social puisqu'elle met au cœur des alternatives la construction des « biens communs » et la perspective d'avancer vers la gratuité des services publics essentiels. La planète est, en effet, déjà bien assez riche pour permettre à 7 milliards d'humains de vivre dignement mais… autrement. L'ONU estime qu'il suffirait de mobiliser 40 milliards de dollars supplémentaires pendant vingt-cinq ans pour régler le problème de la faim dans le monde, et que 80 milliards de dollars par an permettraient de régler celui de la grande pauvreté. Ces montants correspondent à moins de 0,2 % du PIB mondial. Les modes de vie des pauvres, pour lesquels les biens communs et les services publics constituent la première richesse, montrent que le principe même de sécurité sociale n'est pas une réponse à la pauvreté, mais un autre principe d'organisation sociale.

Cette positivité des modes de vie populaires est aussi indéniable sur le plan anthropologique puisqu'elle vise une jouissance d'être, opposée à la jouissance d'avoir, et qu'elle postule l'invention (ou la redécouverte) d'autres dissolvants d'angoisse existentielle que ceux du « toujours plus ». Cette positivité des cultures populaires est enfin essentielle dans le domaine politique à l'heure de la crise des institutions démocratiques puisque tous les travaux montrent que les pauvres sont davantage du côté d'une démocratie qualitative, celle des individus en situation, que d'une démocratie quantitative, celle de l'électeur abstrait et de la délégation [2].

Cette lecture positive des cultures populaires modifie l'horizon des attentes. La meilleure réponse au défi de la « richesse obscène » n'est-elle pas de redevenir des « voyants », au sens qu'Arthur Rimbaud donnait à ce terme, en rendant visible l'invisible c'est-à-dire en découvrant la positivité de ce qui s'invente chaque jour dans les rêves, les pensées et les actes des « gens de peu ». Cette perspective épouse celle de George Orwell sur une « société décente » : nul besoin d'inventer un « homme neuf », il suffit de se mettre à l'écoute du « bien » qui anime les milieux populaires dont les valeurs et les

---

1 Voir le portait du GIEC : <www.ipcc.ch>.

2 Jacques MICHEL, « Georges Gurvitch : démocratie quantitative et démocratie qualitative. Essai sur la Déclaration des droits sociaux de 1944 », *Procès*, n° 8, 1981, p. 91-118.

comportements échappent encore, au moins partiellement, aux catégories anthropologiques capitalistes.

Pour en savoir plus

Paul Ariès, *Amoureux du Bien-vivre : Afrique, Amériques, Asie, que nous apprend l'écologie des pauvres ?*, Golias, Lyon, 2013.

Paul Ariès et Germain Sarhy (dir.), *Les Pauvres, entre mépris et dignité*, Golias, Lyon, 2012.

Abhijit V. Banerjee et Esther Duflo, *Repenser la pauvreté*, Seuil, Paris, 2012.

Pierre Bourdieu (dir.), *La Misère du monde*, Seuil, Paris, 1993.

Estelle Ferrarese (dir.), *Qu'est-ce que la lutte pour la reconnaissance ?*, Le Bord de l'eau, Paris, 2013.

Thomas Frank, *Pourquoi les pauvres votent à droite*, Agone, Marseille, 2008.

Odenore, *L'Envers de la « fraude sociale ». Le scandale du non-recours aux droits sociaux*, La Découverte, Paris, 2012.

Majid Rahnema, *Quand la misère chasse la pauvreté*, Fayard/Actes Sud, Paris/Arles, 2003.

Pierre Sansot, *Les Gens de peu*, PUF, Paris, 1994.

William T. Vollmann, *Pourquoi êtes-vous pauvres ?*, Actes Sud, Arles, 2008.

Les nouveaux réseaux évangéliques : de l'Oncle Sam à l'Oncle Tom ?

Sébastien Fath
Historien, chercheur au CNRS (Groupe Sociétés Religions Laïcités)

« Sans la présence du Saint-Esprit, l'église devient un cimetière. [...] Vous devez prier avec insistance pour le réveil. » Ces propos conversionnistes ont été tenus le 8 mai 2013, à Paris, par le pasteur coréen évangélique Lee Young-hoon. À la tête de « la plus grande église du monde » (l'église centrale du Plein Évangile à Séoul, 900 000 membres), comme le proclamait une publicité ronflante annonçant l'événement, il a animé la conférence « Paris pour Christ », au théâtre Bobino, sur la base d'une identité « *born again* », celle des évangéliques. Armés d'une rhétorique conquérante, ces chrétiens en réseau revendiquent des ailes plutôt que des racines. Porté par son objectif de conversion et sa vocation prosélyte, l'évangélisme représente aujourd'hui environ les deux tiers du protestantisme mondial, et 565 millions de chrétiens au début de l'année 2014. Mais qui sont ces convertis, et que pèse aujourd'hui l'influence géopolitique de leurs réseaux transnationaux ?

Les Églises évangéliques sont nées sur la scène européenne. Elles s'inscrivent dans la matrice des Réformes du XVIe siècle, avec l'anabaptisme continental (groupes de convertis qui rebaptisent à l'âge de raison) et le non-conformisme anglais (radicaux protestants en marge de l'Église anglicane). Émiettées et décentralisées, elles revendiquent un christianisme qui articule « relation personnelle avec Jésus », fondée sur le pardon et la foi, et « construction collective ». Il s'agit donc d'une offre religieuse individualisante, fondée sur le choix personnel, mais porteuse d'effets sociaux en raison de la dynamique militante et prosélyte qui soude les fraternités électives évangéliques. L'objectif partagé : étendre le Royaume de Dieu. Marginal et souvent persécuté à l'époque moderne (XVIe-XVIIIe siècle), cet évangélisme s'est peu à peu étoffé au fil des Réveils qui scandent l'histoire du protestantisme, à partir de mouvements de conversion, pieux et fervents, comme le baptisme et le piétisme (XVIIe siècle), le méthodisme (XVIIIe siècle), le darbysme, les Frères larges, l'Armée du Salut (XIXe siècle), et enfin le pentecôtisme et le charismatisme (XXe siècle).

Moins lié que les religions d'État aux projets coloniaux des grandes puissances, agent d'individuation et promoteur de formes associatives et volontaires, l'évangélisme a longtemps exercé une influence infrapolitique, par le biais de sociétés civiles qui ne disaient pas leur nom. Aujourd'hui, la donne a changé. En 2014, « les évangéliques, à l'assaut du monde », se sont constitués en acteur majeur sur la carte de la géopolitique religieuse. Leur identité, entre-temps, a évolué sur une double ligne.

Deux sensibilités se partagent les faveurs de la nébuleuse *born again*. D'une part, une tendance pentecôtiste et charismatique, qui met l'accent sur l'efficacité miraculeuse du Saint-Esprit. De l'autre, une tendance piétiste et orthodoxe, qui valorise la « saine doctrine » et la pratique droite (orthopraxie). C'est la première forme, pentecôtiste et charismatique, qui rencontre le plus de succès aujourd'hui. L'Amérique du Nord n'est pas la plus touchée. En revanche, l'Afrique, l'Asie, l'Amérique latine et même l'Europe voient triompher cet évangélisme expérientiel centré sur les « manifestations du Saint-Esprit ». La guérison ! La prophétie ! La délivrance ! Même si la Bible reste lue et prêchée, le *Sola Scriptura* protestant – le principe qui érige l'Écriture sainte en autorité ultime – passe volontiers au second plan devant l'efficacité, réelle ou supposée, du charisme du pasteur-prophète.

La prévalence historique des réseaux anglophones

Qu'ils soient pentecôtistes et charismatiques, ou plus axés sur un piétisme biblique, les évangéliques ont longtemps été marqués par l'influence dominante de la culture anglo-saxonne. L'Oncle Sam n'en a pas fini avec cet évangélisme omniprésent dans les débats, au point que Barack Obama (côté démocrate) et Mitt Romney (côté républicain) n'ont pu éviter de donner quelques gages à cette puissante minorité électorale lors de la présidentielle américaine de 2012. Le soutien puissant et fidèle des Américains à Israël – « Jésus est juif en Amérique ! » – constitue une autre illustration. Le poids évangélique nourrit aux États-Unis un mouvement sioniste chrétien fort d'environ 40 millions de fidèles.

Majoritairement conservateur, l'évangélisme américain comporte une aile fondamentaliste dont le télévangéliste Pat Robertson, notoirement connu pour ses provocations sur la scène internationale (comme l'appel à l'assassinat d'Hugo Chavez en août 2005), est un représentant vieillissant, mais toujours médiatique. Mais il est aussi très divers. Denis Lacorne fait observer que, depuis les années 1980, « l'évangélisme est devenu la forme la plus courante et la plus banale du protestantisme américain ». À ce titre, il est porteur d'un *habitus* entreprenarial apte à séduire à la fois républicains et démocrates. Aussi ne faut-il pas s'étonner qu'après George W. Bush, dont les accointances avec l'évangélisme étaient bien connues, Barack Obama lui-même ait demandé au pasteur évangélique de la *megachurch* Saddleback, Rick Warren, d'effectuer la prière inaugurale lors de la cérémonie de sa première investiture (20 janvier 2009). N'hésitant pas à inviter les responsables de la National Association of Evangelicals (NAE) à la Maison-Blanche, le 12 octobre 2012, pour une discussion sur des questions éthiques, d'immigration et de liberté religieuse, le président Obama sait combien ces réseaux militants peuvent constituer, à l'échelle mondiale, un relais possible du *soft power* états-unien en matière de démocratisation ou de libre entreprise, appuyé sur des associations locales *grass-root*.

L'évangélisme britannique, très influent dans l'Église anglicane (où il rassemble la majorité du bas clergé), reste par ailleurs investi en Europe et dans le Commonwealth. On l'observe aussi en Afrique anglophone, notamment au Soudan du Sud, nouvel État africain créé le 9 juillet 2011, où l'Episcopal Church of Sudan (ECS), à sensibilité évangélique, joue un rôle clé dans le processus de *nation-building* (construction nationale). Aux antipodes, les évangéliques océaniens (7 millions de fidèles) s'appuient eux aussi sur une culture prosélyte et un substrat théologique et culturel hérité des méthodistes et néopuritains anglo-saxons du XIXe siècle. Les tubes de « musique de louange » de la *megachurch* australienne Hillsong en constituent aujourd'hui un produit d'exportation qui fait le bonheur des sites de vente de musique en ligne ! D'un hémisphère à l'autre, l'évangélique type renverrait au portrait d'un homme blanc de classe moyenne, parlant anglais, zélé dans son témoignage de foi, et adossé à des valeurs conservatrices qui peuvent le conduire, dans certains cas, à l'engagement politique actif (de la Prohibition à George W. Bush).

Nouveaux réseaux Sud-Nord et Sud-Sud

Mais l'image arrêtée de cet évangélisme anglophone est réductrice. Car l'expansion mondiale qui caractérise cette mouvance chrétienne plurielle s'inscrit depuis longtemps dans une dynamique polycentrique, où le poids des États-Unis, dominant mais structurellement déclinant, n'explique pas tout. L'influence américaine reste prégnante, mais elle connaît depuis bientôt quarante ans un déclin structurel corrélé à la montée des évangélismes des Suds, dont les prophètes et prophétesses, apôtres, missionnaires, chantres et prédicateurs animent avec ferveur les banlieues des grandes cités européennes. La majorité des missionnaires évangéliques répertoriés dans le monde ne vient plus aujourd'hui des États-Unis, à l'inverse de la situation qui prévalait encore dans les années 1970. Des langues comme le lingala, le français, le portugais s'invitent dans les tracts d'évangélisation et les réunions de réveil où le djembé côtoie le synthétiseur.

Des pays émergents comme le Brésil (45 millions d'évangéliques), le Nigéria (45 millions), le Kénya (20 millions), le Congo RDC (15 millions), l'Éthiopie (14 millions), la Corée du Sud (10 millions) alimentent une part croissante des effectifs missionnaires mondiaux. Et que dire de la Chine ! Beaucoup d'experts s'étonnent de voir dans ce pays l'évangélisme atteindre, voire dépasser les 60 millions de fidèles, soit l'équivalent de la population française totale. Appuyés sur des dynamiques d'hybridation locale portées par les assemblées de convertis et des « missionnaires aux pieds nus », ces nouveaux pôles évangéliques apportent avec eux des ritualités, des styles de prédication, des registres hymnologiques, qui témoignent de recompositions endogènes. Le dernier congrès mondial pour l'évangélisation, dit « Lausanne III », qui s'est tenu au Cap (Afrique du Sud) du 16 au 25 octobre 2010, a manifesté au grand jour les revendications désormais majoritaires des mouvements évangéliques de l'hémisphère Sud, à commencer par les Églises africaines. L'évangélisme des Suds a donné sa couleur dominante aux séances plénières, qui ont rassemblé plus de 4 000 délégués venus de tous les continents.

Pour voir aujourd'hui cette montée en puissance des Suds, il n'est pas besoin de franchir la Méditerranée, ou l'océan Indien. Elle s'observe au cœur de l'Europe, au travers des centaines d'Églises congolaises, ghanéennes, nigérianes et multiethniques qui interrogent les banlieues grises de Milan, Paris, Bruxelles ou Hambourg. Cette nouvelle vague évangélique ne s'impose pas sans tensions, dérives sectaires, ni sans concurrences, en particulier avec l'islam.

Compétition islam-évangélisme et « fenêtre 10/40 »

Trois grandes aires illustrent cette compétition : l'Asie du Sud-Est, l'Europe et l'Afrique, dont salafistes, tablighs, pentecôtistes et évangéliques sillonnent les agglomérations à la recherche de convertis et de zélotes. Ingrédients rêvés pour un « choc des civilisations » régulièrement prédit ? Possible, mais pas si sûr. Des lignes de tension, comme en Indonésie ou au Nigéria, dessinent certes un scénario de confrontation brutale, tandis qu'au Maroc, en Algérie ou en Iran les esprits s'échauffent devant l'essor évangélique qui, bien que marginal, semble parfois menacer l'homogénéité religieuse en place. Dans les états-majors missionnaires évangéliques, on se focalise avec anxiété et ambition sur la fameuse « fenêtre 10/40 », concept mis en place en 1990 pour désigner une zone d'évangélisation prioritaire, entre les latitudes 10° et 40° au nord de l'équateur.

Sur la scène médiatique globale, des figures isolées mais toxiques comme le pasteur Terry Jones, en Floride (États-Unis), enflamment les esprits par leurs provocations iconoclastes (coran brûlé, promotion de films islamophobes), tandis que certains imams appellent ouvertement à tuer les convertis à l'évangélisme. Au Nigéria, on ne compte plus les églises brûlées... L'étude de terrain de Barbara Cooper auprès de la Sudan Interior Mission dans le Sahel (Niger) illustre bien le caractère hautement sensible d'une cohabitation religieuse en concurrence ouverte pour la maîtrise des sociétés civiles locales (écoles, infrastructures médicales, réseaux associatifs).

Dans la très grande majorité des cas, la compétition, sur le terrain, est pourtant pacifique. Le conflit n'est pas la guerre, et l'adversaire n'est pas toujours un ennemi mortel. L'évangélique comme le musulman se reconnaissent dans une vision normativiste et monothéiste du monde, dans une tension commune avec l'incroyance, à commencer par celle du consommateur européen sécularisé, jugé oublieux de Dieu. Le « choc » géopolitique présumé entre islam et évangélisme cacherait-il ainsi un « choc » beaucoup plus profond, celui d'une vision religieuse du monde, face à une vision sécularisée qui relègue au musée la foi et la piété ?

Marché musical, *megachurches*, ONG : de nouvelles formes sociales

L'offre évangélique, fondée sur une retotalisation de l'expérience sous le signe de la foi en Jésus-Christ, ne se limite pas à une machine à convertir. Elle a des effets sociaux, anthropologiques, culturels à longue portée, dont le gospel constitue un terrain d'observation. Depuis que les « fils de la Réforme » ont démocratisé le chant choral, la musique est un élément majeur du fait social protestant, à l'intérieur et en dehors des temples. L'évangélisme s'est inscrit dans ce sillage et a développé, au travers d'un registre gospel luxuriant, une hymnologie aussi variée qu'adaptée aux contextes nationaux. Au gospel nord-américain s'est ainsi peu à peu ajouté un gospel francophone d'ancrage afro-antillais entre Yaoundé et Paris en passant par Montréal, Fort-de-France et Genève. Cette expression musicale fédère aujourd'hui une francophonie protestante (majoritairement évangélique) de 40 millions d'individus et illustre de nouvelles formes de transnationalisation par le loisir et la musique... non sans effets géopolitiques : les scènes gospel camerounaise, gabonaise ou congolaise offrent en effet des espaces de contestation sociopolitique ; à l'inverse, Laurent Gbagbo, jusqu'à sa chute en 2011, s'est aussi appuyé en Côte d'Ivoire sur nombre de chantres évangéliques pour renforcer sa légitimité contestée.

La croissance continue des ONG évangéliques constitue un autre axe fort de l'influence globale de l'évangélisme contemporain. Des ONG transnationales d'origine occidentale, comme World Vision ou Samaritan's Purse, ancrées aux États-Unis, pèsent de tout leur poids sur les enjeux de développement, et multiplient des initiatives en partenariat avec des Églises ou des ONG locales... À travers l'Agence des États-Unis pour le développement international (USAID), elles peuvent recevoir un soutien public substantiel. Ce fut le cas pour Samaritan's Purse (au budget annuel de 300 millions de dollars) lors des opérations de reconstructions en Haïti, suite au séisme de janvier 2010, suscitant un débat aux États-Unis. C'est sans doute sur ce terrain des ONG évangéliques que l'influence nord-américaine reste la plus visible.

Une autre caractéristique des nouveaux réseaux évangéliques est la part croissante jouée par les *megachurches*, églises géantes de plus de 2 000 fidèles rassemblés chaque semaine dans des multiplexes religieux axés sur la diversité de l'offre sociale et des budgets pléthoriques, parfois dignes d'un club de football de *Premier Ligue*. Le phénomène est ancien aux États-Unis, où il puise ses racines dans les *camps meetings* du deuxième Grand Réveil américain. Au début du XXIe siècle, l'ascension des *megachurches* en Amérique du Nord est fulgurante. De 16 en 1970, on est passé en vingt-cinq ans à 400 au milieu des années 1990, et à plus de 1 400 aujourd'hui. Le phénomène s'observe sur tous les continents, de la Chine au Brésil en passant par l'Afrique du Sud et l'Ukraine. À Kiev, l'Ambassade de Dieu, avec ses 20 000 fidèles sous la conduite d'un pasteur nigérian charismatique, Sunday Adelaja, aurait même joué un rôle actif dans la « révolution orange ».

Ces nouveaux axes d'influence s'inscrivent dans un contexte plus large : celui d'une cosmopolitisation multipolaire où s'affirment des sociétés civiles qui n'hésitent pas à puiser dans le matériau religieux. Dans le référentiel évangélique, les ressources de mobilisation restent souvent teintées de *soft power* états-unien, mais sur fond d'un progressif passage de témoin de l'Oncle Sam (évangélisme anglophone à dominante américaine) à l'Oncle Tom : le colonisé (ou esclave) de jadis, « Oncle Tom » sagement soumis, discipliné et christianisé par les missionnaires protestants du Nord, s'est réapproprié des ressources militantes de l'évangélisme. Outil à longue portée pour une « revanche des Suds » ou échappatoire trompeuse vers des paradis virtuels ?

Pour en savoir plus

Barbara M. Cooper, *Evangelical Christians in the Muslim Sahel*, Indiana University Press, Bloomington, 2006.

Célia Belin, *Jésus est juif en Amérique. Droite évangélique et lobbies chrétiens pro-Israël*, Fayard, Paris, 2011.

Sandra Fancello et André Mary (dir.), *Chrétiens africains en Europe. Prophétismes, pentecôtismes et politique des nations*, Karthala, Paris, 2010.

Sébastien Fath, *Les Fils de la Réforme. Idées reçues sur les protestants*, Le Cavalier Bleu, Paris, 2012.

Sébastien Fath (dir.), *Le Protestantisme évangélique, un christianisme de conversion*, actes du colloque international Sorbonne/EPHE, Turnhout, Brépols, 2004.

Denis Lacorne, *De la religion en Amérique. Essai d'histoire politique*, Gallimard, Paris, 2007.

« Les évangéliques à l'assaut du monde », *Hérodote*, n° 119, 4e trimestre, 2005.

Patrice de Plunkett, *Les Évangéliques à la conquête du monde*, Perrin, Paris, 2009.

Christophe Pons (dir.), *Jésus, moi et les autres. La construction collective d'une relation personnelle à Jésus dans les Églises évangéliques*, CNRS Éditions, Paris, 2013.

III. Enjeux et conflits régionaux

Tensions en Asie du Nord-Est

Jean-François Sabouret
Directeur de recherche émérite au CNRS

Les nouvelles que l'on reçoit d'Asie du Nord-Est sont, ces derniers temps, rarement rassurantes. Alors que la Corée du Nord lançait, en mai 2013, des missiles à courte portée et menaçait son voisin du Sud, le secrétaire général de l'ONU, Ban Ki-moon, s'inquiétait d'une « escalade dangereuse ». Au même moment, certains observateurs craignaient que le contentieux sino-japonais sur les îles de Senkaku, situées au nord-est de Taïwan, ne s'étende à l'archipel d'Okinawa qui abrite 70 % des forces américaines au Japon [1]... Ainsi, les puissances impliquées dans la région – la Chine, le Japon, les deux Corées, mais également les États-Unis et la Russie – ne cessent de souffler le chaud et le froid. Alors que les pays de la région sont de plus en plus interdépendants, ces crises qui resurgissent périodiquement sont-elles isolées, ou doivent-elles être comprises dans une logique d'ensemble ? Ces rivalités, apparemment territoriales et militaires, n'ont-elles pas des dimensions moins visibles, et des soubassements économiques, politiques et sociaux ? Telles sont les deux questions qui nous servent de lignes directrices pour tenter d'appréhender les équilibres géostratégiques de la région.

1 Brice Pedroletti et Philippe Mesmer, « La querelle sino-japonaise sur les îles Senkaku s'étend à l'archipel d'Okinawa », *Le Monde*, 12 mai 2013.

L'échec de la « *sunshine policy* » sud-coréenne

Pour comprendre les tensions qui secouent actuellement l'Asie du Nord-Est, on peut commencer par mentionner un homme hors du commun : le Sud-Coréen Kim Dae-jung. Président de la République entre 1998 et 2003, il a toujours eu pour politique de tendre la main à la Corée du Nord et de travailler au développement économique des deux Corées. Cette politique de rapprochement, qualifiée de « *sunshine policy* » (« politique du rayon de soleil »), dura jusqu'en 2008, c'est-à-dire jusqu'à la fin du mandat de son successeur Roh Moo-hyun.

Cette politique de détente avait plusieurs objectifs, en particulier celui d'obtenir des dirigeants nord-coréens qu'ils renoncent aux armes nucléaires en échange d'une aide importante notamment à leurs populations sous-alimentées. Bien des sujets ont été abordés et des propositions avancées au cours de ce processus, comme le rétablissement de la ligne ferroviaire Séoul-Pyongyang et, surtout, la signature d'un traité de paix qui prendrait la suite de l'armistice de 1953. La Corée du Nord devait démanteler son site nucléaire de Yongbyon et fournir la liste complète de son programme nucléaire. En échange, l'embargo américain sur la Corée du Nord devait être levé et le pays devait disparaître de la liste des pays de l'« axe du mal » édictée par le président George W. Bush. Ainsi, la Corée du Nord aurait eu accès à toutes sortes de denrées ordinaires pour le peuple et de denrées de luxe pour la *nomenklatura* socialiste. Elle aurait en outre reçu le pétrole nécessaire à son développement industriel.

Mais il n'en a rien été, car la Corée du Nord a fait machine arrière dès le milieu des années 2000. Ses dirigeants, à commencer par Kim Jong-il (au pouvoir de 1994 jusqu'à sa mort en 2011), ont, semble-t-il, craint les conséquences de l'ouverture du pays : le consumérisme et un certain degré d'économie de marché risquaient d'émousser le culte de la personnalité mis en place par la dynastie des Kim (au pouvoir depuis 1948). L'arrêt de la politique nucléaire, enjeu central de la *sunshine policy*, a reçu deux camouflets, l'un en octobre 2006 et l'autre en mai 2009, lorsque la Corée du Nord a réalisé des essais nucléaires souterrains. En 2010, deux ans après l'arrivée de Lee Myung-bak à la présidence de la Corée du Sud, il a donc été mis fin à cette politique d'ouverture initiée par Kim Dae-jung.

Qu'en reste-t-il en 2013 ? Peu de chose, si ce n'est quelques projets assez ponctuels, comme le site touristique du Mont Kumgang ou la zone franche industrielle de Kaesong. Situé en Corée du Nord mais attirant chaque année de nombreux touristes sud-coréens, le premier rapporte beaucoup de devises au Nord. Également située au Nord mais à moins d'une heure de Séoul, la seconde a été ouverte en décembre 2004 : sur un espace de 66 km^2, 53 000 ouvriers nord-coréens travaillent pour l'industrie sud-coréenne qui peut ainsi vendre, avec une bonne marge, des produits « made in Korea » dans des usines où les ouvriers reçoivent un salaire mensuel de 160 dollars (cinq fois moins que le salaire minimum de la Corée du Sud). À l'origine, cet accord « gagnant-gagnant » devait à terme permettre d'employer plusieurs centaines de milliers d'ouvriers nord-coréens, mais les récentes tensions entre les deux pays semblent devoir enrayer le processus d'intégration.

Derrière les tensions récurrentes entre les frères ennemis coréens se profilent les ombres des deux géants à la fois protecteurs et menaçants, qui structurent – nous allons y revenir – les équilibres géostratégiques de la région : les États-Unis et la Chine. Les premiers ont toujours regardé avec circonspection la main tendue du Sud vers le Nord, qui contournait la politique d'embargo qu'ils avaient imposée. La Chine, pour sa part, tient à secourir le petit voisin et « frère » socialiste, la présence *de facto* d'un État tampon entre le « monde socialiste » et le « monde capitaliste » étant considérée comme bienfaisante à Pékin.

Bouleversements socioéconomiques en Chine

Au cours des années 1980, deux événements majeurs ont changé la face du monde politique et économique : au début de la décennie, l'instauration de la politique des « Quatre Modernisations » voulue par Deng Xiaoping (industrie et commerce, organisation militaire, éducation, agriculture) et, à la fin de la décennie, l'effondrement du bloc communiste à l'Ouest dont la libéralisation des échanges internationaux fut l'une des conséquences. La Chine devint alors l'« atelier du monde » et se mit à vendre à la terre entière des produits bon marché.

À la suite de ces bouleversements, une classe moyenne urbaine a émergé en Chine, qui représente aujourd'hui environ 25 % de la population (soit 300 millions de personnes) [1]. Mais, pendant que le slogan « enrichissez-vous » semble régner en maître depuis Deng, d'immenses inégalités se profilent derrière cette classe moyenne en expansion : alors que 9 % des Chinois possèdent 60 % du capital financier chinois (on compte plus d'un million de millionnaires), un quart de la population vit encore sous le seuil de pauvreté, en particulier dans les milieux ruraux. Ainsi, les Chinois urbains avaient, en 2010, un salaire presque quatre fois supérieur à celui d'un rural.

Dans cette société en tension, plusieurs centaines de manifestations, dont les médias chinois ne font pas état, ont lieu chaque mois. Les manifestants demandent de meilleures conditions de travail : des contrats, des congés, une assurance maladie, une augmentation de salaire. L'amélioration du niveau de vie a pour conséquence une perte de compétitivité des produits « made in China ». Les entrepreneurs étrangers sont de plus en plus

1 Helen Wang, *The Chinese Dream : The Rise of the World's Largest Middle Class and What It Means to You*, Bestseller Press, 2010.

nombreux à s'implanter dans des pays où le salaire est plus bas qu'en Chine (Vietnam, Cambodge, Birmanie).

C'est le cas en particulier des Japonais : si ces derniers restent fermement implantés en Chine (pour pouvoir vendre dans ce pays), ils sont de plus en plus nombreux à se redéployer en Asie du Sud-Est. Or la présence des entreprises japonaises est doublement importante pour la Chine qui, en plus de bénéficier d'un important transfert de technologies, compte sur elles pour maintenir des centaines de milliers d'emplois dans le pays (quelque 1 600 000 personnes travaillent pour les 5 565 entreprises japonaises implantées en Chine).

Le chômage réel en Chine est d'environ 10 % malgré un taux de croissance du PIB en 2012 de près de 8 %. Les conséquences économiques – et politiques – du ralentissement de la croissance peuvent être fâcheuses. À terme, l'éclatement d'une bulle économique, comparable à ce qu'a connu le Japon dans les années 1990, est de plus en plus souvent évoqué. Les dégâts collatéraux seraient très graves puisque c'est l'économie chinoise qui tire actuellement presque la moitié de la croissance du monde. Une part importante des avoirs chinois placés dans le monde serait alors rapatriée en Chine.

Des économies interdépendantes

Les économies chinoise et japonaise, dont les PIB sont respectivement le second et le troisième de la planète, sont très interdépendantes. En 2011, la Chine a exporté pour 181 milliards de dollars au Japon. En retour, le Japon a exporté en Chine pour 160 milliards de dollars. De la même façon, les exportations japonaises en Corée du Sud ont atteint 65 milliards de dollars tandis que les importations venant de Corée du Sud vers le Japon se sont montées à 39 milliards de dollars. 21,5 % des importations au Japon en 2011 provenaient de Chine contre 8,7 % seulement des États-Unis. Les exportations japonaises en direction de la Chine ont représenté 19,7 % de l'ensemble des exportations du Japon tandis que les États-Unis ne totalisaient plus que 15,3 % la même année.

Les économies des pays de l'Asie du Sud-Est sont de plus en plus interdépendantes elles aussi et ouvertes également sur les économies de marché libérales, et c'est peut-être là l'une des causes des tensions au sein de l'Asie du Nord-Est, entre Chinois et Japonais par exemple. Dans quel camp l'Asie du Sud-Est va-t-elle basculer pour réaliser son développement économique : le camp chinois ou le camp nippo-américain ?

Le Japon a montré son intention d'entrer dans le partenariat économique TPP (*Trans-Pacific Partnership*, ou Accord de partenariat Trans-Pacifique). Le but de cet accord lancé en 2002 est de développer un partenariat entre des pays du Pacifique (Amériques, Australie et Asie du Sud-Est) entrant dans un vaste ensemble où les barrières douanières seraient totalement supprimées en 2015. Douze pays du Pacifique sont parties prenantes de ce vaste marché qui pourrait représenter à terme plus de 40 % du commerce mondial. De cette grande alliance commerciale, la Chine n'est pas partie prenante. À en croire les journaux japonais, les dirigeants chinois souhaiteraient structurer autour d'elle un partenariat analogue, mais à l'échelle de l'Asie – une sorte de TAP (*Trans-Asia Partnership*). C'est dans ce contexte que s'inscrit le conflit autour des îles Senkaku qui, sous souveraineté japonaise, sont revendiquées par la Chine. Outre la probable présence de pétrole au large de ces îles controversées, les revendications de Pékin témoignent de la volonté de la Chine de s'affirmer, y compris militairement, comme une grande puissance du Pacifique, non seulement face au Japon mais, surtout, face aux États-Unis.

La partie de go sino-américaine

Depuis la Seconde Guerre mondiale, la marine de guerre américaine est maîtresse du Pacifique, condition première d'échanges commerciaux sûrs. À l'inverse, la Chine se définit depuis des millénaires comme l'« empire du Milieu », c'est-à-dire comme un empire terrestre. On pourrait résumer les choses par cette formule : thalassocratie américaine contre tellurocratie chinoise. Reste que cette configuration est en train d'évoluer, la Chine cherchant aujourd'hui à défendre ses intérêts en développant une marine marchande et militaire, et en prenant pied partout où elle peut, en Asie bien sûr, mais également en Afrique ou en Océanie. La diaspora chinoise dans le monde, qui comprend quelque 40 millions de personnes, joue un rôle souvent majeur dans les économies des pays où ils ont fait souche.

Ainsi, entre la Chine et les États-Unis, se joue une formidable partie de go où les menaces de conflit cachent de fortes angoisses économiques, sociales et politiques. Car si la croissance économique ralentit en Chine et que les classes moyennes chinoises rejoignent les laissés-pour-compte de la Chine rurale dans le camp des mécontents, qu'adviendra-t-il de la *nomenklatura* socialiste ? Cette question ne laisse indifférents ni le peuple chinois (1,4 milliard de personnes), bien sûr, ni le peuple américain (320 millions d'habitants), dont l'avenir est lié en partie à l'avenir économique de la Chine.

S'oriente-t-on, dès lors, vers une guerre réelle ? Personne ne dit le souhaiter, mais chacun se tient prêt à bondir si un missile nord-coréen atteignait une zone couverte par les accords passés entre les États-Unis et leurs alliés sud-coréens, japonais et peut-être un jour vietnamiens. Le directeur du renseignement national américain (DNI), James Clapper, a déclaré le 11 avril 2013 que même la Chine était incommodée par la rhétorique belliqueuse du jeune dirigeant de la Corée du Nord, Kim Jong-un. Jusqu'où Pékin laissera-t-il monter cette agressivité ?

L'avenir incertain de la Corée du Nord

La Chine craint l'autonomisation croissante de la Corée du Nord. Une telle évolution fragiliserait un peu plus Pékin dont la croissance ralentit, car une Corée du Nord développant un socialisme de marché, comme en Chine ou au Vietnam, et liée à la « locomotive » d'une Corée du Sud démocratique, contiguë, parlant la même langue, pourrait entrer en concurrence directe avec ses puissants voisins, en faisant travailler ensemble, sur une échelle bien plus vaste que le site Kaesong, 75 millions de Coréens très concurrentiels : main-d'œuvre nord-coréenne à bas coût et savoir-faire sud-coréen de très haut niveau. Les Chinois, mais aussi les Japonais, ont-ils envie de voir un tel scénario s'écrire à leur porte dans les dix ans à venir ?

Les gesticulations et l'agressivité verbale du jeune dictateur nord-coréen peuvent se lire de plusieurs façons. Il y a la menace réelle d'un dérapage fâcheux dans une des régions du monde les plus armées (arme nucléaire comprise). Il y a aussi les signaux puissants lancés par la Corée du Nord au « grand frère » chinois pour l'autoriser à prendre une plus grande initiative économique et rejoindre ainsi la cohorte des économies socialistes libérales. Ces signaux apparaissent comme une forme de chantage alors que la Chine semble lasse de payer une bonne partie de la facture énergétique du pays reclus. Si la Chine ne veut plus l'aider, la Corée du Nord menace ainsi de prendre ses distances à l'égard de Pékin, quitte à se rapprocher des ennemis japonais ou américain.

De fait, ces signaux s'adressent aussi aux États-Unis, nombre de Nord-Coréens souhaitant convaincre Washington de mettre fin à l'embargo et d'accroître les échanges entre les deux pays. Le secrétaire d'État américain John Kerry, en visite à Séoul en avril 2013, a réaffirmé son soutien à la présidente Park Geun-hye – arrivée au pouvoir début 2013 – en cas de « dérapage » venant du Nord, mais il a bien montré aussi qu'il était ouvert à un dialogue et à une coopération économique avec l'« État ermite ».

Kim Jong-un doit montrer à l'aristocratie socialiste nord-coréenne qui le soutient qu'il est capable de réussir ce virage économique et politique. Certains analystes considèrent en effet que le fonctionnement dynastique des Kim en Corée du Nord pourrait contrarier les ambitions « feutrées » de la *nomenklatura* nord-coréenne où des militaires sont en même temps chefs d'entreprise et contrôlent des secteurs entiers de l'économie. Plusieurs clans au sein de la *nomenklatura* veulent profiter davantage de leur aisance financière, voyager, acheter des produits de luxe, envoyer leurs enfants dans les grandes universités étrangères... L'embargo américain les gêne, car ils sont totalement liés au « grand frère » chinois qui leur fournit du pétrole, de l'aide alimentaire et des produits de luxe. Certains dirigeants nord-coréens pousseraient-ils le jeune leader à la faute ? Il serait alors la victime expiatoire d'un marché entre les Chinois et les États-Unis : en échange de la chute de la dynastie des Kim et de l'abandon de la puissance nucléaire, la caste dominante en Corée du Nord pourrait rester aux commandes, obtenir la levée de l'embargo et commercer avec le monde entier. Si la Chine, qui a proposé en juin 2013 d'entrer dans le consortium économique TPP monté par les Américains, en devenait membre, pourquoi la Corée du Nord n'en ferait-elle pas partie aussi ? C'est sans doute impensable aujourd'hui, mais possible demain.

Éviter l'escalade

Quels scénarios les Chinois, les Américains, les Russes et les Japonais appellent-ils de leurs vœux ? Si les puissances dominantes tiennent volontiers un discours de raison et d'apaisement, le maintien d'une certaine tension est assez profitable aux apôtres de l'armement. Russes et Américains font de bonnes affaires en ces temps de menaces. Quand les contrats seront signés, on peut imaginer qu'une certaine détente se fera jour. Mais ce ne sera pas une détente durable, plutôt un moment entre deux tensions. En 2013, tous les gouvernements des pays d'Asie du Nord-Est étaient conservateurs, qu'il s'agisse d'un conservatisme de type « occidental » (Japon, Corée du Sud, Taïwan, Russie) ou de type « socialiste » (Chine, Corée du Nord). Tous ont intérêt à faire vibrer la corde nationale qui fonctionne si bien pour rassembler la « patrie », rallier les électeurs et faire oublier les revers économiques et les tensions sociales. Reste à espérer que la sagesse permettra d'éviter un engrenage d'affrontements qui, aujourd'hui, restent – heureusement – essentiellement verbaux.

Pour en savoir plus

Ted Galen Carpenter, « Japan's New Security Role in Asia », *The National Interest*, 30 mai 2013.

Gabriel Gresillon et Yann Rousseau, « Une nouvelle guerre froide menace l'Asie », *Les Échos*, 13 février 2013.

Paul Holtom, Mark Bromley, Pieter Wezeman, Siemon Wezeman, *Trends in International Arms Transfers, 2012*, SIPRI, mars 2013 (disponible sur *<books.sipri.org>*).

Brice Pedroletti, « La colère silencieuse des Nord-Coréens de Chine », *Le Monde*, 11 avril 2013.

Jean-François Sabouret, « Chine/Japon l'inévitable poussée nationaliste ? », *Diplomatie*, n° 60, janvier-février 2013.

Les Touaregs au cœur des enjeux stratégiques saharo-sahéliens

Hélène Claudot-Hawad
Anthropologue, directrice de recherche au CNRS

Le 11 janvier 2013, les troupes françaises débarquent au Mali. Cette opération militaire baptisée « Serval » prend de court la communauté internationale qui préparait, sous l'égide du Conseil de sécurité de l'ONU, les conditions d'une intervention par les forces africaines de la Communauté économique des États de l'Afrique de l'Ouest (CEDEAO) au nord du Mali. Ce vaste espace, dénommé « Azawad » par les fronts armés touaregs des années 1990, comprend les régions administratives de Gao, Tombouctou et Kidal, et se trouve alors, depuis plusieurs mois, sous le contrôle de groupes islamistes qui seraient en lien avec Al-Qaida.

L'avancée soudaine des djihadistes vers le sud en direction de la ville de Sévaré, dotée d'un aéroport et d'une base militaire, fournit le prétexte de l'intervention française qui bombarde et détruit leur colonne dès le 12 janvier. Ces opérations aériennes sont suivies trois jours plus tard par un engagement des troupes françaises au sol.

Le président François Hollande donne plusieurs objectifs à cette intervention : d'une part, reprenant une rhétorique bushienne, « détruire » les « terroristes » qui menacent la sécurité mondiale et, d'autre part, « rétablir l'intégrité territoriale » du Mali, autrement dit la souveraineté d'un État et d'un gouvernement (issu d'un putsch militaire récent), ajoutant donc à cette opération la dimension politique de l'« ingérence ». L'expression plusieurs fois utilisée de « reconquête totale du Mali » renoue avec la sémantique coloniale, sans qu'en soient toujours bien définis les conquérants et les bénéficiaires.

Cinq jours après le début de l'intervention française, un site gazier du Sud algérien – qui porte le nom touareg de Tiganturen, les « moignons » – situé à côté d'In Amenas est attaqué par les « terroristes ». Plus de cinq cents personnes travaillant sur le site sont prises en otages. L'armée algérienne intervient et l'opération se solde par un bilan très lourd (quarante-neuf otages et vingt-neuf assaillants sont tués).

Tous ces événements apparaissent liés et démontrent la porosité des frontières sahariennes. Ils reflètent également l'intérêt des principales puissances, nationales et internationales, pour cette zone géographique.

L'indépendance de l'Azawad

Le conflit, dans sa phase offensive, a débuté un an auparavant, le 17 janvier 2012. Face au refus du gouvernement malien de prendre en compte ses revendications et d'engager des négociations, le Mouvement national de libération de l'Azawad (MNLA) passe à l'action, à la faveur de l'équipement en armes lourdes ramené de Libye après la chute de Mouammar Kadhafi. Ce mouvement indépendantiste, né en octobre 2011, a fédéré deux organisations préexistantes : le Mouvement national de l'Azawad, formé par des étudiants appartenant à la jeune génération, et l'Alliance touarègue du Nord-Mali pour le changement, fondée par l'un des chefs historiques de la rébellion touarègue des années 1990, Ibrahim Ag Bahanga, décédé quelques mois plus tôt, en août 2011, en Algérie, officiellement dans un accident de voiture, alors qu'il revenait de Libye.

Comme l'ont fait les divers mouvements qui l'ont précédé, le MNLA dénonce la politique coloniale du gouvernement malien menée dans l'Azawad, ainsi que la corruption du régime, sa collusion avec les narcotrafiquants qui agissent sans entraves dans cette région, le détournement des aides au développement, l'absence d'application des accords de paix signés avec les groupes armés touaregs depuis 1991, le non-respect des droits humains et les nombreux massacres de civils perpétrés dans cette zone par l'armée et les milices paramilitaires à chaque revendication – pacifique ou armée – des habitants du Nord depuis l'indépendance du Mali en 1960. Le MNLA revendique clairement l'indépendance de l'Azawad. Il défend une ligne politique démocratique, républicaine et laïque, et se réclame d'une identité nationale pluricommunautaire : Songhays, Touaregs, Arabes, Peuls.

Mais la lecture des faits par les autorités et par la presse internationale est immédiatement « ethnique », fondée sur des arguments essentialistes. L'irrédentisme « touareg », présenté comme congénital, est mis en avant, quand ce n'est pas la « structure interne des communautés touarègues et maures » qui est censée les pousser irrésistiblement à la rébellion. Toute lecture politique des faits est ainsi occultée. Le « danger » dénoncé avec vigueur par les États et les « experts » n'est pas l'incurie du gouvernement malien, ni la gestion catastrophique du pays, ni les exactions contre les civils du Nord massacrés à plusieurs reprises par l'armée malienne ou contraints à l'exil, mais la remise en cause par les rebelles des frontières héritées de la colonisation.

La carte djihadiste

Rapidement, alors que l'action armée du MNLA est déjà engagée, un autre mouvement, Ansar Eddine, dirigé par Iyad Ag Ghali, s'affirme sur la scène militaire : son objectif est religieux et sa tendance, salafiste. À l'inverse du MNLA, Iyad Ag Ghali déclare clairement ne pas viser l'indépendance de l'Azawad mais l'instauration de la charia dans tout le Mali et l'Ouest africain, à commencer par l'Azawad. Il donne l'occasion aux responsables politiques internationaux de brandir la menace islamiste qui légitimerait une intervention militaire soutenue par la communauté internationale. Iyad Ag Ghali, qui fait partie des anciens chefs de la rébellion touarègue des années 1990, a travaillé pour le gouvernement malien après le premier accord de paix en 1991. Il a servi d'intermédiaire pour la libération des otages européens enlevés par Al-Qaida au Maghreb islamique (AQMI) dans les années 2000 et s'est rapproché des réseaux salafistes lors de son séjour en Arabie saoudite, où il assurait des fonctions diplomatiques.

La plate-forme revendicative produite par le mouvement Ansar Eddine n'est cependant pas rédigée sur le mode djihadiste conventionnel. On y retrouve le thème dominant de la menace d'extermination que des pouvoirs corrompus et autocratiques font peser sur une minorité dont l'identité est par contre reformulée, en lui accolant la dimension « arabe ». Il ne s'agit plus en effet des « Touaregs et assimilés » (incluant les Arabes et les Songhays), qui réclamaient la restitution de leur pays dans les pétitions adressées au général de Gaulle en 1957 et 1958, mais des « populations *arabo*-touarègues et alliés ». De même, un État supplémentaire, la Mauritanie, est ajouté à la liste des cinq États classiquement évoqués qui se partagent le pays touareg (Algérie, Libye, Mali, Niger, Burkina Faso). Citant Paul Valéry au sujet de la mort des civilisations, les rédacteurs du manifeste, qui maîtrisent parfaitement la langue et la culture françaises, se réfèrent à des situations politiques comparables dans d'autres régions du monde, qui ont repris leur destin en mains en appliquant la charia. Le projet d'un « Azawad musulman et libre » s'inscrit donc dans la nécessité de défendre une communauté en danger et sa culture « millénaire » (c'est-à-dire antéislamique), en instaurant un gouvernement « vertueux », par opposition « à l'affairisme, au népotisme, à la prévarication » d'un État non démocratique qui a échoué à intégrer le Nord. Le texte, souvent brillant, évoque les hommes de paille que sont les « deux ou trois Arabo-Berbères [nommés] à des postes importants » qui « enroulent autour de leur tête des chèches kilométriques pour rendre ostensible leur vénale targuité » (identité touarègue). Ce texte brandit également la charia comme moyen de pression pour faire accepter, à titre de solution d'urgence, l'autonomie de l'Azawad, comparée à une « séparation de corps avant le divorce » si les choses ne changent pas, c'est-à-dire si l'État malien ne s'amende pas en adoptant la charia. Finalement, pour être entendus, les griefs contre la politique délétère de l'État malien ont été formulés dans le registre religieux, là où les dissensions entre le Nord et le Sud sont les moins perceptibles.

L'effondrement du décor étatique

Suite aux troubles du Nord et au projet d'une intervention militaire internationale, le gouvernement malien est renversé à Bamako, le 22 mars 2012, par un militaire inconnu, le capitaine Amadou Haya Sanogo, formé aux États-Unis. Le putschiste, soutenu par une partie de l'opinion malienne, remet en cause toute idée d'ingérence étrangère pour résoudre la crise malienne. La Constitution et les institutions sont suspendues et le blocage de l'appareil politique et militaire est total. Sous la pression internationale, Sanogo accepte de rendre le pouvoir aux civils le 6 avril 2012, le jour même où le MNLA proclame l'indépendance de l'Azawad.

Alors que l'armée malienne a déserté le Nord en abandonnant son arsenal, une nouvelle carte militaire se dessine, clairement dominée par trois groupes salafistes : AQMI, émanation de l'ancien Groupe salafiste pour la prédication et le combat (GSPC) algérien ; le Mouvement pour l'unicité et le djihad en Afrique de l'Ouest (MUJAO), dont le noyau est constitué de Sahariens arabophones qui recrutent dans les camps sahraouis ainsi que chez les sédentaires sahéliens et subsahariens ; et Ansar Eddine, formé de Touaregs liés à Iyad Ag Ghali, qui dispose de moyens importants pour entretenir ses combattants. Le MNLA paraît au contraire avoir épuisé toutes ses ressources et certains de ses combattants se rapprochent d'Ansar Eddine pour retrouver des capacités d'action. Les islamistes finalement s'attaquent à lui pour l'éliminer.

L'amalgame entre les mouvements djihadistes et le mouvement indépendantiste s'opère rapidement dans les déclarations officielles et la presse. Tous les ingrédients utiles à la constitution d'un climat d'épouvante – vols, viols, amputations, exécutions publiques, destruction de patrimoine, enfants soldats, trafic de drogue – se mettent en place et sont déversés à la « une » de la presse alors même qu'aucun observateur n'a encore accès au terrain.

Détruire ou négocier ?

Face à l'effondrement de l'État malien au Nord comme au Sud, deux stratégies s'opposent à l'échelle internationale. D'une part, l'axe algéro-américain promeut la négociation avec les mouvements autochtones (MNLA et Ansar Eddine) à condition qu'ils renoncent l'un à l'indépendance et l'autre à tout lien avec les mouvements islamistes « terroristes ». D'autre part, la position française, drainant dans son sillage la CEDEAO, prône l'intervention armée. Ces intervenants extérieurs sont cependant parfaitement d'accord sur deux points, l'irrecevabilité de l'indépendance de l'Azawad, et la nécessité de rétablir le pouvoir malien.

L'idée même d'Azawad est contestée par les « experts » appointés par les États qui s'impliquent dans l'affaire malienne. Pourtant, la référence même à cet espace infraétatique a été imposée par les services secrets français et algériens comme une condition préalable aux accords de paix de 1991, interdisant toute allusion à un pays touareg de nature supraétatique. Les fronts armés touaregs des années 1990 seront ainsi retaillés selon un cadre régional qui ne transgresse plus les frontières héritées de l'histoire coloniale : « Azawad » du côté malien, « Aïr et Azawagh » du côté nigérien. Le dépeçage de l'identité des Touaregs s'accompagne pour les désigner de l'extraordinaire promotion d'un glottonyme local, Kel Tamashaght, « ceux qui parlent en sh », centré sur une particularité linguistique. Ce faisant, les revendications qui se réfèrent au droit des peuples à disposer d'eux-mêmes sont disqualifiées.

Quant à la question du manque de démocratie de l'État, au cœur des revendications touarègues depuis des décennies, aussi bien au Mali qu'au Niger, non seulement elle n'a jamais été prise en compte, mais elle a été niée au nom des formes en trompe l'œil de l'« État de droit » (comme les élections truquées par exemple).

Force est de constater que les concessions successives des fronts armés depuis les années 1990, face aux politiques étatiques de rabotage de l'identité politique, sociale et territoriale des Touaregs, n'ont finalement pas abouti à une amélioration de la situation pour la population, qui reste privée à la fois de droits sur la gestion de ses terres, du respect de sa culture, et de la protection et des services minimaux que l'État devrait théoriquement lui garantir.

Derrière la rhétorique « ethnique »...

La lecture des événements proposée à l'opinion publique en termes d'antagonisme des « races », des « ethnies », des « castes » ou des « tribus » évacue complètement la dimension politique du conflit. Elle en obscurcit également les enjeux souterrains qui concernent l'économie mondiale et le redécoupage des zones d'influence entre les puissances internationales avec l'entrée en scène de nouveaux acteurs (américains, chinois, canadiens, etc.) qui bousculent l'ancien paysage colonial. L'accès convoité aux richesses minières (pétrole, gaz, uranium, or, phosphates...) dont regorgent le Niger, la Libye, l'Algérie et, d'après des prospections plus récentes, le Mali est au centre de la bataille invisible qui se déroule dans le désert. Les communautés locales n'ont jusqu'ici jamais été prises en compte autrement que comme des leviers de pression qu'ont systématiquement cherché à manipuler les États en concurrence. C'est ainsi que les revendications politiques touarègues ont longtemps été contenues dans les limites strictes d'une autonomie régionale (d'ailleurs jamais appliquée par les États), et c'est pourquoi l'autre manette d'action que représentent les islamistes est devenue une réalité saharienne.

Si la dimension « ethnique » est abondamment mise en avant, les liens étroits qu'entretiennent certains groupes islamistes au Sahara avec divers États, en premier lieu l'Algérie [1], ne sont pratiquement jamais évoqués. De même, un silence de plomb règne sur les interventions constantes des services secrets français, algériens et libyens pour contrôler à leur profit la rébellion touarègue, la divisant en groupes rivaux destinés à se neutraliser les uns les autres. Les rapports directs entre l'État malien et les milices paramilitaires qu'il a créées après les accords de paix des années 1990 pour terroriser, sur des bases racialistes, les « peaux-rouges », civils touaregs et maures à teint clair, afin de ruiner les possibilités de paix et de développement promis, sont également dissimulés – tout comme le fait que ces milices, qui se déclarent elles-mêmes « négro-africanistes » (Ganda Koy, Ganda Izo, etc.), se soient associées avec les islamistes du MUJAO contre les indépendantistes du MNLA. Enfin, il est fort rare que soient évoquées les connexions entre certains représentants haut placés de l'État malien et d'États voisins avec les islamo-narcotrafiquants qui se partagent les bénéfices du transport de cocaïne arrivant d'Amérique du Sud et transitant par les pays côtiers avant d'être acheminée à travers le Sahara. Ces réseaux politico-mafieux n'ont rien à voir avec des clivages qui seraient intercommunautaires ou interethniques.

Finalement, l'amalgame simpliste entre insurgés touaregs, islamistes et terroristes est un raccourci commode pour justifier l'éradication, sous couvert de lutte antiterroriste, de toute revendication politique et territoriale de la part des Touaregs, qui pourrait contrarier les intérêts sahariens des grands acteurs politiques et économiques de la scène mondiale.

La grande perdante est la société civile, avec plus de 400 000 exilés ou réfugiés, des centaines de morts et de disparus, des milliers de familles privées de leurs moyens de survie, traquées par les militaires et les miliciens, dans un climat de répression aveugle attisée par des appels au meurtre sur la Toile où la guerre de propagande se déchaîne.

… des enjeux géostratégiques

L'engagement total de la France dans la guerre au Mali, au moment où sa politique budgétaire souffre de restrictions sévères, correspond à la

1 Voir à ce sujet notamment Omar Benderra, François Gèze et Salima Mellah, « L'"ennemi algérien" de la France : le GSPC ou les services secrets des généraux ? », <www.algeria-watch.org>, 23 juillet 2005 ; François Gèze et Salima Mellah, « "Al-Qaida au Maghreb" et les attentats du 11 avril 2007 à Alger. Luttes de clans sur fond de conflits géopolitiques », <www.algeria-watch.org>, 21 avril 2007 ; Jeremy Keenan, « The collapse of the second front », *Foreign Policy In Focus*, 26 septembre 2006 (<www.fpif.org>) ; Hocine Malti, « Les guerres de Bush pour le pétrole », <www.algeria-watch.org>, 21 mars 2008.

défense de son « indépendance » énergétique, liée aux prérogatives minières que l'ex-puissance coloniale s'est réservées de l'autre côté de la frontière malienne, au Niger, sur les terres touarègues. Le positionnement de troupes spéciales françaises autour des sites uranifères exploités à Arlit par la compagnie française Areva n'a cependant pas empêché le double attentat du 23 mai, revendiqué par Mokhtar Belmokhtar, contre la caserne d'Agadez, qui date de la conquête du Sahara, et le site minier d'Arlit. En s'attaquant à ces lieux qui incarnent localement la violence coloniale et l'expropriation territoriale des habitants, les islamistes ont remporté une victoire symbolique certaine.

Le scénario de « guerre globale contre le terrorisme » a également bénéficié à leurs inventeurs américains qui, depuis 2003, cherchaient à installer des bases militaires dans la zone saharo-sahélienne en y développant des programmes d'instruction militaire (*Pan-Sahel Initiative*, puis *Trans-Sahara counter Terrorism Initiative*). À la faveur de l'opération Serval au cours de laquelle leur apport en matière de renseignement militaire a été publiquement reconnu, les Américains ont finalement réussi à implanter leurs drones à Niamey au Niger, en plein « pré carré » français, et à justifier leur présence militaire en Afrique de l'Ouest. En fait, l'objectif prioritaire du Pentagone semble être de contenir l'expansion de la Chine, en se rapprochant militairement des sources d'approvisionnement en pétrole et autres minéraux indispensables au développement industriel de cette dangereuse puissance montante, potentiellement rivale [1]. La Chine est un partenaire économique omniprésent en Afrique, et occupe aujourd'hui tous les espaces laissés vacants par les anciennes puissances coloniales.

Sur le plan régional, l'Algérie, après avoir plaidé pour une solution négociée du conflit avec les groupes locaux (le MNLA qu'elle a voulu associer à Ansar Eddine pour mieux le contrôler et, le moment venu, le discréditer), a autorisé le survol de son territoire par les avions de guerre français, sans que l'on connaisse la contrepartie de cette concession. Son modèle contre-insurrectionnel de terrorisme islamiste téléguidé, du moins jusqu'à un certain point, a été exporté dans l'Azawad. Des fonds venant du Qatar et d'Arabie saoudite ont également financé les groupes islamistes et la promotion de l'arabisme.

En dépit de leurs intérêts différents, les puissances internationales en concurrence sur la zone saharo-sahélienne ont mené des politiques qui convergent sur plusieurs points essentiels. Elles ont misé, pour la plupart, sur l'évacuation du politique et des aspirations de la société civile, au profit d'un

1 Voir Frederick W. ENGDAHL, « NATO's war on Libya is directed against China : AFRICOM and the threat to China's national energy security », *Global Research*, 25 septembre 2011 (<www.globalresearch.ca>).

travail d'aliénation et de corruption des élites locales ainsi que des leaders d'opinion, promouvant toujours les mêmes personnes ou les mêmes groupes, selon des schémas élaborés à la période coloniale en fonction de leurs degrés d'allégeance à l'Empire. Elles ont fait le choix de la force et de l'autoritarisme pour éliminer toute forme d'opposition politique qui pourrait nuire à leurs projets économiques. Elles ont spéculé sur la guerre civile, pour détruire les mouvements contestataires, plutôt que sur la démocratisation des régimes en place. Le chaos social qui en résulte pourrait à terme s'avérer contre-productif.

Pour en savoir plus

Hélène CLAUDOT-HAWAD, *Touaregs. Apprivoiser le désert*, Gallimard, Paris, 2002.

Hélène CLAUDOT-HAWAD et HAWAD (dir.), *Touaregs. Voix solitaires sous l'horizon confisqué*, Survival International, Ethnies, Paris, 1996.

Michel GALY (dir.), *La Guerre au Mali. Comprendre la crise au Sahel et au Sahara. Enjeux et zones d'ombre*, La Découverte, Paris, 2013.

Raphaël GRANVAUD, *Areva en Afrique. Une face cachée du nucléaire français*, Agone, Marseille, 2012.

François-Xavier VERSCHAVE, *La Françafrique. Le plus long scandale de la République*, Stock, Paris, 1998.

FARC : vers la fin du conflit en Colombie ?

Marie Delcas
Correspondante du quotidien *Le Monde* à Bogota

La Colombie tente la paix. En annonçant, en septembre 2012, l'ouverture de négociations avec les guérilleros des Forces armées révolutionnaires (FARC) pour mettre fin à un conflit armé vieux d'un demi-siècle, le président Juan Manuel Santos (centre droit) a créé la surprise. Il s'était fait élire deux ans plus tôt en jurant de mener à son terme la politique sécuritaire d'Alvaro Uribe (2008-2010). Une politique qui a porté ses résultats : les FARC rurales et marxistes, qui comptaient 18 000 combattants en 2002, ne disposeraient plus que de 8 000 à 10 000 hommes (et femmes) en armes. Mais la guérilla n'est pas défaite et la guerre coûte cher. M. Santos, qui a été ministre de la Défense, le sait. Les pourparlers ont été engagés à La Havane, sans cessez-le-feu préalable. Dans les campagnes colombiennes, l'affrontement continue avec son lot de victimes, militaires et civiles.

Des défis immenses

Au nord du continent sud-américain, deux fois grande comme la France, la Colombie jouit d'une double façade maritime atlantique et pacifique, une aubaine pour les trafiquants en tout genre. Les Andes s'y séparent en trois cordillères qui fracturent le pays du sud au nord. Leurs replis escarpés et la jungle des plaines fournissent un habitat de choix aux guérilleros. Les 46 millions d'habitants du pays, largement urbanisés, se concentrent sur les hautes plaines, les vallées et les côtes. La Colombie, qui figure désormais en bonne place sur la liste des pays émergents, reste l'un des pays les plus inégalitaires au monde. Candidate à l'Organisation de coopération et de développement économiques (OCDE), elle compte quatre millions de déplacés.

Selon les sondages, une majorité de Colombiens approuve le principe des négociations de paix avec les FARC. Mais, échaudée par l'échec des tentatives précédentes, l'opinion publique reste sceptique quant à leurs chances de succès. Alvaro Uribe a pris la tête des critiques. Il tire à boulets rouges sur le processus en cours et accuse son successeur de céder au chantage des terroristes. L'approche des élections législatives, prévues pour mars 2014, et de la présidentielle, deux mois plus tard, contribue à polariser le débat. Une fois de plus, les FARC seront au centre des polémiques.

Négociateurs et observateurs font preuve d'un relatif optimisme. Menées dans une grande discrétion, les discussions suivent un agenda précis. L'accord trouvé sur le développement agraire constitue une avancée, la terre ayant toujours été au cœur du conflit. Le deuxième point de l'agenda, celui de la participation politique des guérilleros démobilisés, s'annonçait lui aussi ardu. Le gouvernement exige que les FARC reconnaissent leurs forfaits et que les auteurs des crimes les plus graves soient jugés, quitte à bénéficier ensuite de remises de peine. Les guérilleros, qui se posent en victimes, entendent échapper à la justice fût-elle transitionnelle.

Pour la guérilla, la paix durable passe par des réformes économiques et sociales de fond. Pour le gouvernement, ni la démocratie ni l'économie de marché ne sont négociables. Sur un point les parties s'accordent : l'éventuelle démobilisation des combattants ne sera que la première étape d'un long processus de réconciliation qui devrait permettre de construire un pays plus juste.

Les défis semblent gigantesques. Si la paix devait être signée, il faudra désarmer les combattants et les réinsérer, garantir leur sécurité, éviter leur dérive dans la délinquance, redéfinir le rôle de l'armée. Il faudra aussi convaincre les récalcitrants – militaires et civils – que le prix de la paix mérite d'être payé. Le post-conflit pourrait se révélé plus compliqué encore à gérer que la fin du conflit.

D'autant que les FARC ne sont pas les seuls acteurs du conflit colombien. La petite guérilla de l'Armée de libération nationale (Ejército de Liberación Nacional, ELN) est encore en lice. Et les bandes criminelles au service du narcotrafic, les « Bacrims », continuent de recruter. La Colombie, qui a cédé sa place de premier exportateur mondial de cocaïne au Pérou, produit plus de 500 tonnes d'alcaloïde par an. C'est dire si le nerf de la guerre est encore intact.

La plus vielle guérilla du monde

Dans les années 1950, la vieille rivalité entre élites libérales et conservatrices tourne à l'affrontement. L'assassinat du leader libéral Jorge Eliecer Gaitan en avril 1948 met le feu aux poudres. La violence embrase rapidement les campagnes. Fuyant les exactions de la police et des milices au service du parti conservateur, des milliers de paysans prennent la route ou le maquis. En 1953, un coup d'État porte au pouvoir le général Rojas Pinilla, qui promet de pacifier le pays. Contre la promesse d'une amnistie, la plupart des maquis se démobilisent. Inquiet du prestige croissant du général, conservateurs et libéraux s'entendent rapidement pour l'évincer. Signé en 1957, un accord prévoit que, pendant seize ans, un président libéral succédera à un président conservateur. La paix revient, mais la démocratie n'y gagne pas.

Dans la cordillère centrale, quelques maquisards rétifs n'ont pas déposé les armes. La révolution cubaine les fait rêver, le Parti communiste commence à les endoctriner. Les autorités s'inquiètent des « républiques indépendantes » où paysans et guérilleros cohabitent. En 1964, l'armée, aidée des Américains, lance une vaste offensive sur la région de Marquetalia, dans le sud-ouest du pays. Seize mille soldats sont mobilisés. Les guérilleros en fuite adoptent un « programme agraire ». Il tient lieu de document fondateur des FARC. La raison d'être du mouvement armé va se construire sur le récit de ses origines. Encore aujourd'hui, les FARC se définissent et se pensent comme un mouvement d'autodéfense paysanne.

D'autres mouvements armés ont vu le jour au cours de ces années brûlantes : l'ELN castriste, l'Armée populaire de libération (Ejército Popular de Liberación, EPL) maoïste, le Quintin Lame indigéniste et, quelques années plus tard, le M19 plus urbain.

La première tentative de négociation de paix avec les FARC remonte au début des années 1980. Une trêve est signée en mai 1984, un mouvement politique créé : l'Union patriotique (UP) qui regroupe le petit Parti communiste et des leaders guérilleros qui sortent de la clandestinité. Ivan Marquez, qui dirige aujourd'hui l'équipe des négociateurs de La Havane, fait partie du lot (il sera élu député). Mais les guérilleros restent méfiants, les élites économiques et militaires aussi. Et les négociations capotent en 1987. Plus de 3 000 militants de l'UP sont assassinés. Resté largement impuni, ce crime collectif hante la mémoire des FARC.

Avec les autres guérillas, les négociations aboutissent. Toutes sauf l'ELN se démobilisent, alors que s'effondre le mur de Berlin. Une nouvelle Constitution très progressiste est adoptée en 1991, une nouvelle tentative de négociations avec les FARC échoue. Le trafic de cocaïne en plein essor vient compliquer la donne. L'État colombien a déclaré la guerre aux narcotrafiquants qui, selon les régions, passent alliance avec les FARC ou avec leurs ennemis, les milices paramilitaires qui se sont constituées sous l'œil bienveillant des propriétaires terriens et de l'armée.

La drogue remplit les caisses et attise les ambitions des uns et des autres. En pleine expansion, capables de regrouper mille combattants sur une opération, les FARC infligent à l'armée quelques cinglants revers. Des centaines de soldats sont capturés au combat. La guérilla multiplie les enlèvements de civils « à des fins économiques ». En 1997, les milices paramilitaires se fédèrent au sein des « Autodéfenses unies de Colombie » (AUC), qui multiplient les exactions contre les paysans accusés de prêter main forte à la guérilla. Les massacres sont quotidiens, les déplacements de population massifs.

Pour asseoir à nouveau les FARC à la table des négociations, le gouvernement d'Andres Pastrana (conservateur) accepte en 1999 de retirer l'armée d'un territoire de 42 000 kilomètres carrés dans le sud amazonien du pays. Les pourparlers vont piétiner pendant trois ans. Les chefs guérilleros, qui se sentent en position de force, se montrent peu enclins aux concessions et mettent à profit la zone démilitarisée pour recruter, s'entraîner et cacher leurs otages. L'opinion publique perd patience. En février 2002, le gouvernement met un terme aux négociations.

Trois mois plus tard, M. Uribe est élu, qui promet de venir coûte que coûte à bout des FARC. Le succès de sa politique militariste dite de « sécurité démocratique » lui permettra d'être réélu quatre ans plus tard. Il a entre-temps engagé des négociations avec les paramilitaires. Officiellement 32 000 hommes ont déposé les armes. Les grands chefs paramilitaires seront ensuite extradés aux États-Unis.

Mis en place par Washington pour lutter contre la drogue, le Plan Colombie va désormais financer la lutte contre les FARC. L'armée force les guérilleros à se replier loin des villes et des axes routiers. Acculés, les combattants désertent par centaines. En 2008, deux membres du « secrétariat général » des FARC, jusqu'alors intouchable, sont tués, l'un par l'armée au cours d'un raid aérien mené en territoire équatorien, l'autre par un de ses gardes du corps. Et le chef historique des FARC, Manuel Marulanda, meurt de vieillesse. Les progrès conjugués du renseignement militaire et de la politique de délation, de l'interception des communications et des bombardements permettent à l'armée de marquer des points décisifs. Les Colombiens veulent croire qu'ils assistent au « début de la fin des FARC ».

Mais l'organisation armée, qui a redécouvert les vertus de la mobilité et les techniques de la guerre de guérilla, a su s'adapter. Mines antipersonnel, embuscades, voitures piégées et snipers constituent son nouveau *modus operandi*. Éliminer des guérilleros de plus en plus isolés, méfiants et aguerris coûte de plus en plus cher. Or le budget militaire représente déjà 17 % du budget de la nation. Et l'armée compte 450 000 soldats, soit 1 % de la population colombienne. Selon les estimations officielles, le conflit coûte entre 1 et 2 points de croissance annuelle au pays. Son coût indirect, en terme de vies humaines fauchées, de destruction d'infrastructures, de déficit de confiance citoyenne et de bien-être, est incalculable.

Les chances de la paix

Au tournant du millénaire, la gauche est arrivée au pouvoir dans plusieurs pays d'Amérique latine et elle y est restée. Au Vénézuela, en Bolivie, en Équateur, elle prône un virage radical. La présidente brésilienne Dilma Roussef et l'Uruguayen José Mojica sont d'anciens guérilleros. Certes, les FARC se sont longtemps montrées imperméables aux bouleversements du monde, mais elles ne s'en sont jamais isolées. Et le nouveau contexte régional semble d'autant plus favorable que les États-Unis font profil bas dans la région. La guerre froide n'est plus, la croisade contre le terrorisme a perdu de son brio et Washington semble prendre conscience que la lutte contre la drogue est un échec. Cette mise en sourdine des intérêts américains dans le sud du continent pèse probablement en faveur de la paix.

À la différence d'Alvaro Uribe, représentant d'une élite terrienne provinciale plus ou moins liée à ces nouveaux riches que sont les narcotrafiquants, Juan Manuel Santos est issu de l'oligarchie traditionnelle. Sa famille a été longtemps propriétaire du quotidien libéral *El Tiempo*. M. Santos est un habitué des prébendes et des jeux du pouvoir. Il brigue une place dans les livres d'histoire. Dès son discours d'investiture, il tend la main à son homologue vénézuélien Hugo Chavez – hier accusé de soutenir la guérilla – et évoque la possibilité de négocier la paix. M. Uribe se sent trahi.

M. Santos fait adopter par le Congrès deux réformes importantes. La Loi des victimes et de restitution des terres, votée en décembre 2011, se propose de rendre leurs terres aux paysans spoliés par le conflit armé et prévoit des mécanismes de réparation financière et morale pour toutes ses victimes.

Adopté six mois plus tard, le Cadre juridique pour la paix ouvre la voie à une éventuelle – et partielle – amnistie des combattants démobilisés.

Parallèlement, des pourparlers secrets sont engagés avec les FARC. La mort d'Alfonso Cano, le successeur de Marulanda, tué par l'armée le 4 novembre 2011, n'y mettra pas fin. Début 2012, les guérilleros annoncent qu'ils renoncent aux enlèvements contre rançon et libèrent leurs dix derniers « prisonniers de guerre ». C'était une des conditions posées par le gouvernement à la formalisation des négociations.

L'autre était de négocier à l'étranger. Signé à La Havane le 26 août 2012, l'« Accord général pour mettre fin au conflit et construire une paix stable et durable » fixe un agenda et les règles du jeu de la négociation. Outre la politique de développement agraire et la participation politique des ex-combattants, les cinq points à négocier incluent la fin du conflit, la solution au problème des drogues illicites et les réparations dues aux victimes du conflit. Pour la première fois de leur histoire, les FARC évoquent la possibilité de rendre leurs armes. M. Santos a reconnu le rôle clé qu'avait joué Hugo Chavez dans cette étape exploratoire, lors du décès de celui-ci en mars 2013.

À l'ouverture du processus de paix – qui se tient à Oslo – les grands médias font preuve de scepticisme. Le discours sans concession du chef des FARC, Timochenko, leur fait l'effet d'une douche froide. Le chef guérillero ne parle pourtant ni d'expropriation massive ni de collectivisation. La position des FARC n'est pas si éloignée de celle des organisations internationales ou du ministère de l'Agriculture.

Demandé par les FARC, le cessez-le-feu est remis à plus tard. Le gouvernement ne veut pas diminuer la pression militaire sur les guérilleros pour les contraindre à négocier. Et il doit convaincre les militaires et l'opinion publique que les FARC ne tirent aucun profit tactique du dialogue engagé. Garantir le respect d'un cessez-le-feu est en outre difficile, en l'absence d'un arbitre international capable d'adjudiquer les responsabilités.

Ni le gouvernement ni la guérilla n'ont souhaité la présence d'un véritable médiateur à la table des négociations. La Norvège et Cuba font office de pays garants, le Chili et le Vénézuela de pays accompagnateurs. Leur rôle pratique reste incertain. La possibilité qu'une organisation internationale soit sollicitée plus avant n'est pas exclue. L'ONU, l'Organisation des États américains (OEA) ou l'Union des nations sud-américaines (UNASUR) – la nouvelle organisation régionale dont les États-Unis ne font pas partie – pourraient contribuer à l'application d'un éventuel accord.

Les membres de la délégation des FARC, tous des vétérans, ont-ils autorité pour engager l'ensemble de l'organisation ? D'aucuns affirment que les FARC sont divisées entre une ligne politique ouverte au dialogue et une ligne dure, militariste. L'arrivée du chef militaire Catatumbo en mars 2013 à La Havane semble démentir ces rumeurs. Les « farcologues » rappellent que l'organisation armée a fait de sa cohésion une force rarement démentie. La délégation gouvernementale qui est dirigée par un ex-ministre de l'Intérieur, Humberto de la Calle, se veut elle aussi représentative. Elle compte deux hauts fonctionnaires – l'un spécialiste des questions de sécurité, l'autre de réinsertion des combattants –, un général et un grand patron. Le relatif secret qui entoure les négociations est perçu tout à la fois comme un gage de réussite et un risque de déficit démocratique.

Aucune femme n'est assise à la table des négociations. Aucun représentant des victimes du conflit non plus. Déplacés, veuves et orphelins, handicapés, ex-otages demandent pourtant à être écoutés. Les Indiens, les paysans, les Afro-descendants, les défenseurs des droits de l'homme aussi. Des mécanismes de participation de la société civile ont été mis en place. Une page Web est ouverte. Un nouveau mouvement, « la Marche patriotique », tente de regrouper les organisations sociales les plus radicales. La droite y voit la main des FARC.

Le gouvernement a promis que la paix ne se ferait pas « à l'insu des Colombiens ». S'il est signé, l'accord de paix devrait donc être ratifié par le Congrès ou soumis à référendum. La possibilité d'une Assemblée constituante est même évoquée. Aucun scénario n'est gagné d'avance. La droite dure, menée par Alvaro Uribe, entend bien faire capoter le processus de paix s'il menace ses intérêts.

Gouvernement et guérilla savent qu'une victoire militaire de l'un sur l'autre est impossible. Mais ce constat suffit-il à assurer le succès des négociations ? Rien n'est moins sûr. Les deux parties, invaincues sur le terrain militaire, ne veulent pas d'une paix « à n'importe quel prix ». Selon M. Santos, le gouvernement, qui n'a rien cédé, n'a rien à perdre. Mais si les négociations devaient échouer, la Colombie pourrait voir « la fin de la fin du conflit » et son cortège de drames s'éterniser encore.

Pour en savoir plus

« (De) construyendo la paz en Colombia », dossier en ligne de l'Observatoire politique de l'Amérique latine et des Caraïbes (OPALC), Sciences Po, Paris (<www.sciencespo.fr>).

INTERNATIONAL CRISIS GROUP, « Colombia : Peace at last ? », Latin America Report n° 4525, septembre 2012 (disponible sur <www.crisisgroup.org>).

« La Colombie », *Problèmes d'Amérique latine*, n° 83, 2012.

Daniel PÉCAUT, *Les Farc, une guérilla sans fins ?*, Lignes de repères, Paris, 2008.

Violence et politique en Syrie

Vicken Cheterian
Chercheur en relations internationales (Genève – Londres) [1]

Pourquoi les initiatives diplomatiques successives n'ont-elles pas réussi à trouver un terrain commun, ni même à démarrer un processus de négociation, en Syrie ? Comment expliquer la violence extrême qui a éclaté dans le pays après le commencement, en mars 2011, du mouvement populaire pour des droits politiques ?

Ces questions intéressent à la fois les acteurs de terrain et les politologues. Plus de deux ans après le début de la révolte syrienne, les grandes puissances insistent encore sur la nécessité de trouver une solution de compromis entre le régime (avec Bachar al-Assad pour certains, sans lui pour d'autres, mais dans tous les cas avec le régime) et les forces d'opposition. Et il reste même des voix au sein de ces dernières – sans doute de plus en plus isolées – pour remettre en cause la stratégie de l'opposition armée et affirmer que la lutte non violente aurait obtenu les résultats espérés.

Pour le politologue, le cas de la Syrie est un défi considérable. Depuis la fin des années 1980, avec la « révolution de velours », l'effondrement de l'Union soviétique et les plus récentes « révolutions de couleur » en Europe de l'Est, l'idée de révolution s'est libérée du lien étroit qu'elle entretenait avec la violence de masse. La révolution, croyait-on, était désormais possible sans violence, à travers la pression de larges parties de la population et leur volonté d'un changement pacifique. Au commencement du « printemps arabe », et avec le renversement relativement pacifique de Ben Ali et de Moubarak [2], l'idée que le changement révolutionnaire était possible sans un bain de sang est restée pertinente. Dans ce contexte, expliquer l'explosion de violence en Syrie n'est pas chose aisée.

La naissance d'une révolution

Le soulèvement syrien a commencé par une demande populaire et pacifique de changement politique, et il s'est poursuivi sur ce registre pendant six bons mois. Il est difficile de dire si une révolution aurait pu

---

1 Cet article a été traduit de l'anglais par Christophe Jaquet.

2 Ni le renversement de Ben Ali ni celui de Moubarak n'ont été pacifiques : dans le premier cas, il y eut 300 blessés, dans le second plus de 800.

éclater en Syrie sans le contexte du « printemps arabe », mais il est certain qu'elle s'en est inspirée : les premières manifestations ont eu lieu à Damas, le 15 mars 2011, au nom de la liberté (*hurriya*). Mais la véritable explosion s'est produite quelques jours plus tard, à Deraa, où des élèves furent arrêtés pour avoir écrit sur le mur de leur école le slogan qui symbolisait le « printemps arabe » : « Le peuple veut renverser le régime. » Les enfants furent torturés, et quand les notables de la ville se rendirent chez le chef de la sécurité politique locale (*moukhabarat*), Atef Najib, un cousin du président syrien, ils furent humiliés et renvoyés chez eux. Cela provoqua le soulèvement de Deraa, qui fut réprimé *manu militari* par le régime. La ville fut mise en état de siège, les communications et l'électricité furent coupées, et l'on tira à balles réelles sur les manifestants. L'armée et les services de sécurité entrèrent dans la ville, la fouillèrent maison par maison et procédèrent à de multiples arrestations.

Les dirigeants n'ont jamais accepté le droit du peuple syrien à l'autodétermination. Le régime baasiste, arrivé au pouvoir en 1963, dictature personnelle sous Hafez al-Assad, devint une dynastie en 2000, quand, à la mort de celui-ci, son fils Bachar lui succéda au pouvoir. Le régime syrien n'était pas prêt à faire face à un soulèvement populaire. En janvier 2011, dans une interview au *Wall Street Journal* [1], le président Bachar al-Assad avait certes jugé légitimes les soulèvements tunisien et égyptien, mais avait affiché sa conviction que son pays ne connaîtrait pas de mouvements similaires. Bien qu'il reconnaissait la nécessité de « réformer » son pays, son raisonnement s'appuyait moins sur l'analyse des rouages sociaux internes de la Syrie que sur une interprétation géopolitique de la situation. Jusqu'alors, les révolutions avaient frappé des régimes arabes alliés des États-Unis. La Syrie, elle, se considérait comme au premier rang de la lutte pour la « cause » anti-américaine et anti-israélienne.

Dans les mois qui suivirent, alors que le mouvement populaire continuait à prendre de l'ampleur, tout en restant pacifique, le régime syrien choisit une double stratégie. Il accorda d'abord quelques concessions, introduisant des changements qui semblaient annoncer d'autres réformes. Le 19 avril 2011, la loi d'urgence en vigueur depuis quarante-huit ans fut abolie, le gouvernement promit d'autoriser les partis politiques, plusieurs gouverneurs de province furent renvoyés, et un « dialogue national » fut entamé. Parallèlement, le régime lança un processus de rédaction d'une nouvelle Constitution et annonça de nouvelles élections parlementaires. Mais, derrière ces réformes de façade, il continuait de se reposer sur son appareil de sécurité et ses méthodes répressives. Le régime avait décidé de maintenir sa domination et de n'accepter qu'un changement limité, largement formel.

---

1 Interview du président syrien Bachar al-Assad, *Wall Street Journal*, 31 janvier 2011 (<http://online.wsj.com>).

Face à l'extension du mouvement de Deraa à Homs, Hama, Lattaquié, Idlib et à la périphérie de Damas, il fit le choix de la « solution sécuritaire ».

Trois méthodes ont été utilisées pour délégitimer les opposants : les qualifier de « salafistes », de « terroristes » ou d'« agents de l'étranger ». Le régime s'est efforcé de détourner la lutte sur un terrain favorable : une confrontation armée contre un mouvement islamiste radical ayant une dimension confessionnelle locale. En déplaçant la lutte vers la contestation armée, le régime pensait être en mesure de l'emporter facilement. En affirmant que la répression visait les « salafistes » ou Al-Qaida, le régime cherchait à obtenir, en plus d'un soutien étranger, l'appui de la classe moyenne syrienne et de nombreuses confessions religieuses non sunnites. Autrement dit, le régime pensait répondre à la crise de 2011 comme il l'avait fait à Hama en février 1982, lorsqu'un mouvement de révolte fut écrasé militairement au prix de milliers de victimes. L'objectif principal était de ne rien céder du pouvoir.

Efforts diplomatiques

Les autorités syriennes ont pourtant accepté des initiatives diplomatiques, notamment celles de la Ligue arabe qui demandait à Damas de recevoir ses inspecteurs, de déclarer un cessez-le-feu et de libérer les prisonniers politiques. Pour un État jaloux de sa souveraineté, il s'agissait d'une concession importante. Elle fut faite à un moment où la position occidentale sur l'escalade du conflit en Syrie n'était pas claire, et où le régime craignait une intervention de l'OTAN, dont l'opération en Libye venait de se terminer. La Russie exerça de fortes pressions sur son allié syrien pour qu'il résiste à celles des pays occidentaux du Conseil de sécurité des Nations unies. Mais, en réalité, les autorités syriennes n'ont jamais eu l'intention d'accepter l'initiative de la Ligue arabe et, après un mois à peine de présence sur le sol syrien, la mission de celle-ci se retira.

Une nouvelle mission internationale, confiée à l'ancien secrétaire général de l'ONU, Kofi Annan, fut sans doute la dernière chance réelle de trouver une solution non militaire au conflit. En février 2012, quand Annan fut nommé envoyé spécial conjoint en Syrie, il proposa un plan en six points, qui appelait à un cessez-le-feu et au lancement d'un processus politique capable d'élaborer des mécanismes de transition pour le pays. À ce stade, cependant, la communauté internationale avait déjà trop tardé pour pouvoir apporter une solution pacifique à un conflit qui dressait désormais les forces du régime contre une opposition de plus en plus armée.

En juillet 2012, la confrontation au Conseil de sécurité entre la Russie et la Chine d'une part, qui défendaient les autorités syriennes, et les États occidentaux d'autre part, qui appelaient à des mesures « dures » contre Damas, montra que les différences persistantes ne pouvaient être surmontées. Il révéla aussi qu'Annan n'avait pas le soutien international nécessaire pour accomplir sa mission. Les efforts diplomatiques bloqués, les combats s'intensifièrent et la moitié des observateurs onusiens quittèrent la Syrie. La démission d'Annan, le 2 août, ne fit qu'entériner la violence.

L'échec de la solution sécuritaire

Bachar al-Assad choisit de faire face à un problème politique dans son pays par les seuls moyens sécuritaires. Ce « choix sécuritaire » des autorités excluait obstinément le recours à des instruments politiques pour répondre à la réalité de la révolution. La révolte commencée à Deraa en mars 2011, qui réclamait la liberté et des droits fondamentaux, posait des questions de nature politique, mais le président syrien décida de détruire ce mouvement naissant. Au début, à Deraa, Hama et ailleurs, la force employée par le régime resta l'apanage des diverses agences de sécurité placées sous son autorité. Mais à mesure que les manifestations gagnaient de nouveaux villages, de nouvelles villes et de nouvelles provinces, les agences de sécurité se révélèrent insuffisantes et le régime demanda à des unités de l'armée de réprimer le soulèvement qui continuait de s'étendre.

Les structures sécuritaires et militaires syriennes, en continuant à se battre pendant si longtemps, ont montré une incroyable rigidité. Mais cette rigidité a été leur faiblesse, et elles se sont finalement montrées incapables de s'adapter et d'employer les tactiques qu'appelle la guérilla ; au lieu de cela, l'armée utilisa des armes lourdes, des chars, de l'artillerie, et recourut au bombardement d'obus indiscriminé. Cet emploi massif de la force visait bien sûr à intimider et menacer l'adversaire, en élevant de façon exorbitante le « prix de la liberté ». Mais la tactique militaire du bombardement des zones résidentielles était en réalité un signe supplémentaire de faiblesse : la hiérarchie de l'armée ne faisait pas confiance à la troupe, et craignait que les conscrits ne désertent s'ils étaient dispersés sur les nombreux fronts.

Début mars 2012, les autorités syriennes célébrèrent leur victoire contre le bastion de l'opposition de Baba Amro (Homs), croyant avoir mis fin à la rébellion armée. En fait, elles faisaient comme les généraux qui planifient la guerre de demain à partir de l'exemple d'une guerre d'hier : Baba Amro en 2012 n'était pas Hama en 1982, et les fronts de guerre ont continué de se multiplier dans le pays : Idlib, Deir Ez-Zor, puis Damas et Alep affaiblirent encore les ressources de l'armée syrienne, désormais débordée de toutes parts. L'intimidation ayant échoué, et la révolte s'étant étendue et armée, les forces du gouvernement recoururent à des armes plus lourdes : les chars à l'été 2011 à Hama, les barrages massifs d'artillerie à Homs en février 2012, et les attaques aériennes : des hélicoptères à Rastan en mai et des avions à Alep en juillet. Le 12 décembre 2012, des missiles balistiques Scud sol-sol non guidés furent utilisés pour la première fois. L'usage accru de la violence suscita la colère de nombreuses couches de la population qui étaient restées neutres ou qui n'avaient pas rejoint la lutte militaire. En bombardant des quartiers, des villages et des villes, les autorités les poussèrent à la rébellion, et dans les bras de l'Armée syrienne libre.

Pendant la première moitié de l'année 2012, plusieurs occasions se présentèrent aux autorités syriennes pour tenter de résoudre la crise grâce à des instruments politiques. Il est stupéfiant de voir comment elles furent gâchées : un référendum sur la nouvelle Constitution et des élections législatives furent organisés respectivement le 26 février et le 7 mai. Ces deux événements politiques étaient censés incarner la réforme promise par Bachar al-Assad un an plus tôt et constituer la première étape vers un système politique multipartite. Pourtant, ni les anciennes figures de la dissidence, ni la nouvelle force politique populaire des Comités locaux de coordination, ni aucune autre, ne furent invitées à prendre part à ces événements. Les élections législatives, événement généralement important dans le cycle politique d'une société, furent par excellence antipolitiques ! Le parti baasiste conserva son hégémonie sur le Conseil du peuple (*majlis al-sha'b*) et le nouveau Premier ministre nommé après les élections de mai ne fut autre que Riad Farid Hijab, ancien fonctionnaire baasiste et ancien gouverneur de la province de Lattaquié [1]. La rigidité du système ne lui permettait ni de manœuvrer ni de faire émerger de nouvelles figures ou de nouvelles forces politiques pour modeler les institutions syriennes. Il peut sembler incroyable que les autorités du pays n'aient organisé ces événements que pour exclure toute participation de l'opposition, mais ce fut bel et bien une autre occasion perdue.

De l'opposition politique à l'opposition armée

L'opposition politique syrienne a mis du temps pour montrer son visage : le Conseil national syrien (CNS) ne fut déclaré que le 23 août 2011, c'est-à-dire plus de cinq mois après le début du soulèvement. Le CNS est devenu la première structure autour de laquelle se sont rassemblées les grandes figures de l'opposition syrienne. Dissidents syriens en exil, pour la plupart, ses membres manquaient toutefois d'expérience politique : en Syrie, toute activité politique digne de ce nom leur avait été dans le passé interdite, et les conditions de l'exil les en avaient aussi privés. En un sens, nombre de ses membres faisaient maintenant, à chaud et sur le tas, leur apprentissage.

Ils furent cependant incapables de montrer les compétences et la cohésion qui auraient pu amener le CNS à prendre la direction politique du soulèvement syrien. Le Conseil débattait de pratiquement tout : si la révolution devait être armée ou pacifique (ce qui entraîna la rupture avec certaines

1 Hijab fit plus tard défection et s'enfuit en Jordanie.

figures comme Haitham al-Maleh, en mars 2012) ; s'il fallait demander une intervention étrangère ou s'y opposer ; si son président devait être nommé pour trois mois ou un an... Les débats au sein du CNS portaient davantage sur les questions de personnes qu'ils n'opposaient les Frères musulmans et les formations laïques.

Ces désaccords reflétaient des dilemmes plus profonds divisant l'opposition politique syrienne : la répression que le mouvement de contestation avait subie très tôt ne lui avait pas permis de constituer une alternative de dimension nationale. On ne permit pas aux Syriens d'avoir leur place Tahrir. Demeurée en exil, l'opposition politique était principalement composée de militants qui avaient quitté le pays plusieurs dizaines d'années auparavant. Les nouveaux militants, ceux qui rejoignirent le mouvement de contestation en 2011, avaient été arrêtés, torturés et tués, et les survivants furent nombreux à se réfugier dans les pays voisins. Début 2013, il y avait un contraste prononcé entre les figures politiques de l'opposition, dispersées dans plusieurs pays étrangers, et l'opposition armée en Syrie elle-même.

La rébellion armée fut le résultat naturel de la répression du régime, pas le choix délibéré d'une autorité politique. Les premiers rebelles armés étaient soit des soldats ou des officiers qui ne supportaient plus de tirer ou de faire tirer sans discrimination sur des cibles civiles, et qui désertèrent, soit des civils eux-mêmes, de plus en plus nombreux à choisir de prendre les armes et de résister. Et pendant que se développait la résistance armée, les figures de l'opposition politique continuèrent de discuter, des mois durant, de la question de savoir s'il fallait poursuivre une stratégie pacifique ou soutenir la rébellion en armes.

Ces atermoiements, comme le passage de la révolte pacifique à la révolte armée, reflètent des évolutions à la fois sociologiques et idéologiques de la rébellion. Le mouvement dissident syrien du passé, comme celui de 2011, était dominé par une couche urbaine éduquée, qui mettait en avant des revendications politiques dans un cadre démocratique et laïque. En 2011, un des slogans les plus entendus était celui de « Liberté ». En 2012, le combattant de l'opposition était soit un déserteur de l'armée, soit un homme des campagnes, et leur discours à tous deux était fortement religieux. Cette évolution n'était pas sans conséquence, la révolte risquant alors d'apparaître non plus comme mouvement pan-national mais comme un soulèvement identitaire plus étroit, de type confessionnel ou réduit à une dimension locale. Les différentes brigades de l'opposition ont montré des signes de coordination lors des attaques de Damas et d'Alep à l'été 2012, ou dans la « bataille des aéroports », au nord de la Syrie, début 2013, mais les groupes combattants restent largement un réseau décentralisé.

Quelle issue ?

Jusqu'à présent, l'opposition syrienne n'a pas su se doter d'une autorité et continue de réagir aux événements. C'est une volonté extérieure qui a mis sur la touche le CNS et rassemblé la Coalition nationale pour la révolution syrienne, créée symboliquement à Doha, au Qatar, le 11 novembre 2012. Ahmad Moaz al-Khatib, un ancien imam de la Grande Mosquée de Damas, en a pris la tête ; mais la Coalition garde ses distances avec le mouvement civil et la rébellion armée en Syrie préférant concentrer ses efforts en direction des grands États du globe pour tenter de les convaincre d'aider la révolte – sans succès notable jusqu'à présent. Washington continue à chercher une solution « à la yéménite » consistant à remplacer Al-Assad par une personnalité de compromis tout en préservant les structures de l'État, c'est-à-dire l'armée et des éléments de l'appareil de sécurité. Parallèlement, Moscou refuse de faire, comme le réclame l'opposition syrienne, du départ d'Al-Assad un préalable à la négociation, fournissant en pratique un soutien inconditionnel au régime.

Même si l'imagination populaire associe la violence et la révolution, les grandes révolutions historiques ont montré que le renversement d'un régime se passe bien souvent avec une violence limitée. La prise de la Bastille en 1789, la chute du tsar en février 1917 ou la prise du palais d'Hiver à Petrograd en octobre de la même année ont été des tournants dans ces révolutions, des événements violents qui n'ont pourtant provoqué que quelques dizaines de morts. Les régimes s'écroulent généralement quand les élites dirigeantes doutent de leur propre légitimité et se divisent, ou quand la police et l'armée refusent d'exécuter les ordres du pouvoir exécutif. La Syrie est une première historique : les élites dirigeantes font preuve de cohésion et les forces armées restent loyales, au prix même de leur destruction face à une révolte populaire à laquelle elles ne parviennent pas à mettre fin. En attendant, les destructions massives et les très lourdes pertes humaines obscurcissent largement l'avenir de la Syrie.

Pour en savoir plus

Souhaïl Belhadj, *La Syrie de Bashar al-Asad. Anatomie d'un régime autoritaire*, Belin, Paris, 2013.

François Burgat et Bernard Paoli (dir.), *La Syrie, du printemps à l'enfer. Les clés pour comprendre les acteurs et les défis de la crise (2011-2013)*, La Découverte, Paris, 2013.

Caroline Donati, *L'Exception syrienne. Entre modernisation et résistance*, La Découverte, Paris, 2009.

Baudouin Dupret, Zouhair Ghazzal, Youssef Courbage et Mohammed Al-Dbiyat (dir.), *La Syrie au présent. Reflets d'une société*, Sinbad/Actes Sud, coll. « La Bibliothèque arabe », Paris/Arles, 2007.

Raphael LEFÈVRE, *Ashes of Hama. The Muslim Brotherhood in Syria*, Hurst, Londres, 2013.

Stephen STARR, *Revolt in Syria. Eye-Witness to the Uprising*, Hurst, Londres, 2012.

Nikolaos VAN DAM, *The Struggle for Power in Syria, Politics and Society Under Asad and the Ba'th Party*, I.B. Tauris, Londres, 2011 (rééd.).

Où en est l'Afghanistan ?

Jean-Luc Racine
Géographe et géopolitologue, directeur de recherche émérite au CNRS

Alors que les troupes de la coalition internationale préparent leur départ massif d'Afghanistan en 2014, l'heure est au bilan de ce qui fut la plus longue guerre américaine à l'étranger. Elle est aussi à la préparation de la transition à venir. La conférence de Bonn de décembre 2001 s'était donné une double tâche : la reconstruction de l'État afghan après deux décennies de guerre (contre les Soviétiques, puis entre mujahedins, puis sous la pression des talibans) et l'élimination d'Al-Qaida. Mais quelle était la priorité : la reconstruction ou la sécurité ? Si des avancées eurent bien lieu sur les deux plans, aucune ne fut assez marquante pour assurer la sécurité comme préalable à la reconstruction de l'État, ou une reconstruction assez significative pour couper l'herbe sous le pied de l'insurrection.

En 2014, la conjonction de l'élection présidentielle et du retrait des forces étrangères cristallise une double interrogation inscrite dans la logique de la décennie écoulée. S'y ajoutent deux autres questions, qui traduisent quant à elles une rupture. Les tentatives de négociations avec les talibans favoriseront-elles un compromis acceptable par tous, paré parfois du nom emphatique de « réconciliation nationale » ? La communauté internationale, tant à l'échelle mondiale que dans le cadre régional, pourra-t-elle garantir à l'Afghanistan la paix et la sécurité dont le pays a besoin ? À cet égard, le Pakistan joue un rôle particulier, mais tous les voisins ont un rôle à jouer.

Reconstruction de l'État et dynamiques sociales

La reconstruction de l'État afghan fut décevante à maints égards. Les espoirs soulevés par la victoire d'Hamid Karzaï à l'élection présidentielle de 2004 – mettant un terme à l'administration provisoire qu'il dirigeait depuis 2002 – et par l'élection de l'Assemblée nationale et des assemblées provinciales de 2005 furent bien vite amoindris par le réveil des talibans. Le choix constitutionnel d'un régime présidentiel centralisé, le refus de voir les partis politiques participer aux élections, les logiques tribales, l'accommodement des « chefs de guerre », le clientélisme présidant à la nomination des gouverneurs de province, et les fraudes entachant l'élection présidentielle de 2009 maintenant Karzaï au pouvoir ont contribué à décrédibiliser le politique, d'autant que la corruption s'est généralisée. La politique d'aide internationale, en privilégiant les ONG internationales ou locales, n'a pas contribué à renforcer l'État, d'autant que les actions spécifiques imparties aux membres de la coalition (reconstruire le système judiciaire, la police, le système de santé, l'éducation) n'ont pas toujours atteint leurs cibles. La production d'opium a repris de plus belle, pour dépasser 90 % de la production mondiale : le trafic générerait près de 50 % du PNB afghan, mais toute éradication massive imposerait des cultures de substitution moins rentables aux quelque trois millions de petits producteurs.

Pour autant, le pays a connu quelques progrès : l'espérance moyenne de vie est passée de quarante-deux ans en 2001 à soixante ans en 2013. Le nombre d'enfants scolarisés a décuplé pour atteindre 9 millions, dont 40 % de filles. Aux élections de 2010, un sixième des candidats et près de 30 % des élus furent des femmes, le quota de soixante-huit sièges qui leur est réservé sur les 249 de la Chambre basse étant donc dépassé. Les nouveaux riches bénéficiant des retombées de l'économie de guerre, des détournements de l'aide internationale et des circuits de la corruption ne manifestent donc qu'un volet des dynamiques sociales engagées après la chute des talibans. L'essor des médias, la persistance de la pluralité politique, l'émergence de nouveaux entrepreneurs dessinent par petites touches des pistes pour l'avenir. Celles-ci ne peuvent toutefois contrebalancer la faiblesse de l'État, qui sert les insurgés : dans les zones qu'ils contrôlent, les talibans cherchent à apparaître comme plus efficaces en matière de justice quand il faut trancher des différends locaux.

Hamid Karzaï ne pouvant solliciter un troisième mandat, la course à la présidentielle prend un nouveau tour. Le président sortant poussera-t-il avec succès l'un de ses proches, ou le nouveau contexte favorisera-t-il Abdullah Abdullah, candidat malheureux en 2009 ? Les grandes manœuvres s'engagent dès 2013, laissant entière la question des conditions de sécurité dans lesquelles les élections présidentielle puis législatives pourront se dérouler.

Le passage de relais militaire et la question sécuritaire

Le départ annoncé des troupes de la Force internationale d'assistance à la sécurité (FIAS) procède d'un constat : il n'y aura pas de victoire militaire contre les talibans. Après la rapide défaite de ces derniers en 2001, la FIAS avait modestement commencé sa tâche avant que l'OTAN n'en prenne le commandement et n'étende son champ d'action de Kaboul à tout le pays en 2006, pour des résultats stratégiques plus qu'incertains. L'intensification de la mobilisation militaire voulue par l'administration Obama en 2009, ne fût-ce que pour augmenter la pression sur les talibans afin de les amener à négocier, n'a pas donné les fruits escomptés et s'est terminée en 2012. Comptant jusqu'à 150 000 hommes – plus que les Soviétiques en leur temps – et composée aux deux tiers d'Américains, la FIAS n'a pu assurer la sécurité dans l'ensemble du pays. Le contre-terrorisme a marqué des points mais sans mettre un terme aux attentats. La stratégie de contre-insurrection, voulue par le général David Petraeus pour « gagner les cœurs », a fait long feu.

Certes, la reconstruction de l'armée afghane et celle, plus difficile, de la police ont été engagées, et toute la stratégie militaire aujourd'hui consiste à passer le relais à l'Armée nationale afghane (ANA), qui opère désormais seule dans certains districts, comme ceux qui ont été quittés par les Français en 2012, dans la Kapisa. Avec quelque 190 000 soldats pour une population de plus de 30 millions d'habitants, le ratio est considérable, mais l'expansion accélérée du recrutement après 2008 s'est heurtée à des problèmes de professionnalisation, en sus d'un fort taux d'attrition chez les engagés. L'ANA monte toutefois incontestablement en puissance et dispose désormais de forces spéciales. Reste à savoir si elle pourra faire face à l'insurrection après 2014, les Américains ne devant en principe maintenir que quelques milliers d'hommes, d'autres pays assurant également des tâches de formation. La modernisation de la Police nationale afghane est un autre défi, notamment quand on connaît l'ampleur de la corruption dans le pays.

Le constat d'une victoire impossible, fait par les Britanniques dès 2010, pose de multiples problèmes à diverses échelles, que le retrait en bon ordre des troupes de la FIAS ne suffira pas à résoudre. Sur le plan international, l'ONU a fait la preuve de ses capacités, mais aussi de ses limites : c'est *in fine* l'OTAN qui, pour l'essentiel, a été chargée de la sécurisation de l'Afghanistan, non les « casques bleus » dont la mission relève davantage du maintien de la paix en situation de sortie de conflits. Or l'OTAN a dû revoir ses exigences : l'hypothèse d'un gendarme du monde opérant sous mandat de l'ONU, dont certains rêvaient au milieu des années 2000, n'est plus de mise, comme l'ont montré les récentes opérations militaires en Libye ou au Mali. Les questions les plus aiguës se posent toutefois à d'autres échelles. Elles touchent d'une part au dialogue entre Afghans, y compris les talibans, et d'autre part au rôle que peuvent jouer les puissances étrangères – les États-Unis et le Pakistan au premier chef – pour faciliter ces négociations interafghanes.

Comment négocier avec les talibans ?

En Afghanistan même, la porte de sortie imaginée par Karzaï a été d'appeler à la réconciliation nationale, par le biais d'un dialogue avec les talibans pour le moins délicat : pourquoi ceux-ci négocieraient-ils quand leur intérêt est d'attendre le départ des troupes étrangères ? Le « Programme de paix et de réintégration », initié par les autorités afghanes en 2010, est donc bien incertain (l'ancien président Burhanuddin Rabbani, à la tête du Haut conseil pour la paix instauré par Karzaï en 2010, a par exemple été assassiné en 2011).

Sans qu'on parle encore de véritables négociations, plusieurs canaux se sont ouverts avec discrétion en Afghanistan même, *via* notamment les propres réseaux du président Karzaï (par exemple d'anciens talibans qui, élus au Parlement, peuvent jouer les intermédiaires) ou par l'entremise de puissances étrangères qui cherchent à favoriser les contacts entre Afghans, talibans inclus (comme lors des rencontres de Chantilly organisées par la France, dans une grande discrétion, en décembre 2012). Les États-Unis participent également, avec des alliés du Moyen-Orient : c'est tout l'enjeu du « bureau politique » ouvert par les talibans au Qatar en juin 2013 pour négocier avec les Américains (mais fermé en juillet), le président Karzaï soufflant le chaud et le froid sur une telle initiative. Soucieux de son avenir et de l'image qu'il laissera dans l'histoire de sa nation, Karzaï est coutumier de raidissements antiaméricains : les innombrables bavures des forces de l'OTAN lui facilitent la tâche, sans qu'on sache toujours jusqu'où ce discours relève de la posture nationaliste à usage interne ou de la véritable stratégie.

Reste le facteur pakistanais. Là encore la méfiance est de règle, en dépit des structures de dialogue établies entre les deux pays, car l'acteur clé dans ce dossier n'est pas le président pakistanais Asif Ali Zardari ou son gouvernement, mais bien l'armée, dirigée par le général Ashfaq Kayani, et les services de renseignement militaire, l'Inter Services Intelligence (ISI). Les sanctuaires offerts par le Pakistan aux leaders talibans, à commencer par le mollah Omar, ont fait partie dès 2001 du problème. Pourraient-ils faire partie de la solution, en consolidant des canaux veillant à préserver, dans les négociations interafghanes, certains intérêts pakistanais ? Le maintien en résidence surveillée du mollah Abdul Ghani Baradar, numéro deux des talibans, considéré comme un possible négociateur mais arrêté par les services pakistanais et la CIA à Karachi en 2010, laisse comprendre que l'armée pakistanaise entend bien garder des atouts en main : Baradar n'a pas fait partie des talibans « libérés » par les Pakistanais fin 2012 en signe de bonne volonté. En réalité, les relations se tendent entre les autorités afghanes et pakistanaises. D'un côté, Kaboul accuse Islamabad d'inertie délibérée face au réseau Haqqani qui conduit depuis des années des actions terroristes en Afghanistan depuis ses bases situées dans les Zones tribales pakistanaises. De l'autre, Islamabad accuse Kaboul d'héberger les activistes du Tehrik e Taliban Pakistan (TTP) opérant contre le pouvoir d'État pakistanais et contre les forces pakistanaises dans ces mêmes Zones tribales, et au-delà. Le retour au pouvoir de Nawaz Sharif à Islamabad en juin 2013 ne garantit pas de grandes avancées sur ce dossier décisif.

La dimension régionale

Entre l'Asie du Sud, l'Asie centrale et le Moyen-Orient, l'Afghanistan a toujours été au carrefour des empires, comme l'illustra au XIXe siècle le « grand jeu » auquel se livrèrent les Empires russe et britannique. Cette localisation géographique, qui reste stratégique, apparaît cependant, pour l'heure, comme un fardeau. Si les généraux pakistanais ont cherché en Afghanistan une « profondeur stratégique » assez illusoire contre l'Inde (la dissuasion nucléaire est plus efficace), tous les voisins de Kaboul ont des intérêts en Afghanistan, ou ont eu, comme le Pakistan et l'Iran, des millions de réfugiés afghans à héberger après l'invasion soviétique de 1979. Quant aux États d'Asie centrale, leurs autocrates entendent bien contenir la menace islamiste radicale, dont les instances militantes – tel le Mouvement islamique d'Ouzbékistan – ont des liens avec les talibans afghans et pakistanais. La Chine n'est pas en reste, qui pèse sur le Pakistan pour démanteler tout réseau susceptible de radicaliser les opposants du Xinjiang.

La position centrale de l'Afghanistan en fait aussi un lieu de passage privilégié pour les ressources énergétiques d'Asie centrale, notamment en direction de l'Inde, importatrice d'hydrocarbures. Après avoir signé avec New Delhi en 2011 un accord de partenariat stratégique, le président Karzaï souhaiterait renforcer la présence indienne dans son pays après 2014. L'Inde, de son côté, mène en Afghanistan une active politique de développement et travaille à offrir à Kaboul un débouché maritime en Iran (et non pas, comme aujourd'hui, au seul Pakistan). Alors que l'oléoduc Turkménistan-Afghanistan-Pakistan-Inde (TAPI) ne peut être construit qu'une fois la paix durable revenue, un débouché iranien permettrait, grâce au port de Chabahar, de recevoir le gaz turkmène. Quant aux richesses minières afghanes, dans lesquelles la Chine et l'Inde investissent déjà, elles sont évaluées en 2013 à un potentiel d'au moins 3 000 milliards de dollars, et peut-être bien davantage.

Pour des raisons sécuritaires à court terme, et pour des raisons économiques à long terme, les pays voisins de l'Afghanistan et les puissances plus éloignées (Turquie, Inde, Russie) se concertent donc, eux aussi, pour préparer la transition : le « Processus d'Istanbul pour un nouvel agenda de coopération régionale au "cœur de l'Asie" » lancé en 2011, les « Conférences de coopération économique régionale sur l'Afghanistan » (RECCA) initiées en 2005 et associant républiques d'Asie centrale, Iran, Inde, Pakistan, et l'Organisation de coopération de Shanghai, au sein de laquelle Chine et Russie pèsent lourdement, font ainsi contrepoids aux tentatives américaines de relance des routes de la soie, le projet « New Silk Road » lancé par Hillary Clinton en 2011.

Scénario noir

Beaucoup s'activent donc sur le problème afghan, mais nul ne sait sur quoi déboucheront les négociations éventuelles avec les talibans ni au nom de quoi ceux-ci accepteraient l'actuelle Constitution afghane, alors qu'ils entendent réinstaller, à Kandahar ou à Kaboul, l'« Émirat islamique d'Afghanistan ». Présents au sud et à l'est, opérant des percées vers le nord, les talibans, plus organisés qu'on ne l'a souvent dit, constituent un défi de poids pour l'Armée nationale afghane et pour le nouveau pouvoir qui devrait sortir des urnes en 2014. Le pire des scénarios serait celui d'un retour à la guerre civile, dans un contexte très différent de celui des années 1990 : l'Afghanistan a changé depuis 2001 et l'appel à l'ordre taliban, qui fonctionna voici quinze ans, ne rencontrera pas nécessairement le même écho. Jouera aussi la stratégie pakistanaise, toujours soucieuse de contrer toute prise en tenaille entre l'Inde et un régime pro-indien à Kaboul. Joueront enfin les acteurs internationaux qui, après avoir déversé des milliards de dollars en Afghanistan (plus pour faire la guerre que pour construire la paix), se sont engagés à Bonn en 2011, à Chicago et à Tokyo en 2012, à maintenir une présence sécuritaire et une politique d'aide économique. Rien ne serait pire qu'un nouvel abandon, comme l'Afghanistan en connut après la victoire américaine sur les Soviétiques. Oussama Ben Laden abattu dans sa maison pakistanaise en 2011, l'un des objectifs de l'intervention internationale a été atteint. Reste l'impératif de reconstruction de l'Afghanistan par les Afghans, mais avec l'appui de tous. Un scénario qui demeure très aléatoire.

Pour en savoir plus

Jean D'AMÉCOURT, *Diplomate en guerre à Kaboul*, Robert Laffont, Paris, 2013.

Gilles DORRONSORO, « Afghanistan : les scénarios après le retrait occidental », *in Asie 2013-2014*, La Documentation française/Asia Centre, Paris, 2013, p. 89-102.

Charlotte LEPRI, *Afghanistan. Retour sur un échec annoncé*, *Les Notes de l'IRIS*, Paris, mai 2012 (disponible sur <*www.iris-france.org*>).

Les Crises en Afghanistan depuis le XIXe siècle, Étude n° 1, IRSEM, Paris, avril 2010 (disponible sur <www.defense.gouv.fr>).

République démocratique du Congo : un pouvoir central contesté et des troubles persistants à l'est

Jean-Claude Willame
Professeur émérite à l'Université catholique de Louvain (UCL)

La République démocratique du Congo (RDC) continue à être marquée par le paradoxe, la complexité et la confusion. Si un gouvernement et un Parlement fonctionnent formellement, l'appareil exécutif et législatif peine à matérialiser concrètement ses décisions du fait de la prégnance de l'informalité à toutes les strates de l'État. En outre, ces institutions n'ont guère de prise sur la dramatique situation dans l'est du pays où sévissent des dizaines de groupes armés, des éléments d'une armée nationale toujours à la dérive, des exactions et des violences de tous ordres.

Après des élections présidentielle et législatives marquées, en novembre 2011, par la désorganisation et émaillées de fraudes, la RDC a dû faire face dans la province du Nord-Kivu à une mutinerie d'officiers et de soldats, principalement tutsis, issus du Congrès national pour la défense du peuple (CNDP). Ce mouvement avait été formé en 2003 par le chef militaire Laurent Nkunda. Depuis 2009, celui-ci vit – en théorie – en résidence surveillée à Kigali, mais il n'a jamais été jugé par la justice rwandaise. Commandés en mai 2012 par le général Bosco Ntaganda – rival de Laurent Nkunda, recherché par la Cour pénale internationale (CPI) pour des crimes perpétrés en 2003 en Ituri –, les mutins, qui refusaient l'intégration au sein des Forces armées congolaises (FARDC), se sont rebaptisés M23 en référence aux accords du 23 mars 2009 qu'ils estiment n'avoir pas été respectés par le gouvernement congolais [1]. Ayant réussi à contrôler une partie des territoires de Masisi et de Rutshuru, ce mouvement s'est doté d'une branche politique dirigée par une personnalité méconnue, le « pasteur » et « évêque »

1 Les accords de 2009 mettaient fin, en théorie, à toutes les activités des groupes armés nationaux dans l'est de la RDC. Le CNDP acceptait de se transformer en parti politique, et ses miliciens de rejoindre les FARDC « avec des grades appropriés », en échange de la libération de ses prisonniers et d'une meilleure prise en compte de la communauté des Tutsis congolais (le CNDP devant recevoir pour cela trois ministères).

Jean-Marie Runinga, qui avait échoué à obtenir un siège de député national aux élections de 2011.

La chute de Goma et ses conséquences

Malgré la présence de plusieurs milliers de militaires des FARDC et de « casques bleus » de la Mission de l'Organisation des Nations unies pour la stabilisation en République démocratique du Congo (MONUSCO), le M23 parvenait en novembre 2012 à s'emparer de Goma, sans coup férir, en cinq jours, ce que n'avait pas réussi à faire Laurent Nkunda en août 2008. La défection, voire la « trahison », des commandants des FARDC sur le terrain et la passivité des « casques bleus », qui affirmèrent ne pouvoir intervenir sans appui militaire congolais, sont à l'origine de cette prise rapide et retentissante de la capitale du Nord-Kivu. Selon le groupe d'experts des Nations unies, dont la méthodologie a toutefois été mise en question par certains observateurs, cette victoire du M23 n'aurait pas été possible sans le soutien de troupes rwandaises (et ougandaises) et l'appui direct des hautes autorités militaires à Kigali et Kampala, appui catégoriquement démenti par les intéressés.

Quoi qu'il en soit, la capture de Goma et la débandade des FARDC – qui se replièrent vers le Sud-Kivu en commettant au passage exactions et viols – suscitèrent un émoi considérable dans les capitales occidentales et africaines. Parfois contradictoires, plusieurs processus tentant de ramener la paix dans la région furent alors initiés. À Kampala d'une part, sous l'égide du président Yoweri Museveni – accusé de soutenir les mutins – et de la Conférence internationale sur la région des Grands Lacs (CIRGL), des négociations entre les délégations du M23 et du gouvernement congolais aboutirent au retrait des troupes du M23 de Goma (de toute façon incapables d'administrer la ville conquise), mais non à un accord politique plus global, comme le demandaient les mutins et leur branche politique. D'autre part, du côté de la Communauté de développement de l'Afrique australe (SADC) et, plus spécifiquement, des autorités mozambicaines, tanzaniennes et sud-africaines, on prit l'initiative de monter une force internationale neutre et autonome de 4 000 hommes pour se substituer aux « casques bleus » de la MONUSCO, jugée incapable de protéger les populations par tous les moyens appropriés, comme son mandat l'imposait.

Les Nations unies ne manquèrent pas de réagir à ces événements. Condamnant la mutinerie et ses appuis extérieurs (sans que les noms des pays concernés soient mentionnés), le Conseil de sécurité se préparait à mettre sur pied une brigade d'intervention qui aurait la capacité explicite de « forcer la paix ». De son côté, le Comité des sanctions de l'ONU gelait les avoirs tant des chefs mutins que des représentants de la branche politique du M23, et leur interdisait tout déplacement.

Face à l'unanimité des diplomaties extérieures, qui condamnaient la mutinerie, et à la menace d'une intervention musclée à son encontre, le M23 se scinda en deux. La branche militaire du mouvement, conduite par Bosco Ntaganda et soutenue par Jean-Marie Runinga, refusa tout compromis, tandis que celle menée par Sultani Makenga – un proche de l'ancien chef militaire du CNDP, Laurent Nkunda – auquel se joignit Bertrand Bisimwa, porte-parole du mouvement et proclamé chef politique du M23, manifesta sa propension à s'en tenir à une négociation ne portant que sur l'application des accords de 2009. Cependant, après une courte promenade militaire, les soldats fidèles à Bosco Ntanganda furent évincés et se réfugièrent en mars 2012 au Rwanda où ils furent désarmés, leur chef préférant se rendre à l'ambassade des États-Unis où il demanda à être transféré à la CPI plutôt que d'être traduit devant la justice congolaise, voire physiquement éliminé.

« Culture de guerre » : instabilité et insécurité

L'insécurité est pourtant toujours d'actualité dans l'est du pays, qui connaît une « culture de guerre » depuis plus d'une décennie. Si les mutins du M23 retiennent aujourd'hui l'attention des diplomates, la RDC est toujours confrontée à de multiples menaces, dont on peut identifier cinq pôles. Le premier est constitué par les combattants des Forces démocratiques de libération du Rwanda (FDLR) qui, issus de l'odyssée des Hutus en RDC dans la foulée du génocide de 1994, ne croient pas à un retour sécurisé au Rwanda et qui ont connu un processus d'hybridation avec les populations locales. Le deuxième pôle est représenté par les Maï-Maï du Kivu, Nord et Sud, et ceux du Katanga aux agendas improbables et changeants. Initialement rassemblés en « groupes d'autodéfense locale », ils ont été le plus souvent manipulés par des élites locales. L'Armée de résistance du Seigneur (LRA) en Province orientale, composée d'un effectif sans doute peu important mais réputée pour sa cruauté, constitue le troisième pôle d'instabilité, tandis que les officiers des FARDC déserteurs et les simples bandits sociaux, issus d'un contexte de pauvreté et d'exclusion, en représentent deux supplémentaires. À cela s'ajoute finalement une armée « républicaine » qui « survit » malgré une structure de commandement défaillante, des soldes payées de façon très irrégulière et des chefs impliqués dans toutes sortes de trafics (miniers et autres).

Pour comprendre l'ampleur des difficultés, il faut aussi prendre en compte l'étendue géographique de la zone d'insécurité, qui recouvre une grande partie de l'est du Congo : les deux Kivu, le Maniema, le Katanga, l'Ituri en Province orientale et les deux districts de l'Uélé. Il faut aussi mettre en évidence l'impact géopolitique de cette insécurité : depuis le début de l'année 2012, plus de 2,2 millions de personnes du Kivu ont été déplacées dans leur propre pays, alors que 70 000 autres ont franchi la frontière, pour se réfugier notamment en Ouganda et au Rwanda, et que plus de 100 000 personnes ont fui leurs villages au Katanga. Et cela sans compter l'effet destructeur des modes opératoires de tous ceux qui portent des armes : violences sexuelles, comme arme de guerre ou pas, réduction de filles à l'esclavage sexuel ou à des unions forcées, recrutement de force – ou non – d'enfants soldats (dont 40 % de filles), etc.

L'irruption surprise à Lubumbashi, poumon de l'industrie minière et seconde ville de la RDC, de 440 combattants Maï-Maï Bakata Katanga, le 23 mars 2013, est révélatrice de l'incapacité du régime congolais à gouverner, à assurer la sécurité et à se réformer. Cet événement inattendu est brutalement venu rappeler que la crise que traverse la RDC ne se limite pas aux deux provinces du Kivu. En arborant le drapeau de l'État indépendant du Katanga (qui exista de 1960 à 1963) en plein centre de Lubumbashi, ces rebelles indépendantistes ont montré que la tentation sécessionniste du Katanga hantait toujours l'histoire congolaise depuis l'indépendance.

« Stabiliser la zone », dans un tel contexte, n'est pas une sinécure. Et cela d'autant plus que, contrairement au Mali par exemple, la conflictualité congolaise n'est pas lue à travers le filtre médiatisé du « terrorisme ». Il est clair que la MONUSCO, qui a pour mandat de protéger les populations, n'a pas pu, ni même voulu, le remplir. À cet égard, il n'est pas exact de prétendre que ce mandat était limitatif. Dans toutes ses résolutions, le Conseil de sécurité a toujours souligné que la protection des civils devait être la priorité « lorsqu'il s'agit de décider de l'usage des capacités et ressources disponibles » et a maintes fois autorisé la Mission à utiliser tous les moyens nécessaires, dans la limite de ses capacités et dans les zones où ses unités sont déployées. En réalité, le problème résidait essentiellement dans le fait que les pays qui fournissaient des troupes (Indes, Pakistan, Népal, etc.) n'entendaient pas les sacrifier dans des actions offensives. Il n'est pas exact non plus, malgré ce que prétendent certains diplomates, de dire que la décision du Conseil de sécurité du 28 mars 2013 – dépêchant en RDC une brigade d'intervention avec l'autorisation d'agir de manière offensive – était une première. C'est oublier qu'en 1963, et toujours concernant le Congo, l'ONU avait déclenché une opération offensive pour mettre fin à la sécession katangaise : on était, à l'époque, en pleine guerre froide et il ne fallait pas que l'ancienne colonie belge tombe dans l'escarcelle communiste.

Il reste à voir si cette brigade d'intervention permettra de changer la donne. Il est possible en effet qu'elle soit limitée dans son action, qui pourrait se concentrer seulement sur la menace que fait peser le M23 sur le Kivu, et entravée par les réticences du Rwanda à l'égard d'une option exclusivement militaire. Cette « ouverture » à une action proactive n'est donc pas la panacée. Car si la dissuasion militaire peut avoir des effets, le conflit ne trouvera pas d'issue durable sans un dialogue local entre communautés (Congolais contre rwandophones, Tutsis contre Hutus, Nande contre Hunde, etc.). Lequel dialogue n'a jamais été sérieusement organisé par les multiples « plans de stabilisation » – ISSS, I4S, STAREC – imaginés depuis 2007 par des diplomaties « fatiguées » par des crises qui n'en finissent pas.

Instabilité politique

Il faut bien le constater : l'instabilité politique qui règne à Kinshasa n'arrange pas la situation. L'action du président Joseph Kabila provoque de graves blocages. L'opposant historique Étienne Tshisekedi, qui revendique la victoire à l'élection présidentielle de 2011, ne semble pas devoir apporter plus de solution. Et on évoque déjà, discrètement, dans certaines chancelleries, des alternatives – comme celle que pourrait représenter le président du Sénat, et ancien bras droit de Mobutu, Léon Kengo Wa Dondo.

En attendant, le président Kabila, dont la « réélection » a été critiquée de toutes parts en 2011, est à la tête d'un régime dont certaines institutions formelles – au niveau des provinces, des gouvernorats et du Sénat – sont devenues illégales puisque les élections provinciales et locales, maintes fois reportées depuis 2006, n'ont toujours pas eu lieu. La composition de la très contestée Commission électorale nationale indépendante (CENI) a certes été remaniée par une nouvelle loi en décembre 2012, mais cette loi n'avait toujours pas été promulguée par le chef de l'État en avril 2013.

Joseph Kabila entend montrer à l'extérieur qu'il est un « démocrate ». Il soigne les formes en nommant des ministres réputés bons gestionnaires et en prônant un « dialogue national » pour faire oublier les irrégularités électorales de 2011 et tenter d'apporter des réponses « techniques » aux exigences du M23 en matière de démocratisation. De-ci de-là, des mesures sont prises ou annoncées, comme celles qui concernent la « bancarisation » des (gros) salaires, l'amélioration du fonctionnement des entreprises publiques ou les poursuites contre les officiers et soldats impliqués dans des viols et des exactions. Mais, coupé du terrain et de la réalité, le président Kabila « occupe le pouvoir » à travers un entourage aux contours mal dessinés depuis la disparition de son éminence grise katangaise, Katumba Mwanke, dans un accident d'avion en février 2012.

Le nouveau Parlement, issu des élections de 2011, n'est pas non plus le lieu du contre-pouvoir. Il est morcelé en multiples factions à l'intérieur de la « majorité présidentielle » comme au sein de l'« opposition ». Estimant qu'elle a remporté les élections de 2011, l'Union pour la démocratie et le progrès social (UDPS), la formation d'Étienne Tshisekedi, refuse d'ailleurs d'être qualifiée d'« opposition » puisqu'elle considère que son leader est le vrai président. Pour ne rien arranger, les membres de ce Parlement se sont attribués, à la fin de l'année 2012, des émoluments étonnants : l'équivalent de 13 000 dollars par mois (contre 6 000 dollars il y a deux ans) alors que, sur le front de l'Est, un « full » colonel touche 80 dollars et un soldat de première classe, 60 dollars...

Si l'actuelle RDC ressemble fort à une « auberge espagnole », où – selon la définition d'usage – « on trouve un peu de tout », il ne faut pas oublier que derrière ces « chefs » et ces « responsables » qui le sont si peu, le pays compte aussi, fort heureusement, de nombreuses personnalités compétentes et consciencieuses : ces médecins qui, l'instar du docteur Denis Mukwege, « réparent » des dizaines de milliers de femmes violées, ces militants de la société civile qui appellent à l'aide, ces journalistes qui ne sont pas tous « aux ordres » et même ces (trop) rares notables locaux qui savent qu'il faut se mettre autour d'une table pour régler les différends.

Pour en savoir plus

Séverine AUTESSERRE, *The Trouble with the Congo. Local Violence and the Failure of International Peacebuilding*, Cambridge University Press, Cambridge, 2010.

Maria ERIKSSON et Judith VERWEIJEN, « Between integration and disintegration : The erratic trajectory of the Congolese », Conflict Prevention and Peace Forum, Social Science Research Council, Brooklyn, avril 2013.

Roland POURTIER, « Le Kivu dans la guerre : acteurs et enjeux », *EchoGéo*, février 2013 (disponible sur <http://echogeo.revues.org>).

Jason STEARNS, « From CNDP to M23. The evolution of an armed movement in eastern Congo », Rift Valley Institute, Usalama Project, 2012.

Théodore TREFON, « Uncertainty and powerlessness in Congo 2012 », *Review of African Political Economy*, vol. 40, n° 135, 2013.

Rivalités et tensions dans la Corne de l'Afrique

Roland Marchal
Chargé de recherche au CNRS (CERI/Sciences Po, Paris)

La Corne de l'Afrique ne doit pas être appréhendée comme une simple juxtaposition de pays : Somalie, Éthiopie, Érythrée, Soudan... Pour comprendre les enjeux géopolitiques de la zone, il faut s'intéresser à la région dans son ensemble, en analysant les interactions multiples qui découlent des conflits qui opposent les différents les acteurs étatiques, de la présence de groupes non étatiques qui se jouent des frontières, et des intérêts que défendent les pays limitrophes – Ouganda, Kénya, Tchad, etc. – dans la région. Il faut également garder à l'esprit l'attention particulière et le rôle éminent que jouent, dans cette région, la plupart des grandes puissances (pays européens, États-Unis, Chine, Inde, Turquie, Afrique du Sud) – ce qui laisse présager des changements importants dans cette région dans les années à venir.

Trois conflits historiques

Trois conflits structurent de façon déterminante les relations entre les pays de la région : la crise soudanaise, la guerre civile somalienne et la rivalité entre Érythrée et Éthiopie. Ces crises s'inscrivent dans la longue durée. Le Soudan, jusqu'en 2011 le plus grand pays du continent africain, s'est embourbé dans une crise multiforme depuis décembre 1955, avant même son indépendance en 1956. La crise somalienne est trop souvent datée du soulèvement de Mogadiscio en janvier 1991 alors qu'elle a en fait débuté dès les années 1980 : elle est le résultat conjugué d'une crise interne et de la fin de la compétition entre les deux blocs qui, pendant la guerre froide, avait fourni à l'un des États les plus pauvres du continent les ressources nécessaires à sa reproduction. Initiée en 1961, la guerre « de libération » de l'Érythrée contre l'Éthiopie a abouti à l'indépendance de la première en 1993. La rivalité entre ces deux États, qui a produit un conflit interétatique sanglant de 1998 à 2000, traduit la remise en cause des fondements idéologiques des rébellions contre l'État central, la résurgence compétitive de nationalismes sur les marges de l'Abyssinie historique et de nouvelles lignes de fracture de l'ordre régional.

Ces conflits ont considérablement évolué dans leur intensité et leurs implications régionales et internationales dès leur naissance. En 1998, alors que les Tribunaux islamiques prenaient une première fois le contrôle d'une grande partie de la capitale somalienne, Mogadiscio, la menace terroriste n'était pas encore considérée comme prioritaire – malgré les attentats perpétrés cette année-là par Al-Qaida contre les ambassades américaines à Nairobi (Kénya) et Dar es-Salam (Tanzanie). Si les opérations militaires au Sud-Soudan étaient conduites en fonction de la sécurisation des champs pétroliers par l'armée de Khartoum, la décomposition du Nord-Soudan n'en était qu'à ses débuts. Quant au conflit entre Asmara (Érythrée) et Addis-Abeba (Éthiopie), il explosait sans qu'on pût alors pressentir combien il allait durablement affecter les dynamiques politiques intérieures mais également les autres conflits de la région (au point de provoquer l'ire américaine et des sanctions onusiennes contre l'Érythrée en décembre 2009).

Ces crises n'ont pas seulement altéré les relations entre leurs protagonistes directs mais ont, plus généralement, recomposé les frontières de la région et redéfini les liens entre pays de la zone, quand bien même ces derniers n'étaient pas parties prenantes de ces drames. Les frontières nationales, dans cette région, doivent donc être envisagées dans leurs contextes historiques.

Les analyses changeantes de la communauté internationale

La création de deux nouveaux États dans cette région dans la période contemporaine, violant l'un des interdits les mieux respectés de l'Union africaine (UA, ancienne Organisation de l'unité africaine, OUA) et le conservatisme sans fard de la « communauté internationale » sur cette question depuis la fin de la Seconde Guerre mondiale, ne peut être considérée comme le fait de la seule contingence. La reconnaissance de l'Érythrée indépendante, en mars 1993, et la déclaration d'indépendance du Soudan du Sud, en juillet 2011, témoignent de la fragilité des constructions étatiques de cette zone. Une fragilité également illustrée par la prétention du Somaliland, ancienne colonie britannique (qui avait rejoint la Somalie italienne le 1er juillet 1960 pour former la République de Somalie), à retrouver sa totale souveraineté.

Si la revendication d'un Somaliland indépendant semble aujourd'hui avoir peu de chances de se réaliser, c'est aussi parce que la communauté internationale est plus réticente que naguère à l'égard d'une telle sécession. Elle note en effet que le consensus qui a pu exister au sein des élites somalilandaises, lorsque celles-ci ont proclamé l'indépendance au printemps 1991, n'existe plus aujourd'hui. Une bonne partie de l'est et de l'extrême ouest de ce territoire appelle désormais à une réunification avec Mogadiscio. Mais, peut-être plus essentiellement, la communauté internationale tire un bilan négatif des expériences sécessionnistes sur le continent.

Le cas de l'Érythrée, indépendante depuis 1993, est symptomatique. État sous sanctions internationales, il ressemble de plus en plus à une déclinaison africaine du totalitarisme nord-coréen, prêt à tout pour survivre et déstabiliser ses adversaires du moment. La situation au Soudan du Sud, indépendant depuis 2011, n'est pas moins ambiguë : malgré le soutien affiché par les pays occidentaux, il y a loin entre les espoirs mis dans la fin de la guerre avec Khartoum et la réalité du fonctionnement du jeune État, où la prévarication et la violence vis-à-vis des populations civiles peinent à être justifiées par les tensions qui persistent sur la zone frontalière. Si nombre d'États occidentaux avaient montré une grande empathie avec le sort des Soudanais du Sud au cours de la guerre, le constat aujourd'hui est plus timoré : faut-il accepter deux États faillis, faute d'avoir voulu réellement peser en faveur de la démocratie sur l'ensemble du Soudan au début des années 2000 ?

Comme on avait pu le constater à d'autres périodes et dans d'autres régions, typiquement en Europe centrale et au Proche-Orient au sortir de la Première Guerre mondiale, la position de la « communauté internationale » est donc pour le moins changeante. Elle se fonde sur une réévaluation permanente du sens et des enjeux des crises qui déchirent cette région. Le conflit érythréen (1961-1991) a ainsi eu le privilège douteux d'être lu alternativement à travers le prisme de la guerre froide (pays conservateur contre rébellion marxiste-léniniste), de l'opposition entre Israël et le monde arabe (empêcher que la mer Rouge ne devienne un « lac arabe ») et de la tectonique des religions (islam *versus* christianisme orthodoxe).

Depuis septembre 2001, c'est la grille d'analyse « antiterroriste » qui s'est imposée. Une telle grille gêne pourtant la compréhension des dynamiques dans la région. La « guerre globale contre le terrorisme » a contribué à radicaliser certains acteurs locaux et poussé les Occidentaux à choisir des alliés sans s'embarrasser de considérations plus politiques. Cela a été particulièrement pernicieux dans le cas du Soudan, où l'obsession sécuritaire des Occidentaux a eu pour conséquence une certaine naïveté à l'égard des mouvements rebelles qui, au Darfour et dans le sud du pays, combattaient le régime de Khartoum. Dans le cas de la Somalie, c'est moins Oussama Ben Laden que l'attitude occidentale qui a radicalisé les islamistes et offert un débouché aux plus violents d'entre eux. Lesquels se sont formellement associés à Al-Qaida en décembre 2011. Un cas presque parfait de prophétie autoréalisatrice...

Densification des relations intrarégionales

Ces crises n'ont pas eu seulement des effets sur les sociétés et les États directement concernés. Elles ont également considérablement modifié leur voisinage et redéfini, à la fois par le bas et le haut, de nouvelles frontières régionales. Cette densification des relations intrarégionales n'est pas en soi une mauvaise chose mais elle peut avoir des effets inattendus.

Le conflit entre l'Érythrée et l'Éthiopie en 1998 a ainsi permis au Soudan de sortir de l'isolement dans lequel la communauté internationale cantonnait le pays en raison de l'hospitalité que les autorités soudanaises offraient aux groupes islamistes radicaux au début des années 1990 et de leur aide à une tentative d'assassinat du président égyptien en juin 1995. Khartoum et Addis-Abeba se sont en effet rapprochés à la fin des années 1990. Si le but initial était d'isoler Asmara, cette réconciliation s'est prolongée par la suite. Le Soudan est, aujourd'hui encore, le premier fournisseur de produits pétroliers de l'Éthiopie et les échanges entre les deux pays se sont approfondis, notamment dans les services (télécommunications, électricité). Grande puissance diplomatique de la région, l'Éthiopie joue, quant à elle, un rôle important, bien que souvent discret, dans les négociations entre Khartoum et Juba (capitale du Soudan du Sud). Isolé et battu à l'issu de la guerre, Asmara a, à son tour, renoué avec le Soudan en 2006 et a joué un certain rôle dans la gestion du conflit au Darfour. Surtout, dès 1999 et pour une décennie au moins, l'Érythrée s'est impliquée dans le conflit somalien pour y soutenir les ennemis du régime éthiopien. La perpétuation du conflit entre Érythréens et

Éthiopiens, fût-ce par procuration, n'aurait pas indisposé autant Washington s'il ne s'était pas accompagné du développement de l'islamisme radical en Somalie.

Le danger que représentait ce courant de pensée n'était pas analysé de la même façon d'une capitale à l'autre. Pour Washington, il risquait de favoriser l'extension d'Al-Qaida sur le continent africain et la construction d'une inquiétante alliance entre mouvements radicaux du Golfe et de la Corne. Pour Addis-Abeba, le risque était différent : ce courant portait un projet de reconstruction de l'État somalien qui aurait dynamisé les oppositions armées sur ses marches. Quant à Nairobi (Kénya) et Kampala (Ouganda), également impliquées dans le conflit somalien à partir de 2007, les deux capitales insistaient avant tout sur la nécessaire stabilisation interne du pays.

L'implication d'un important contingent ougandais et burundais dans la Mission de l'Union africaine en Somalie (AMISOM) date de mars 2007. Cette implication est le résultat d'équilibres diplomatiques complexes. Alors que le Conseil de sécurité autorisait le déploiement d'une force africaine en Somalie à la condition que les pays frontaliers de la Somalie n'y participent pas (l'Éthiopie occupait une bonne partie du centre-sud de la Somalie dès la fin décembre 2006), les chefs d'État ougandais et burundais estimèrent que l'envoi de troupes en Somalie leur permettrait de consolider leurs positions diplomatiques. Ils s'inspireraient en cela de la démarche du Rwanda qui, grand fournisseur de troupes pour la mission au Darfour (AMIS), s'était, par ce biais, assuré le silence des pays occidentaux sur certains aspects contestables de sa politique intérieure et régionale. Ce calcul se révélait exact : la communauté internationale se montra bienveillante à l'égard des autorités ougandaises, malgré la tenue d'élections jugées frauduleuses dans le pays et la polémique sur l'aide que Kampala apportait aux rebelles du M23 dans l'est du Congo.

Enjeux économiques et pétroliers

Les nouveaux équilibres régionaux s'expliquent aussi par d'autres considérations d'ordre plus économique que strictement militaire. L'accession du Soudan du Sud à l'indépendance notamment, et l'ampleur des engagements internationaux vis-à-vis du jeune État, aiguisent l'intérêt des milieux d'affaires de la région. Le Kénya et, à un moindre degré, l'Ouganda jouent ainsi un rôle remarquable dans certains secteurs économiques au Soudan du Sud, notamment dans la finance et les services. Des communautés d'affaires plus restreintes originaires d'Éthiopie, d'Érythrée et de Somalie se sont également installées dans le jeune pays, chacune tentant de construire des niches et de gagner accès aux revenus générés par la distribution de la rente pétrolière.

Le pétrole est en effet en train de bouleverser les équilibres régionaux. L'Afrique de l'Est est l'une des zones les moins explorées du continent. Les découvertes faites au Soudan du Sud, déjà considérables (près de 350 000 barils/j), pourraient être plus importantes encore lorsque l'exploration sera possible dans les zones où la sécurité reste précaire. En Ouganda, les réserves identifiées à l'heure actuelle sont presque du même ordre qu'au Soudan du Sud et nombreux sont ceux qui lorgnent vers une zone protégée, près du lac Albert, à l'ouest du pays...

Si le Kénya n'a toujours pas annoncé l'ampleur de ses propres découvertes, celles-ci semblent donner une crédibilité supplémentaire à de grands projets d'infrastructure et de transport de l'huile. C'est le cas notamment du corridor de Lamu. Situé sur la côte à proximité de la frontière somalienne, ce vaste projet, débattu depuis plusieurs années par les autorités kényanes, devrait notamment être composé d'un port en eau profonde, d'une autoroute aboutissant au sud de l'Éthiopie et au Soudan du Sud, et d'un oléoduc permettant le transport de l'huile sud-soudanaise, kényane et ougandaise vers le marché international.

Ce projet, dont le coût est évalué à plus de 4 milliards de dollars, éclaire d'une lumière particulière l'intervention militaire kényane en Somalie qui débutait en octobre 2011 et permettait, en septembre 2012, la prise de contrôle du port de Kismaayo, au sud du pays, et de son *hinterland*. Le torchon brûle dorénavant entre le gouvernement somalien, nommé en octobre 2012 et reconnu par une grande partie de la communauté internationale, et le gouvernement kényan, accusé de s'attribuer, *via* des milices amies, le contrôle de la région frontalière dont les côtes abriteraient des champs pétroliers *offshore*. Cette question empoisonne les relations entre les deux gouvernements et souligne la volatilité de la situation sécuritaire dans toute la zone.

Si l'Éthiopie n'apparaît pas comme un acteur économique de premier plan, cela s'explique fondamentalement par l'attitude de son gouvernement, qui tente de se réaffirmer comme puissance régionale en faisant un double pari, à la fois économique et politique. Le premier pari est lié à la question de l'eau, le régime éthiopien misant depuis plusieurs années sur l'hydroélectricité pour devenir le plus important fournisseur d'énergie dans la Corne tout en subvenant à ses besoins intérieurs. Cette ambition se traduit par des projets pharaoniques qui suscitent une certaine perplexité dans les milieux internationaux en raison de l'impact écologique de la construction de certains barrages et de ses conséquences sur la population qui, en dépit des discours officiels, craint de ne pas profiter de cette nouvelle ressource.

Le second pari concerne les potentielles ressources pétrolières de la région. Les éventuelles réserves pétrolières étant *a priori* situées dans des zones d'insécurité, le régime éthiopien, qui avait subi un camouflet lors de son intervention militaire en Somalie entre décembre 2006 et janvier 2009, opte aujourd'hui pour une politique plus subtile : il a mis sur pied des milices à sa dévotion qui sécurisent la frontière avec la Somalie et tente de négocier la fin du conflit avec certains groupes insurgés éthiopiens (grâce à l'intermédiation du Kénya, payé en retour par un silence éthiopien sur sa gestion de Kismaayo et de son *hinterland*). Une pacification accrue permettrait de lancer l'exploration pétrolière et de construire des oléoducs reliant l'Éthiopie à ses voisins.

On le voit, les crises dans la région ont eu des effets ambivalents et ne peuvent s'analyser comme un jeu à somme nulle. Si, pendant plusieurs décennies, c'étaient les relations souvent tendues entre le Soudan et l'Éthiopie qui structuraient la vie politique régionale, la création de deux nouveaux États et la résolution partielle de la crise somalienne ont considérablement changé la donne, laquelle devient encore plus complexe depuis que les régimes de la région affichent leurs ambitions dans le domaine énergétique. À l'évidence, la réalité géopolitique de la Corne de l'Afrique telle qu'elle a été décrite depuis la guerre froide s'est dissoute, si bien qu'il faut sans doute appréhender la zone dans un cadre élargi, celui de l'Afrique du Nord-Est dont le Kénya, qui mise davantage sur le *soft power* que sur le *hard power*, constitue le centre.

Pour en savoir plus

David M. ANDERSON et Adrian J. BROWNE, « The politics of oil in Eastern Africa », *Journal of Eastern African Studies*, vol. 5, n° 2, 2011.

Dossier « Sud-Soudan : conquérir l'indépendance », *Politique africaine*, n° 122, 2011.

Markus HOEHNE (dir.), « Effects of "statelessness" : dynamics of Somali politics, economy and society since 1991 », *Journal of Eastern African Studies*, vol. 7, n° 2, 2013.

Terje OSTEBO, *Islamism in the Horn of Africa. Assessing Ideology, Actors, and Objectives*, Report n° 2, International Law and Policy Institute, 2010.

Harry VERHOEVEN, *Sudan's Oil, Ethiopia's Water and Regional Integration*, Chatham House, Londres, juin 2011 (disponible sur <*www.chathamhouse.org*>).

Les défis iraniens : entre tensions et apaisement

Bernard Hourcade
Directeur de recherche émérite au CNRS

L'Iran a mauvaise presse. Souvent à juste titre. Mais la République islamique dont certains annoncent l'effondrement prochain depuis plus de trente ans semble pourtant s'imposer comme un des États les plus stables du Moyen-Orient, avec une société particulièrement inventive. Le renversement du régime impérial en février 1979, en pleine guerre froide, fut la première révolution postsoviétique. Celle-ci anticipait les « printemps arabes » en traduisant en termes politiques la compétition complexe entre des populations « mondialisées » et d'autres, plus nombreuses, qui trouvent dans l'islam le moyen d'exprimer leurs revendications.

Pourtant, on n'a pas pris l'Iran au sérieux. Les autorités occidentales, comme la quasi-totalité des intellectuels, ont refusé de considérer cette révolution islamique d'Iran comme une « révolution », préférant la décrire comme un simple changement, provisoire, de « régime ». Quand il s'agit de l'Iran, les décisions politiques obéissent aux passions plus qu'à l'analyse rationnelle des faits. La « menace iranienne » s'est longtemps imposée dans les pays occidentaux, notamment en France, comme un dogme quasi religieux qu'il est « interdit » d'évaluer.

Face à cet autisme politique inefficace, la République islamique d'Iran, forte de son pétrole, de son nationalisme et de ses convictions islamistes, a pu poursuivre sans trop de problèmes sa politique intérieure et internationale. Une politique fréquemment – et justement – décriée dans les médias occidentaux ou les slogans de l'opposition mais à laquelle s'oppose une action politique souvent incohérente. L'État iranien est sorti renforcé de cette situation, tandis que la société iranienne a poursuivi sa transformation en payant au prix fort cette expérience.

Après trois décennies, les rapports de forces ont changé, les crises du Moyen-Orient (nucléaire, terrorisme sunnite, Afghanistan, Irak, Syrie…) atteignent un paroxysme qui peut aboutir à des drames, mais aussi à un apaisement. L'Iran est devenu un pays émergent, « non aligné », qui cherche à trouver sa place au côté des BRICS (Brésil, Russie, Inde, Chine, Afrique du Sud), avec la Turquie et d'autres États aux dynamiques comparables. Un défi pour l'ancienne Perse, et pour les pays occidentaux.

L'Iran n'est pas une démocratie, mais c'est une république

Les analyses et commentaires sur la politique iranienne ont souvent, à juste titre, insisté sur la dualité institutionnelle de la République islamique où la légitimité du pouvoir est fondée à la fois sur le peuple mais aussi sur Dieu, relayé par le clergé chiite et son leader, le Guide suprême. À cette réalité juridique, il faudrait cependant ajouter la pression des rapports de forces internes ou externes, ainsi que des logiques politiques, culturelles, économiques et idéologiques, qui imposent des décisions même au Guide suprême. Les débats politiques sont très actifs en Iran, et il serait simpliste de conclure que le « régime islamique » est une dictature totalitaire. Comme le montre le rôle de hauts responsables du « régime », tels Mohammad Khatami, Hachemi Rafsandjani ou Mir-Hossein Moussavi, devenus leaders des « réformes », tout n'est pas verrouillé dans le système politique iranien.

Décrire la République islamique d'Iran comme « totalitaire » par nature et donc incapable de réforme procède plus de la polémique que l'analyse des rapports de forces. Le système institutionnel iranien est certes original, mais obéit aux règles « normales » de la politique. L'élection sans contestation de Hassan Rouhani en juin 2013 est allée de pair avec l'exclusion du scrutin des opposants les plus déterminés comme Hachemi Rafsandjani et Esfandiar Mashaie. Les élections iraniennes n'ont jamais été des modèles mais cet exercice central de la démocratie mobilise incontestablement les foules. C'est ce qu'ont, à leur manière, démontré les manifestants qui, en juin 2009, scandaient : « Où est mon vote ? » On notera par ailleurs que, depuis une quinzaine d'années, c'est-à-dire depuis l'élection surprise, en 1997, de Khatami à la présidence de la République, le nom du vainqueur n'est jamais connu avant le scrutin. Un fait rare dans la région...

La dynamique sociale et culturelle qui anime l'Iran depuis la révolution constitutionnelle de 1906, qui mit fin à la monarchie absolue, ne s'est jamais arrêtée et a toujours réussi à s'imposer, souvent au prix d'une lutte difficile : les libéraux et les islamistes de l'ayatollah Khomeyni se sont alliés pour renverser le chah en 1979 ; les technocrates ont soutenu la politique de reconstruction de Rafsandjani après la guerre Iran-Irak, à la fin des années 1980 ; les intellectuels ont appuyé Khatami en 1997 ; le « Mouvement vert » a soutenu Moussavi alors que les classes les plus pauvres soutenaient Mahmoud Ahmadinejad en 2009. Cependant, aucun des leaders « modérés » ou « progressistes » n'a pu – ou voulu – organiser ces dynamiques en parti politique ou en institution structurée, ce qui a facilité la répression et renforcé le pouvoir de forces conservatrices.

Le rêve ou le mythe du « renversement du régime islamique » semble aujourd'hui dépassé. Après plus de trois décennies d'existence, de crises souvent dramatiques et l'élimination des oppositions les plus radicales, la République islamique semble en effet avoir trouvé un « équilibre » ou, plutôt, une unité imposée par le Guide Ali Khamenei. L'élection présidentielle de juin 2013 a illustré cette unité imposée mais aussi l'existence d'un débat interne concernant les attentes de la société iranienne et les pressions internationales. Lentement, les lignes politiques bougent.

Chaque faction a pris conscience que la dualité du pouvoir avait bloqué toute prise de décision depuis 1997, et conduisait à la paralysie et à la ruine du pays et de son système politique. Malgré les conflits entre personnes et opinions, cette recherche du compromis et du consensus est une constante du régime islamique. Ne dit-on pas que les mollahs, dans leurs disputes permanentes, « se déchirent les chairs mais ne rompent pas les os » ?

D'une logique « musulmane »...

Le principal changement provoqué par la République islamique en politique étrangère a bien sûr été sa nouvelle priorité donnée au monde musulman, créant ainsi un troisième cercle d'intérêts stratégiques entre les intérêts nationaux et les enjeux mondiaux. On se souvient que Yasser Arafat fut le premier « chef d'État » à se rendre à Téhéran après la chute du chah. Il confirmait ainsi que la question palestinienne, ou plutôt l'opposition à Israël, devenait le principal moyen pour l'Iran chiite de jouer un rôle dans un monde musulman dominé par les sunnites.

Dans les années 1980, l'Iran a donc mis en place une puissante organisation de propagande et d'action dans le monde musulman, ce qui a provoqué l'opposition des pays occidentaux soutenant Israël et, surtout, des États voisins qui craignaient moins la nature chiite du régime iranien que son idéologie « républicaine ». Cette politique d'« exportation de la révolution islamique » s'est très vite heurtée à la contre-offensive des pays sunnites, en particulier de l'Arabie saoudite soutenue par les États-Unis. L'islam sunnite radical a ainsi été soutenu par ces régimes, non seulement pour contrer les Soviétiques en Afghanistan mais, surtout, pour s'opposer à une République islamique iranienne alors considérée comme une créature ou un instrument de l'URSS.

Derrière la façade d'un conflit religieux sunnite-chiite, la guerre Irak-Iran (1980-1988) fut le premier et le principal acte de cette stratégie régionale et internationale pour contrer la République iranienne. Les conséquences ont été doubles, et contradictoires : d'une part, l'Iran a utilisé ses réseaux chiites en ouvrant un second front au Liban, afin de contrer les Occidentaux qui soutenaient l'Irak, mais, d'autre part, le régime de Téhéran été contraint de limiter sa politique islamiste aux communautés chiites (son seul vrai succès a été la création du Hezbollah au Liban). À l'issue du conflit, l'Iran a bien compris qu'il ne deviendrait jamais le leader du monde musulman et que ses alliances régionales, notamment avec la Syrie, étaient certes importantes pour servir ses intérêts nationaux, mais pas stratégiques. La condition nécessaire et prioritaire pour assurer la survie et la force de la République islamique d'Iran passe par la sécurité de son territoire national considéré, à tort ou à raison, comme menacé par les monarchies arabes, le sunnisme radical des talibans ou l'instabilité de l'Irak.

La guerre Iran-Irak a été l'occasion d'une autre évolution pour le régime iranien. En envoyant les militants islamistes – les jeunes Gardiens de la révolution (*pasdaran*) – combattre sur le front irakien pour « sauver la patrie » et défendre le « territoire national » aux cotés de l'armée régulière fondée par la monarchie Pahlavi, la jeune République islamique a expérimenté l'imbrication paradoxale, et parfois contradictoire, des logiques islamistes et nationalistes. Ce conflit régional a ainsi été le creuset fondateur de la politique extérieure de l'Iran : la politique islamiste est devenue une composante secondaire, voire une variable d'ajustement, dans la politique étrangère de l'Iran, pour servir l'enjeu stratégique prioritaire, à savoir la défense des intérêts nationaux et la sécurité du territoire.

... à une politique « nationale »

Depuis trois décennies, le débat sur la place relative à donner à l'islam, à la nation et à l'ouverture internationale est au cœur de toutes les discussions et des conflits politiques en Iran, où chacun des trois termes qui qualifient la « République islamique d'Iran » fait référence à une composante de l'identité du régime politique iranien.

Avec le temps, la domination omniprésente du pouvoir islamique dans la vie quotidienne des Iraniens, et l'isolement culturel, politique et économique du pays ont usé, et souvent discrédité, le pouvoir clérical et religieux qui, en retour, s'est réorganisé et radicalisé. Les partisans d'une politique islamiste radicale restent très actifs et demeurent nombreux parmi les miliciens (*bassiji*), les Gardiens de la révolution, les Services de renseignement et dans certains courants du clergé (ayatollah Mezbah Yazdi). Aux élections législatives de mai 2012, le « Mouvement de la résistance » (*Peydari*) a obtenu 30 % des sièges, confirmant l'enracinement de ce courant politique tout en entérinant sa situation minoritaire. Le bureau du Guide Ali Khamenei, dont la fonction est précisément de garantir la pérennité du régime islamique, soutient cette tendance mais une analyse de son action montre également le prix qu'il accorde, *in fine*, à l'indépendance de l'Iran et à ses intérêts nationaux.

Ces dernières années, l'usure du régime, la contestation intérieure et surtout les tensions internationales (sanctions économiques, crise du nucléaire, menaces israéliennes et surtout guerre en Syrie) ont provoqué un retour en force du nationalisme iranien. Même si la rhétorique islamique et anti-israélienne – la « libération de Jérusalem » – reste un moyen de pression essentiel et durable dans la stratégie politique iranienne, la priorité est désormais clairement la défense du territoire.

Pour la République islamique d'Iran, jalouse de son identité politique fondée sur le chiisme depuis le XVIe siècle, l'enjeu prioritaire n'est pas – n'est plus – le contrôle du monde musulman, mais sa sécurité, son indépendance et son pouvoir régional. Le vrai défi est moins Israël, l'islam ou la lutte contre « l'arrogance des puissances occidentales » que son positionnement face aux monarchies de la péninsule Arabique, sur l'autre rive d'un golfe qualifié de « persique » mais passé depuis plusieurs décennies sous le contrôle de pays arabes récents, riches et soutenus par les États-Unis. La source du conflit entre l'Iran et ses voisins est d'abord politique, entre États nationaux.

Ce qui est en jeu, c'est le nouvel équilibre régional entre le vieil État iranien, qui tente de sortir de sa révolution et de normaliser ses relations internationales, et les monarchies de la péninsule Arabique. L'Iran n'est plus le « gendarme du Golfe » au service des pays occidentaux, comme au temps des Pahlavi, et ne peut pas accepter que d'autres jouent ce rôle, qu'il s'agisse de l'Irak de Saddam Hussein dans les années 1980 ou l'Arabie saoudite aujourd'hui. Un conflit militaire frontal, sur le modèle de la guerre Irak-Iran, est désormais impossible. L'affrontement se joue donc sur des théâtres secondaires : la Syrie offre en la matière un champ de bataille « utile », comme le fut le Liban dans les années 1980, pour mesurer les rapports de forces et les termes d'un compromis.

La complexité de la rivalité entre l'Arabie saoudite et l'Iran illustre bien l'imbrication des facteurs liés à l'islam, au nationalisme et aux rapports avec les États-Unis. L'Iran n'a pas les moyens militaires d'une action extérieure massive, mais dispose d'une population nombreuse instruite et dynamique, de revenus pétroliers élevés et durables et, surtout, d'une expérience politique qui lui permet de jouer simultanément sur le triple registre islamique, national et international. Les conflits politiques internes, la crise économique, les sanctions internationales et les menaces de bombardement israélien ont eu pour effet de développer dans toutes les couches sociales le sentiment que la « patrie est en danger » et de faire émerger un certain consensus national pour trouver une solution à l'accumulation de problèmes internes et internationaux qui bloquent l'Iran et les Iraniens dans une impasse devenue insoutenable.

Iran/États-Unis : vers la fin du duel des deux « diables » ?

La fin de la guerre froide entre le « Grand Satan » américain et l'Iran de « l'axe du mal » est le vrai défi dont la solution conditionne la plupart des contentieux dans lesquels Téhéran est impliqué, à commencer par le nucléaire. Malgré des initiatives isolées, l'absence de volonté politique de part et d'autre a fait échouer toutes les tentatives de normalisation depuis trois décennies. Les ouvertures faites par Barack Obama au début de son premier mandat ont échoué à cause de l'opposition des républicains, du peu d'enthousiasme de l'administration de Washington et, surtout, de la méfiance du Guide Ali Khamenei qui craint toujours qu'une normalisation n'ouvre la porte à une « agression culturelle occidentale » mettant en danger le régime islamique.

Les rapports de forces ont cependant évolué : l'Iran, qui a gagné la bataille du nucléaire puisqu'il maîtrise les techniques d'enrichissement de l'uranium, souffre néanmoins des sanctions qui bloquent toutes les activités économiques, culturelles ou politiques du pays et de sa population. La politique américaine de « *containment* » et d'embargo, issue de la guerre froide, est devenue inefficace depuis la chute de l'URSS et l'émergence de nouvelles puissances. Enfin, et surtout, la guerre en Syrie, l'échec occidental en Afghanistan, l'instabilité en Irak, les bouleversements provoqués par les printemps arabes et l'impasse dans laquelle demeure la question palestinienne imposent de regarder l'Iran avec plus de réalisme.

À Téhéran, tous les candidats à l'élection présidentielle de juin 2013 ont souhaité, chacun à leur façon, mettre un terme à ce duel des deux « diables ». Le Guide suprême est contraint à ne plus s'opposer totalement à une « coexistence pacifique » qui pourrait assurer la survie du régime islamique et même, à terme, renforcer l'Iran.

Dans le camp occidental, les blocages semblent toujours très forts, malgré la plus grande liberté d'action du président américain pendant son second mandat et la nomination de John Kerry comme secrétaire d'État. Israël et l'Arabie saoudite exigent des garanties et souhaitent un affaiblissement durable de l'Iran persan, républicain et chiite. Quant à l'Europe, la France en particulier, elle campe sur une ligne dure, fort éloignée du « dialogue critique » qu'elle a longtemps prôné à l'égard de Téhéran.

Si le pire est toujours probable, un apaisement n'est pas pour autant impensable. Car il s'impose sous l'effet des contraintes qui pèsent sur la République islamique d'Iran comme sur les pays occidentaux.

Pour en savoir plus

Fariba Adelkhah, *Les Mille et Une Frontières de l'Iran*, Karthala, Paris, 2012.

Bernard Hourcade, *Géopolitique de l'Iran*, Armand Colin, Paris, 2010.

Azadeh Kian, *L'Iran, un mouvement sans révolution ? La vague verte*, Michalon, Paris, 2011.

Marier Ladier-Fouladi, *Iran : un monde de paradoxes*, Atalante, Paris, 2010.

Quand le Kazakhstan se place sur la carte géopolitique du monde

Régis Genté
Journaliste

Il y a moins de quinze ans encore, les grandes puissances misaient sur l'Ouzbékistan pour devenir le leader de l'Asie centrale postsoviétique. Aujourd'hui, signe que la région est en pleine mutation, l'idée paraît saugrenue. C'est le Kazakhstan, avec ses 16 millions d'âmes, qui est devenu l'incontestable locomotive de la région. Pourtant, avec 26 millions d'habitants, l'Ouzbékistan semblait devoir s'imposer comme le leader naturel des cinq pays d'une région ayant tout juste gagné son indépendance. « L'Ouzbékistan avait des atouts, mais il s'est fermé et n'a pas su bâtir de relations de confiance avec les partenaires et investisseurs étrangers », nous explique le politologue Georgiy Voloshine. Le Kazakhstan, lui, a su le faire.

Richesses minières et pétrolières

Alors que l'Ouzbékistan devient très répressif pendant les années 1990 et que son économie devient un mélange d'étatisme et pratiques ultracorrompues, le Kazakhstan privatise à tour de bras ses vieux mastodontes de l'industrie minière – avec certes quelques ratés – et semble emprunter la voie libérale. Au fil de la décennie, des géants miniers comme Areva, Mittal ou Glencore investissent au Kazakhstan et attirent encore davantage l'attention des grandes capitales mondiales sur cette immense république située entre la Russie et la Chine, et dont la superficie équivaut à cinq fois la France. Son sous-sol est incroyablement riche : toute la table de Mendeleïev s'y trouve et, alors que le pouvoir soviétique avait négligé le pétrole kazakh, il s'avère que le pays dispose de 30 milliards de barils de réserves prouvées, soit 1,8 % du total mondial.

L'intérêt renouvelé pour l'or noir kazakh est récompensé en 2000 avec la découverte du gisement éléphant de Kashagan, en mer Caspienne. À terme, il pourrait produire jusqu'à 1,5 million de barils de brut par jour, à une époque (autour de 2030) où le monde pourrait en consommer quotidiennement 120 millions. Les premières extractions devraient avoir lieu à l'automne 2013. Gisement de tous les défis, Kashagan s'annonce comme le projet pétrolier le plus cher de l'histoire (on parle de plus de 130 milliards de dollars à terme). En conséquence, plusieurs *majors* multinationales ont dû s'associer pour l'exploiter : Shell, ExxonMobil, ConocoPhillips, Total, ENI.

Dans la foulée, les entreprises chinoises s'emparaient d'autres gros gisements kazakhs et posaient deux pipelines – un oléoduc et un gazoduc – à travers la steppe du pays. Le voisin chinois, en pleine croissance, se positionne aussi sur d'autres secteurs, comme l'uranium, aux côtés des Français, Japonais, Coréens, Russes, Américains, Canadiens, etc. Le Kazakhstan dispose de 15 % des réserves mondiales d'uranium mais le pays est devenu, grâce à une judicieuse stratégie de développement, le premier producteur mondial de ce minerai en 2011 (28 % de la production mondiale). Et c'est ainsi qu'en vingt ans le Kazakhstan s'est imposé comme un acteur stratégique grâce à son sous-sol, attirant les investissements et offres de partenariats de toutes parts et dans tous les domaines, y compris les terres rares, particulièrement recherchées dans la haute technologie (lasers, écrans de télévision, turbines d'éoliennes, aimants permanents...).

Le sous-sol est un atout, encore faut-il ne pas le gâcher. Certes, l'actualité des quinze dernières années a été scandée par les tentatives d'Astana d'augmenter drastiquement les taxes sur les exportations des produits du sous-sol et de reprendre, à l'aide d'une justice docile, des parts dans les projets les plus importants (comme l'a fait la société nationale pétrolière KazMounaïGaz dans Kashagan). Mais le pouvoir kazakh a toujours protégé ses investisseurs, souvent au détriment des salariés locaux. Quant à la corruption, elle fut au cœur de la plupart de ces négociations, avec parfois de retentissants scandales – à l'exemple du « Kazakhgate », cette affaire impliquant un businessman américain et les plus hautes autorités politiques du pays lors de l'attribution du gisement pétrolier de Tenguiz.

Une diplomatie active

Cette ouverture aux investissements étrangers s'accompagne d'une politique étrangère misant sur l'intégration régionale, voire globale, et le « multivectorialisme », qui consiste à contrebalancer l'influence des grandes puissances sur le pays, qu'elles soient globales ou régionales, les unes par les autres. Début 2013, le président Noursultan Nazarbaïev récoltait les fruits de deux décennies de travail en ce sens : Almaty, l'ancienne capitale, accueillait les pourparlers sur le programme nucléaire iranien avec des représentants de l'Iran et des grandes puissances du groupe « 5 + 1 » (les cinq membres permanents du Conseil de sécurité de l'ONU et l'Allemagne). « Jusqu'à présent, Astana se contentait d'une grande activité pour organiser des événements vides, comme le Congrès des leaders des religions mondiales et traditionnelles, admettait à cette occasion un cadre du Quai d'Orsay familier du pays, à l'occasion d'un entretien téléphonique. Cette fois, c'est de tout autre chose qu'il s'agit. »

Le président Nazarbaïev multiplie les initiatives politiques, dans des domaines variés : gestion de l'eau en Asie centrale, création de structures transnationales en Asie, médiation dans les conflits postsoviétiques ou entre pays musulmans... « Nombre de ces initiatives servent davantage l'image de M. Nazarbaïev que les grandes causes mondiales et régionales. Elles servent à rappeler que c'est lui le patron », nous explique le politologue Dossym Satpaïev, directeur du cabinet de consultants Risks Assessment Group. Rappelons qu'Astana, grâce à un intense travail de lobbying, est parvenue à prendre la présidence tournante de l'OSCE (Organisation pour la sécurité et la coopération en Europe) en 2010, faisant *de facto* reconnaître par les grandes démocraties membres de ladite organisation que la vision du monde du Kazakhstan est compatible avec la leur.

Le succès que représente l'accueil des pourparlers sur le nucléaire iranien est le résultat d'une politique lancée au lendemain de l'indépendance, en 1991, avec le renoncement aux missiles et têtes nucléaires hérités de l'Armée rouge. Alors que le Kazakhstan se retrouvait subitement à la tête du quatrième ou cinquième arsenal nucléaire du monde et que les risques de prolifération étaient réels, dans le contexte chaotique de l'époque, Nazarbaïev, qui avait pris la tête de la république en 1989, sut faire de ce renoncement au statut de puissance nucléaire un atout pour le développement du pays.

C'est dans cet esprit, et alors que Washington et Moscou négociaient le traité START II (sur la réduction des arsenaux nucléaires), que Nazarbaïev invita les États-Unis à devenir un acteur clé de la politique de son pays et inaugura sa politique étrangère dite « multivectorielle ». Les Américains s'engagèrent non seulement à fournir une aide technique et financière pour démanteler l'arsenal nucléaire et le remettre aux Russes, mais également à assister le nouvel État kazakhstanais pour assurer sa sécurité. Faisant la démonstration de son sens des responsabilités, Nazarbaïev profita de ces développements pour présenter le Kazakhstan comme un acteur exemplaire de la paix globale et pour saper, au passage, les arguments de ceux qui critiquent la nature autoritaire de son régime.

Ces décisions fondamentales jouent aujourd'hui un rôle crucial dans la perception du pays comme un point d'appui essentiel pour la stabilisation de la région. Une image qu'Astana entretient en prenant quantité d'initiatives, qu'il s'agisse de plaider pour un monde dénucléarisé, de promouvoir le dialogue interreligieux, de faire des propositions pour moderniser l'armée afghane ou encore de mettre son territoire à la disposition de la coalition internationale engagée en Afghanistan quand les troupes étrangères se retireront de ce pays en 2014.

Parallèlement au renoncement à son arsenal nucléaire, par lequel il impliquait les Américains dans la construction de l'État kazakhstanais, le président Nazarbaïev négociait avec le géant pétrolier américain Chevron pour l'exploitation de l'immense gisement *offshore* de Tenguiz. C'étaient là les prémices de la politique multivectorielle kazakhstanaise, s'appuyant sur les atouts enfouis dans son sous-sol pour s'intégrer économiquement et politiquement dans la région et dans le monde, et bâtir une stratégie d'indépendance en contrebalançant les ambitions des grandes puissances les unes par les autres.

Contenir les grandes puissances les unes par les autres

Ainsi observe-t-on une diplomatie habile, mêlant « business » et pure politique, tentant de contenir l'ancienne puissance coloniale qu'est la Russie par les États-Unis d'abord, puis par la Chine depuis une dizaine d'années. C'est aussi de cette façon que le « partenariat stratégique » proposé par Nicolas Sarkozy lors de sa visite à Astana, en octobre 2009, s'est révélé payant. Ce partenariat était le énième du genre pour les Kazakhstanais mais la France a apporté une nouvelle dimension à leur politique multivectorielle. Ce jour-là, outre des signatures de contrats ou de protocoles d'accord dans le domaine du transport et de l'énergie (Total, GDF-Suez, Areva, Spie-Capag), EADS Astrium et Thales faisaient leur entrée en masse dans le secteur de la défense et de la sécurité de la république centrasiatique. Le Kazakhstan, désireux de ne pas être prisonnier des Russes et soucieux de ne pas irriter ces derniers en invitant les Américains dans un secteur très sensible, avait trouvé chez les Français en embuscade la solution idéale.

Chatouilleux sur les questions relatives à la démocratie et aux droits de l'homme, le Kazakhstan a en effet modéré sa dépendance vis-à-vis des États-Unis. C'est pourquoi le pays a pris soin d'établir une politique de liens multiples avec le monde musulman et, surtout, avec l'Asie : Corée du Sud, Malaisie, Singapour. Le président Nazarbaïev considère d'ailleurs le bâtisseur de ce dernier pays, Lee Kuan Yew, comme un modèle : conseiller de Deng Xiaoping lorsqu'il lança ses réformes économiques, l'ancien Premier ministre singapourien (en poste de 1959 à 1990) inspire le leadership kazakhstanais qui aimerait lui aussi parvenir, sous le couvert d'une nécessaire stabilité politique et d'un rapide développement économique, à mélanger un autoritarisme capable d'ajourner sans cesse les réformes démocratiques et un capitalisme respectueux des intérêts personnels de la famille « régnante »... C'est aussi dans ces aspects-là de la politique kazakhstanaise que l'on sent combien le monde est en train se tourner vers l'Est.

Reste qu'il n'est pas question, pour le Kazakhstan, de trop s'en remettre à Pékin. Population et dirigeants kazakhstanais se méfient de la puissance de l'empire du Milieu, craignant entre autres le déferlement du trop-plein démographique chinois dans leur steppe quasi désertique. En 2012, les échanges commerciaux entre le Kazakhstan et la Chine ont dépassé les échanges russo-kazakhs. « Cette crainte vis-à-vis de la Chine est une des raisons qui expliquent pourquoi le Kazakhstan a choisi de former une Union douanière avec la Russie et la Biélorussie », estime Georgiy Voloshine. Cette Union douanière, qui pourrait se doubler d'une intégration dans une Union eurasienne proposée en 2011 par le président russe Vladimir Poutine, dépasse la question du *containment* de la Chine. Ce fut une décision politique, même si le pouvoir kazakhstanais rêvait aussi d'un accès aux marchés russe et biélorusse et leurs 153 millions de personnes. En réalité, à ce sujet, le Kazakhstan est perdant. En 2012, la part du Kazakhstan dans l'Union douanière était de 16,9 %, contre 20 % en 2011. « L'union douanière est une répétition générale pour l'entrée dans l'Organisation mondiale du commerce et donc un nouveau pas vers une intégration plus poussée avec le reste du monde, constate Dossym Satpaïev. Pour ce qui est de l'Union eurasienne, proposée par Poutine, la direction kazakhstanaise est très réticente à l'égard d'une intégration politique. »

Comme le rappelle ce dernier, Nazarbaïev a tendance à se placer en initiateur de ces unions douanières et eurasiennes. C'est que, sur la base de cette stratégie générale, il a forgé une sorte d'idéologie officielle : l'« eurasisme » [1]. Elle est empruntée au nationalisme russe et retravaillée selon les besoins et la vision du pouvoir kazakhstanais d'aujourd'hui. Elle consiste à définir l'identité du pays par sa géographie « culturelle ». « Le Kazakhstan est un État unique en Asie, dans lequel sont entrelacées racines européennes et racines asiatiques. [...] La combinaison de différentes cultures et traditions nous permet d'absorber le meilleur des cultures européenne et asiatique », explique ainsi Nazarbaïev dans un de ses livres [2].

L'eurasisme permet au président kazakh d'articuler ses politiques intérieure et extérieure et peut même servir de cadre général à certains grands projets économiques. Ainsi en va-t-il par exemple de la route « Chine de l'Ouest-Europe de l'Ouest » autour de laquelle Astana articule toute sa politique de transport. Il s'agit d'un système complexe combinant voies routières, ferroviaires et aériennes. C'est dans ce cadre que la société française Alstom a décroché un contrat pour assembler puis construire au Kazakhstan 295 locomotives électriques doubles, en partenariat avec les Russes de TransMash Holding (TMH) et Kazakhstan Temir Zholy, la société nationale des chemins de fer kazakhstanais. « Il était très important pour

---

1 Voir l'article d'Andreï Gratchev, p. 109.

2 Noursultan NAZARBAÏEV, *Evrazijskij soûz : idei, praktika, perspektivy 1994-1997* (« L'Union eurasienne : idées, pratique, perspectives, 1994-1997 »), Fond Sodejstviâ razvitiû social'nyh i politi ÿceskyh nauk, Moscou, 1997, p. 27.

nous de nous installer dans cette zone. [...] Il existe des flux historiques passant par le Kazakhstan, que ce soit la vieille route de la soie ou les flux soviétiques. Stratégiquement, il fallait être là. Nous le sommes pour longtemps », nous expliquait fin 2011 Bernard Gonnet, le directeur d'Alstom transport pour la Communauté des États indépendants.

Ainsi, le Kazakhstan parvient à frayer sa voie dans le monde multipolaire en formation. « La crise financière et économique globale signe la fin du système unipolaire. Un pays comme le Kazakhstan peut jouer un rôle stratégique dans la formation de ce nouveau monde en s'imposant comme un acteur clé de la construction d'un pôle eurasien, un pôle de développement pacifique crucial pour le monde », estime Gian Guido Folloni, le président de l'Institut italien pour l'Asie et la Méditerranée (Isiamed). Depuis vingt ans, le Kazakhstan, sous la houlette d'un chef d'État qui se voit comme le « père de la nation », œuvre à se créer une place dans le monde du XXIe siècle. Souvent, ses initiatives ont été des coquilles vides, de la pure communication. Mais cela finit par fonctionner : à défaut d'être influent, le Kazakhstan s'impose peu à peu comme un acteur qui compte.

Pour en savoir plus

Robert M. Cutler, « Kazakhstan's "resource nationalism" : Its sources and motives », Central Asia Economic Paper n° 2, George Washington University, septembre 2012 (disponible sur <www.centralasiaprogram.org>).

Régis Genté, « Le Kazakhstan ou la géopolitique de l'eurasisme », *Le Monde diplomatique*, novembre 2010.

Dominique Gentils, *Les Relations extérieures du Kazakhstan au tournant du XXIe siècle*, thèse de doctorat, Inalco, Paris, 2008.

Steve Levine, *The Oil and the Glory. The Pursuit of Empire and Fortune on the Caspian Sea*, Random House, New York, 2007.

Sean R. Roberts, « Resolving Kazakhstan's unlikely succession crisis », PONARS Eurasia Policy Memo n° 231, septembre 2012 (disponible sur <*www.gwu.edu*>).

Konstantin Syroezhkin, « China's presence in Kazakhstan : myths and reality », *Central Asia and the Caucasus, Journal of Social and Political Studies*, vol. 12, n° 1, 2011.

Afrique du Sud, ou le difficile métier de puissance continentale

Augusta Conchiglia
Journaliste

En recevant, le 26 mars 2013, le cinquième sommet des BRICS à Durban, le président Jacob Zuma a redonné du lustre au leadership africain de son pays. Un lustre qui avait été terni dans les jours précédents. Car les forces armées sud-africaines avaient été mises en déroute en Centrafrique par les rebelles de la Seleka, qui allaient se saisir du pouvoir à Bangui. Et l'élection à la présidence de la Commission de l'Union africaine (UA), finalement échue à la Sud-Africaine Nkosazana Dlamini-Zuma, s'était avérée chaotique, au terme d'une procédure qui avait entraîné l'organisation régionale dans une longue impasse.

À Durban, les chefs d'État des BRICS, regroupement auquel l'Afrique du Sud a été associée en 2010, avaient inclus dans leur programme un agenda africain : « Les BRICS et l'Afrique, partenariat pour le développement, l'intégration et l'industrialisation ». La création annoncée d'une Banque de développement des BRICS, dotée à terme d'un capital de 50 milliards de dollars, devait rendre crédible un tel partenariat. Conviés pour l'occasion, des chefs d'État africains – dont l'Ivoirien Alassane Ouattara – ont accouru avec leurs projets de développement sous le bras, l'Afrique du Sud agissant comme facilitateur.

Première puissance africaine affichant un PIB de quelque 400 milliards de dollars, mais avec à peine plus de 2,5 % de croissance en moyenne entre 2001 et 2011, l'Afrique du Sud a cependant du mal à justifier sa qualité de pays « émergent ». Alors que le Brésil a dépassé en 2012 la Grande-Bretagne en tant que sixième économie mondiale, que l'Inde et la Russie s'approchent de la dixième place et que la Chine pourrait détrôner les États-Unis à la première d'ici quelques années, l'Afrique du Sud ne figure même pas dans les vingt premières économies du monde, remarquait en 2013 Jim O'Neill, ancien économiste de Goldman Sachs, auquel revient l'invention de l'acronyme « BRICS ». L'inclusion de Pretoria dans ce groupe représentant 25 % du PNB mondial et 40 % de la population de la planète s'expliquerait donc plutôt par son positionnement géostratégique et la forte présence de ses entreprises sur le continent africain. Dotée d'un système bancaire sophistiqué et en pleine expansion en Afrique, ayant maintenu, voire renforcé, sa domination économique sur plusieurs pays d'Afrique australe et conquis d'autres marchés africains depuis la fin de l'apartheid, l'Afrique du Sud peut constituer une plateforme pour ses alliés du BRICS – lesquels sont également ses concurrents potentiels...

L'économie sud-africaine à la conquête du continent

L'avènement de la démocratie multiraciale, en 1994, a donné des ailes aux entreprises sud-africaines, qui peuvent enfin étendre leur présence bien au-delà des pays limitrophes. Cette expansion a bénéficié de deux phénomènes simultanés : la fin de la guerre froide et le triomphe du « consensus de Washington », cher aux institutions de Bretton Woods, induisant la libéralisation des économies africaines et l'ouverture des marchés. Les compagnies sud-africaines ont saisi cette chance et ciblé des secteurs moins touchés par les investisseurs des pays développés (télécommunications, énergie électrique, finance, transport), tout en convoitant les ressources minières du continent pour l'exploitation desquelles elles possèdent une indiscutable expertise (or et diamants notamment).

Les retours des investissements sud-africains, dominés par le secteur privé, ont été fort honorables. Selon une étude sud-africaine publiée en 2004, 17 % des investissements sud-africains en Afrique s'étaient traduits par une part de marché supérieure à 75 % dans leur secteur (dans les pays concernés). Le marché africain de la téléphonie mobile, par exemple, a ainsi été investi par la sud-africaine Mobile Technology Networks (MTN) qui, en 2012, ne comptait pas moins de 126 millions d'abonnés en Afrique (dont 45,6 millions au Nigéria).

Les entreprises parapubliques sud-africaines ont également réalisé des investissements en Afrique, concentrés surtout sur deux pays de la région australe : le Mozambique, avec des investissements associés à la construction de la fonderie d'aluminium Mozal et au développement du « corridor de Maputo » ; et le Lésotho, dans le cadre du projet titanesque du *Lesotho Highlands Development Authority*, comportant cinq barrages – dont le troisième est en construction – pour un coût total de 16 milliards de dollars sur trente ans.

En raison d'une saturation relative des marchés d'Afrique australe, les capitaux privés sud-africains se sont de plus en plus intéressés à d'autres régions du continent : l'Afrique occidentale (Nigéria, Ghana et Libéria notamment) et orientale (Kénya, Éthiopie). Il n'est pas exclu que l'Angola – qui, depuis 2010, fournit du pétrole à l'Afrique du Sud – et le Zimbabwé deviennent (ou redevienne pour ce dernier) des destinations prisées par les compagnies sud-africaines.

L'Institut allemand pour le développement (DIE) a publié en 2010 une recherche sur « Le rôle des investissements directs sud-africains en Afrique » et fait état du débat qu'il a suscité en Afrique du Sud même, où universitaires et chercheurs ont consacré de nombreuses études à ce sujet. Tout en jugeant positif l'impact des investissements du géant africain sur la croissance des pays africains, notamment la construction d'infrastructures productives en Afrique australe, qui n'auraient probablement pas vu le jour sans ces apports, le DIE reconnaît la persistance de forts déséquilibres régionaux.

Certes, les investissements sud-africains en Afrique ne constituent que près de 20 % du total des investissements directs de ce pays dans le monde (dont le stock avait atteint, en 2012, 89 milliards de dollars). Mais l'Afrique reste un continent stratégique pour Pretoria, qui s'efforce de se placer au centre des alliances douanières, économiques et financières du continent. Dominante au sein de l'Union douanière d'Afrique australe (South African Custom Union, SACU), créée en 1910, qui réunit le Botswana, le Lésotho, la Namibie et le Swaziland – traditionnels marchés captifs pour les exportations sud-africaines –, Pretoria fait régulièrement face à une contestation polie au sujet de la répartition des revenus douaniers entre les partenaires. Le dernier sommet de la SACU, le 12 avril 2013 à Gaborone (Botswana), a remis la question à l'ordre du jour. Le projet d'élargissement de l'Union douanière aux quinze pays de la Communauté de développement d'Afrique australe (South African Development Community, SADC) – qui inclut les membres de la SACU et qui est régie actuellement par un traité de libre-échange – devrait favoriser la recherche d'un consensus durable.

L'Afrique du Sud, qui est également membre du Marché commun de l'Afrique orientale et australe (Common Market for Eastern and Southern Africa, COMESA), encourage l'achèvement d'un ambitieux accord tripartite de libre-échange, incluant la SADC et la Communauté des États de l'Afrique de l'Est (EAC), afin de mettre fin au chevauchement d'accords et traités entre leurs membres respectifs. Grâce à de tels accords, les exportations sud-africaines vers le reste du continent augmentent rapidement. De 2006 à 2012, elles ont progressé de 149 % – et même de 248 % vers l'Afrique australe –, atteignant 15 milliards de dollars en 2012. Sur la même période, les importations de l'Afrique ont progressé de 80 % (9,1 milliards de dollars en 2012). Un déséquilibre qui nourrit l'idée d'une « recolonisation » du continent...

Une puissance concurrencée et critiquée

Si la domination sud-africaine paraît à certains égards écrasante, elle doit faire face à la concurrence et à des critiques parfois sévères. La progression exponentielle, en Afrique, des investissements et des prêts chinois, qui atteignent 15 milliards de dollars, et des échanges commerciaux, qui dépassent 198 milliards de dollars pour la seule année 2012, est particulièrement pénalisante pour les Sud-Africains. Le Brésil, qui affiche quant à lui des échanges commerciaux de 20 milliards de dollars (2010) et des investissements qui pourraient prochainement atteindre 10 milliards de dollars, représente également un concurrent sérieux, notamment dans les pays lusophones de la région (Mozambique, Angola). La vulnérabilité sud-africaine est apparue clairement au lendemain de la crise économique internationale de 2008-2009, laquelle a sévèrement infléchi la progression des flux d'investissements sud-africains dans le monde (9,7 milliards de rands en 2009, contre 20 milliards de rands en 2007) qui se sont taris temporairement l'année suivante [1].

En dépit des importantes parts de marché détenues par la première puissance africaine et de sa forte propension à étendre toujours plus son influence sur le continent, l'étude du DIE arrive à la conclusion qu'elle « n'a pas le "muscle économique" suffisant pour contribuer significativement au développement de ses partenaires, comme le Japon a pu le faire avec les pays du Sud-Est asiatique ». Le Centre pour la résolution des conflits (CCR) du Cap a pour sa part publié en avril 2013 les documents du séminaire sur « L'Afrique du Sud en Afrique australe [2] », qui recommandent notamment à Pretoria davantage de concertation avec les pays de la région. « [L'Afrique du Sud] doit donner aux petits États de la sous-région l'assurance qu'elle ne représente pas une menace pour eux, tout en cherchant à établir des alliances sous-régionales avec des États clés, tel l'Angola, afin de forger le nécessaire consensus en Afrique australe. »

Conscient des déséquilibres qui caractérisent la SADC, le gouvernement sud-africain, et notamment son ministre du Commerce et de l'Industrie Robert Davies – qui fut l'auteur de plusieurs études sur ce sujet – a maintes fois manifesté sa volonté d'accélérer des programmes favorisant une industrialisation plus équitable de la région, afin de réduire sa dépendance vis-à-vis de l'Afrique du Sud. Mais leur mise en œuvre est insatisfaisante, affirme le CCR, qui demande « des efforts concrets pour l'intégration des pays de la SADC, en évitant les schémas inappropriés, tels les modèles du marché libre ». Ainsi, les projets que devrait financer à l'avenir la Banque de développement de l'Afrique australe (SADB) pour créer et améliorer les infrastructures régionales – pour plusieurs dizaines de milliards de dollars – « ne devront pas uniquement desservir les exportations "de la mine aux ports", mais contribuer à favoriser un développement intégré ».

Ainsi, les critiques se multiplient à l'égard d'une Afrique du Sud tour à tour considérée comme un moteur régional et comme un « nouveau colonisateur ». Il n'est pas rare que les médias d'Afrique du Sud fassent état de la

---

1 CNUCED, « Investment Country profiles », février 2012 (disponible sur <http://unctad.org>).

2 Dawn Nagar et Mark Paterson (dir.), *South Africa in Southern Africa*, Policy advisory group seminar report, Centre for Conflict Resolution, Le Cap, avril 2013.

persistance chez certains groupes sud-africains d'attitudes arrogantes qui rappellent celles de l'ère de l'apartheid, ainsi que de leur « mercantilisme » dans la sous-région et au-delà. Pretoria « devrait formuler et mettre en œuvre un code de conduite qui pourrait donner une impulsion à la diversification économique et à la promotion de valeurs communes », disent en écho des chercheurs des universités sud-africaines.

Les mouvements à la gauche de l'ANC sont plus sévères encore. « Une fois au pouvoir, l'ANC a échoué à mettre en œuvre son programme consistant à casser les monopoles qui dominent l'économie sud-africaine, a permis aux plus grandes entreprises d'être "de-listées" de la Bourse et de se réinventer en tant que corporations étrangères [1], a privatisé les entreprises publiques stratégiques [...], et a livré notre économie à l'OMC et aux besoins du capital financier prédateur », s'insurge par exemple Mercia Andrews, du Democratic Left Front [2]. L'ANC aurait ainsi aggravé les inégalités (10 % de la population détiennent 51 % du total des richesses, les 20 % les plus pauvres en détiennent 1,4 %).

L'État essaie en vérité de pallier cette situation en allouant des subsides et en établissant diverses formes de protection sociale auxquelles il consacre 3,5 % du PIB, un des taux les plus élevés consentis par un pays à revenu intermédiaire. Mais il bute sur son incapacité à créer des emplois du fait de sa faible emprise sur le capital privé dominant l'économie – un cas de figure bien connu en Europe !

Pretoria, au cœur des enjeux diplomatiques africains

« Aucun pays du continent africain n'a fait en dix-neuf ans autant de progrès que nous. Pas un seul », a revendiqué le président Jacob Zuma, le 10 avril 2013, à la conférence annuelle des ambassadeurs sud-africains, qu'il a incités à mieux faire connaître au monde la réalité du pays, deux décennies seulement après la fin de l'apartheid. Aux yeux des Africains, le modèle de réconciliation et de dialogue, qui fut l'héritage mondial de Nelson Mandela, a pourtant été terni ces dernières années, reconnaissent plusieurs observateurs sud-africains. « Nous étions destinés à devenir le candidat légitime de l'Afrique pour siéger au Conseil de sécurité, écrit Jay Naidoo, ancien secrétaire général de la principale confédération syndicale, le Congress of South African Trade Unions (COSATU). « Mais cela est du passé », ajoute-t-il, en regrettant le récurrent – mais justifié – reproche d'ingratitude formulé à l'encontre de Pretoria par les pays qui, comme le Nigéria, ont contribué à l'effondrement de l'apartheid.

---

1 C'est notamment le cas de l'Anglo-American, géant minier, et de son associé/filiale De Beers, qui quittaient la Bourse de Johannesburg en 2001 après 108 ans.

2 Mercia ANDREWS, « The ANC transformed », *Amandla*, 15 mars 2012 (disponible sur <www.amandla.org.za>).

Les relations entre les deux grandes puissances d'Afrique subsaharienne, l'Afrique du Sud et le Nigéria, se tendent fréquemment. Le Nigéria s'insurge régulièrement contre ce qu'il considère comme des traitements injustes à l'encontre de ses ressortissants en Afrique du Sud, dont la police n'est effectivement pas tendre avec les immigrés. Ébranlée notamment par la crise ivoirienne (2011) et la bataille pour la présidence de la Commission de l'Union africaine (2012), l'alliance stratégique ébauchée par l'ancien président sud-africain Thabo Mbeki avec le Nigéria d'Olusegun Obasanjo a été, du moins en apparence, sauvée par la chaleureuse visite de Jacob Zuma à Abuja, le 15 avril 2013, et sa déclaration sur l'importance des échanges de vues afin d'« aligner et harmoniser nos positions » sur les questions d'intérêt continental.

Marquée par la culture des mouvements de libération du tiers monde, la diplomatie sud-africaine a souvent exprimé sa méfiance à l'égard des « démocraties » occidentales qui font preuve d'une certaine duplicité sur le continent. Pretoria s'oppose ainsi régulièrement à Paris, dont l'action en Afrique francophone (Côte d'Ivoire, Centrafrique, Madagascar) ou ailleurs (Libye) est souvent perçue comme une simple volonté de perpétuer sa domination. Jacob Zuma, médiateur pour l'UA sur le dossier libyen, a été d'autant plus outré par les bombardements de l'OTAN que son pays avait voté la résolution 1973 du Conseil de sécurité dont le but proclamé, avait-il sans cesse répété, était de « protéger le peuple libyen et faciliter l'effort humanitaire ». Pretoria a en revanche salué l'opération Serval début 2013 : considérant qu'« il n'y avait pas d'alternatives », le chef d'État sud-africain déclarait en outre avoir apprécié le fait que François Hollande ait consulté les dirigeants africains – dont lui-même – avant de lancer l'offensive au Nord-Mali.

S'il apparaît comme une réalité objective en dehors du continent, notamment auprès des pays émergents qui en ont fait leur allié, le leadership africain de Pretoria n'est pas acquis. Souvent critiquée pour ses ambitions économiques et diplomatiques, Pretoria ne pourra échapper dans les années à venir à cette double exigence : rendre sa politique africaine plus lisible et favoriser la concertation avec ses partenaires continentaux.

Pour en savoir plus

Pádraig Carmody, *The Rise of the BRICS in Africa. The Geopolitics of South-South Relations*, Zed Books, Londres, 2013.

Andrew Feinstein, *After the Party : Corruption, the ANC and South Africa's Uncertain Future*, Verso Books, Londres, 2010.

Nelson Mandela, *Conversations avec moi-même. Lettres de prison, notes et carnets intimes*, La Martinière, Paris, 2010.

Hein Marais, *South Africa Pushed to the Limit. The Political Economy of Change*, Zed Books, Londres, 2011 (rééd. 2013).

Repenser le passé, réinventer le futur ?

Pierre Grosser
Historien, Sciences Po Paris

Face au flot des événements et aux grandes prédictions sur le déclin des États-Unis, et de l'Occident, confrontés à la montée du « Reste », il est bon de savoir d'où l'on vient, d'autant que les historiens ont profondément renouvelé leurs angles d'approche. En revanche, le présent semble bien incertain, notamment celui d'une « guerre contre le terrorisme » qui n'est plus nommée ainsi mais continue d'errer sur la planète en quête de stratégie. On se replie sur une diplomatie classique réhabilitée et sur la gouvernance technocratique pour gérer un ordre précaire et les convulsions sociales. Mais il semble difficile de penser le futur hors des projections géopolitiques et écologistes, et de réintroduire des desseins collectifs.

Retour à l'histoire : les grandes fresques

Un retour sur les guerres du XXe siècle reste nécessaire pour savoir d'où l'on vient. Au cœur du volume sur la guerre moderne de la *Cambridge History of the Cold War* sont bien entendu retracées les guerres totales de la première moitié du siècle. Celles-ci restent incontournables, pour comprendre comment elles ont été possibles, pour évaluer les changements qui les rendent désormais peu probables et pour relativiser les défis et les conflits d'aujourd'hui. Les dispositions guerrières prises par les grandes puissances durant la guerre froide montraient qu'elles restaient un horizon essentiel, mais le regard sur cette période est en train de se modifier. La *Cambridge History of the Cold War*, publiée en trois volumes en 2010, restait de facture assez classique. L'*Oxford Handbook of the Cold War* prend en compte une transformation majeure. Au lieu de se concentrer sur la structure bipolaire du monde et l'Est-Ouest, il essaie en filigrane d'expliquer en quoi ces quarante ans s'insèrent dans les transformations globales du monde, dont les conséquences apparaissent pleinement aujourd'hui. La réflexion fait donc ressortir les logiques Nord-Sud, avec de longs chapitres sur l'idéologie de la modernisation, sur les constructions étatiques au Sud, les spécificités des trajectoires de chaque région du monde et les dimensions transnationales des phénomènes politiques et sociaux. Dès lors, la période de la guerre froide n'est plus fossilisée dans l'« avant-1989 », mais devient une antichambre du monde actuel.

Les débats lancinants, depuis trente ans, sur la place des États-nations dans l'histoire penchent toujours vers un diagnostic plutôt négatif : non seulement l'État et la nation modernes auraient lancé le monde dans les guerres totales, mais ils auraient fait mourir les empires dans une orgie de violences. Historiens et sociologues discutent des conséquences du nationalisme sur la fréquence et la nature des guerres dans *Nationalism and War* (**John Hall** et **Sinisa Malesevic**). Au terme d'un ambitieux programme international, **Omer Bartov** et **Eric Weitz** dressent dans *Shatterzone of Empire* le tableau terrible des horreurs qui se sont déroulées aux marges des empires, dans les régions disputées aux populations entremêlées. Nous vivons avec cet héritage, longtemps occulté. **Brendan Simms**, un historien convaincu de la « primauté de la politique extérieure » pour les États modernes, montre dans un ouvrage magistral, *The Struggle for Supremacy*, à quel point la question allemande a toujours été centrale en Europe, avec des conséquences majeures également pour le reste du monde. Le golfe Arabo-Persique a pour sa part été un objet de convoitise pour les grandes puissances, le Royaume-Uni et les États-Unis (depuis 1979 surtout), l'Inde et la Chine aujourd'hui : de courts chapitres racontent cette histoire dans l'ouvrage de **Jeffrey Macris** et **Saul Kelly** *Imperial Crossroads*.

Évidemment, l'affirmation nationale reste également un horizon d'émancipation, comme le montre à plusieurs reprises l'imposant *Oxford Handbook of the History of Nationalism* dirigé par **John Breuilly**. Surtout, l'optique exclusive de l'État-nation fait oublier tous les antécédents de la mondialisation contemporaine. Une équipe de grands historiens réinterprète, dans cet ouvrage, le monde de la haute modernité en insistant sur les connexions transnationales et globales. *A World Connecting*, dirigé par **Emily Rosenberg**, changera pour longtemps les échelles d'analyse des années 1870-1945, même s'il ne s'agit pas de nier les effets de la « verticalité » des États-nations territoriaux. Pour sa part, le Pacifique fut par nature un espace de rencontres et de circulations : **Matt Matsuda** vient d'en écrire la meilleure histoire, *Pacific Worlds*.

L'État s'est imposé comme unité fondamentale du droit international. Mais celui-ci est de plus en plus interrogé, notamment dans une perspective historique. D'abord, de nombreuses recherches récentes sur son histoire, souvent dispersées dans des revues spécialisées, ont été rassemblées dans un ouvrage indispensable, *The Oxford Handbook of the History of International Law*. Il montre notamment comment ce droit a été universalisé, non seulement par l'impérialisme occidental mais aussi par les stratégies des élites des pays périphériques, qui en ont vu tout l'intérêt pour leur affirmation souveraine, à l'intérieur et sur la scène internationale.

Ensuite, ce droit international n'est en rien un ordre juridique figé. Il a une histoire mais il est également en perpétuelle transformation. En effet, son articulation au politique est complexe, ce que montre un ouvrage très complet dans lequel politistes et juristes se confrontent, *Interdisciplinary Perspectives on International Law and International Relations*. Le droit international transforme la réalité, parce qu'il répond à des projets politiques, à des idées et des débats. À ce titre, il faut lire les essais lumineux inclus dans le livre dirigé par **James Crawford** et **Martti Koskenniemi**, *The Cambridge Companion of International Law*, qui offre des regards panoramiques et interprétatifs de haut niveau. Dans son « Que sais-je ? » intitulé *Le Droit international*, **Emmanuelle Tourme-Jouannet** résume ses travaux antérieurs sur l'histoire de ce droit, mais aussi l'évolution de celui-ci comme « instrument de régulation et d'intervention sociale ».

Enfin, un historien reconnu, **Mark Mazower**, s'est efforcé de tracer les trajectoires complexes de l'ordre international au travers des projets internationalistes, des idéologies impériales ou des organisations internationales. *Governing the World* n'épuise pas un sujet immense mais restera une fresque de référence.

Les avatars de la « guerre contre le terrorisme »

Le terrorisme a suscité, depuis le 11 septembre 2001, un nombre considérable d'études. Il y a sans doute davantage d'« experts » du terrorisme que de terroristes... Les historiens ont été à la traîne. Mais grâce à *An International History of Terrorism*, dirigé par **Jussi Hanhimäki** et **Bernhard Blumenau**, nous disposons d'études solides sur certaines facettes de ce phénomène, de la coopération internationale au début du XXe siècle jusqu'aux choix de Ronald Reagan face à la Libye et aux attentats au Liban, en passant par le terrorisme en situation coloniale. Sous un autre angle, **Lisa Stampnitzky**, dans *Disciplining Terror*, montre comment les juristes ont cédé la place à bien d'autres experts pour appréhender le terrorisme, ce qui a profondément changé la nature du contre-terrorisme. Sa criminalisation a également entraîné sa dépolitisation. L'approche par la théorie des mouvements sociaux est désormais éclairée par la synthèse de **Donatella della Porta**, *Clandestine Political Violence*.

Un des grands débats de ces dernières années, durant les guerres en Irak et en Afghanistan, fut de savoir s'il fallait « ressusciter » la contre-insurrection. **Fred Kaplan** montre dans *The Insurgents* comment des officiers supérieurs ont cherché à transformer la manière américaine de faire la guerre et comment en définitive ils n'ont été que des héros éphémères. Fascinés par l'histoire, leur ascension a été accompagnée d'un nombre incroyable de travaux sur les contre-insurrections coloniales. Mais les historiens, et parmi eux **Douglas Porch** dans *Counterinsurgency*, ont été sceptiques sur les « leçons » qui en ont été tirées et les interprétations qui en ont été faites. En revanche, un des adeptes américains des solutions viriles, **Max Boot**, a produit une impressionnante histoire des insurrections et guérillas dans l'histoire, *Invisible Armies*, avec une certaine fascination et la volonté de savoir quand elles pouvaient vaincre et comment elles peuvent être vaincues.

Mais quelle guerre mènent les États-Unis ? Pour **Abkar Ahmed**, dans *The Thistle and the Drone*, ils se trouvent aspirés, au nom de la lutte contre le terrorisme, dans les conflits locaux et « tribaux » du monde musulman, de la Somalie au Pakistan, en passant par le Yémen. Pour **Jeremy Scahill**, dans *Dirty Wars*, et pour **Mark Marzetti**, dans *The Way of the Knife*, ils mènent une guerre secrète complexe à travers le monde. Ce sont surtout les drones qui deviennent le point de focalisation des débats aux États-Unis. Si ces débats sont à forte teneur politique, en termes de libertés, de transparence et de droit international, **Grégoire Chamayou** dans *Théorie du drone* a choisi la réflexion philosophique critique, en poussant au plus loin l'interprétation des risques que porte cet outil militaire. La question est de savoir dans quelle mesure l'Afrique sera de plus en plus un champ d'intervention pour les États-Unis. La France n'y a plus la même place avec la désintégration du « système Foccart », étudiée par **Jean-Pierre Bat** dans *Le Syndrome Foccart*.

États-Unis, Moyen-Orient, Chine

Ces nouvelles formes de militarisme peuvent paraître paradoxales au moment où l'on parle beaucoup d'adaptation à un monde « post-américain ». Cette expression permet au moins aux historiens de revenir, comme **Andrew J. Bacevich** dans *The Short American Century*, sur toutes les facettes passées de la prééminence américaine. Savoir comment se construit la politique américaine ou comprendre pourquoi elle paraît incohérente nécessite de connaître son élaboration et ses logiques : **Charles-Philippe David**, dans *Théories de la politique étrangère américaine*, est un guide indispensable. **Justin Vaïsse**, dans *Barack Obama et sa politique étrangère*, voit cette adaptation dans le « pivot », terme qui a suscité bien des interrogations : l'Amérique chercherait à s'extirper de son enlisement au Moyen-Orient pour faire face aux nouvelles puissances et en particulier pour réinvestir l'Asie-Pacifique. Certes, Obama n'a pas vraiment réussi à changer l'image des

États-Unis au Moyen-Orient et à se dépêtrer des contradictions accumulées, selon **Fawaz Gerges** dans *Obama and the Middle East.* Mais **Vali Nasr**, qui a travaillé pour l'administration Obama et qui critique sa politique afghane dans *The Dispensable Nation*, dresse la liste des défis auxquels les États-Unis sont confrontés dans un Moyen-Orient qu'ils ne sont pas prêts d'abandonner. Le temps n'est plus vraiment aux diabolisations successives des grands leaders du Moyen-Orient, décrites par **Lawrence Freedman** et **Jeffrey Michaels** dans *Scripting Middle East Leaders*.

Plutôt que de faire le tri dans les innombrables publications sur les révolutions arabes, on préférera des mises en perspective historiques. *L'Histoire des Arabes* d'**Eugene Rogan** a enfin été traduite. **Roger Owen**, dans *The Rise and Fall of Arab Presidents for Life*, réfléchit à la nature des régimes autoritaires qui ont été la marque du monde arabe. Le fantasme de la résurrection du califat, aboli par Mustafa Kemal Atatürk en 1924, n'existe guère dans le monde arabe mais il est vivace dans les anciennes républiques musulmanes soviétiques et chez les musulmans en situation minoritaire, comme le montrent les contributions regroupées dans l'ouvrage de **Madawi Al-Rasheed *et al.***, *Demystifying the Caliphate*. L'ouvrage de **Sohail H. Hashimi** *Just Wars, Holy Wars, and Jihads* est indispensable pour comprendre comment le fameux djihad a une longue histoire qui s'entrecroise avec celle des guerres saintes. Les djihadistes d'aujourd'hui ont introduit une vraie mutation, souvent contestée dans le discours et les pratiques, et ont surtout développé une propagande tous azimuts qu'**Abdelasiem El Difraoui** analyse dans *Al-Qaida par l'image*.

Le grand défi d'aujourd'hui serait la Chine. On manquait d'une histoire claire et à jour : c'est chose faite avec *Restless Empire*, écrit par **Odd Arne Westad**, célèbre historien norvégien enseignant à Londres, spécialiste de la guerre froide et de la guerre civile chinoise. Un des meilleurs spécialistes, **David Shambaugh**, fait un bilan mitigé de l'état de la puissance chinoise dans *China Goes Global*. De facture classique, l'ouvrage ne cherche pas à se placer dans l'affrontement entre alarmistes et optimistes. En fait, la Chine reste inquiète pour sa sécurité, comme l'expliquent **Andrew Nathan** et **Andrew Scobell** dans *China's Search for Security*. La gestion des voisins et des différends territoriaux avec eux est fortement marquée par l'histoire : ces problèmes sont rappelés dans le tour d'horizon, dyade par dyade, effectué sous la direction de **Bruce Elleman** dans *Beijing's Power and China's Borders*. La lecture chinoise du monde reste marquée par le « siècle d'humiliations » que la Chine a connu, même si l'éducation patriotique abuse de cette thématique : **Zheng Wang**, dans *Never Forget National Humiliation*, rappelle que la mémoire collective chinoise doit être prise en compte.

Organiser le monde : les diplomates et les autres

Alors que les diplomates semblaient marginalisés par les militaires d'une part et par les spécialistes de la résolution de conflit d'autre part, on s'intéresse de nouveau à eux. L'ouvrage d'**Andrew F. Cooper *et al.*** *The Oxford Handbook of Modern Diplomacy* dresse le bilan des transformations de la diplomatie et des multiples enceintes où elle opère. Avec **Pauline Kerr** et **Geoffrey Wiseman**, *Diplomacy in a Globalizing World*, on dispose désormais de tours d'horizon utiles qui complètent les témoignages toujours plus nombreux des acteurs. La diplomatie est partout et l'ordre international est difficilement concevable sans elle. Même si elle ne se réduit pas aux négociations internationales, celles-ci sont enfin prises au sérieux et leur étude ne repose plus seulement sur les témoignages et les recherches théoriques des praticiens. **Franck Petiteville** et **Delphine Placidi-Frot**, qui ont dirigé l'ouvrage *Négociations internationales*, ont ouvert le chantier pour les politistes, avec un intérêt fort pour les négociations multilatérales, encore peu étudiées. *Unfinished Business*, dirigé par **Guy-Olivier Faure**, est une étude systématique des raisons pour lesquelles les négociations échouent, qu'on puisse incriminer leur *timing*, leur organisation ou les individus qui les ont conduites. Si elles échouent, c'est parfois que le défi est trop grand. Certains conflits sont gelés et ont créé un « *ethos* du conflit » qu'il est difficile de surmonter. **Daniel Bar-Tal**, qui a beaucoup travaillé sur ces mécanismes psycho-sociologiques, notamment à partir du cas israélo-palestinien, livre dans *Intractable Conflicts* une synthèse très attendue.

Ces négociations permanentes produisent des formes d'ordre. Ancien représentant de la France aux Nations unies, **Alain Dejammet** livre ses réflexions dans *L'Archipel de la gouvernance mondiale*. Le projet conduit par **Mélanie Albaret *et al.***, *Les Grandes Résolutions du Conseil de sécurité des Nations unies*, permet d'avoir à disposition les résolutions qui ont marqué l'histoire du Conseil de sécurité et par là même de comprendre comment a évolué l'agenda des relations internationales et la place du Conseil dans l'organisation du monde. Chacune des résolutions est mise en contexte et en perspective.

Le monde des négociateurs a contribué, avec les acteurs privés, à créer des formes de gouvernance (et même de gouvernementalité) assez éloignées des luttes entre grandes puissances. Nous sommes entrés dans un monde d'indicateurs qui prétendent saisir la réalité, ordonner l'action publique et l'évaluer. **Kenin Davis *et al.***, *Governance by Indicators*, regroupent des analyses pointues sur ces pratiques et leurs effets, dans le domaine du développement ou dans la promotion des droits humains. Dans un essai incisif et panoramique, *La Bureaucratisation du monde à l'ère néolibérale*, **Béatrice Hibou** montre comment le néolibéralisme a paradoxalement produit des contraintes bureaucratiques et des opportunités pour des évaluateurs, des managers et des spécialistes de la norme. Tous les métiers ont expérimenté ces transformations. La norme peut permettre la transformation politique pour le meilleur, comme l'avance l'ouvrage dirigé par **Thomas Risse**, *The Persistent Power of Human Rights*, en actualisant les réflexions des années 1990 sur les utilisations locales de normes internationales, grâce aux réseaux du militantisme transnational. La seconde édition de l'ouvrage d'**Hervé Ascensio *et al.*** *Droit pénal international* est non seulement un énorme travail de référence mais elle montre aussi à quel point cette branche autrefois très secondaire du droit a pris une importance considérable.

Mais la volonté existe de réintroduire du politique et un horizon d'attente dans cette gouvernance technocratique et juridique. Juriste militante de gauche, **Monique Chemillier-Gendreau**, dans *De la guerre à la communauté universelle*, lance un appel passionné pour une transformation profonde de l'ordre international. **Frédéric Ramel**, dans *L'Attraction mondiale*, fait une étude très fine des débats de la philosophie politique sur la possibilité et les risques d'un ordre mondial cosmopolitique.

Même les hommes et les femmes qui vont sauver des vies et améliorer le sort des populations ne semblent plus faire rêver. Ils sont associés à la guerre préventive, laquelle continue d'être discutée parmi les spécialistes d'éthique qui avaient commencé dans les années 1990 à réfléchir sur les interventions humanitaires : il en est question dans l'ouvrage dirigé par **Deen K. Chatterjee**, *The Ethics of Preventive War*. Les organisations humanitaires ont du mal à résister à l'instrumentalisation et se retrouvent souvent dans des situations impossibles sur le terrain, comme le montre un fin connaisseur, **Marc-Antoine Pérouse de Montclos**, dans *Les Humanitaires dans la guerre*. La nécessité de trouver des ressources est parfois devenue prioritaire, dans une nébuleuse complexe de donateurs que décrit un des meilleurs spécialistes du système onusien, **Thomas G. Weiss**, dans *Humanitarian Business*. Et la gloire est parfois confisquée par les célébrités du *show-biz*, dont l'engagement est au mieux intermittent, mais qui peuvent sensibiliser sans guère de réflexion à des causes lointaines. **Ilan Kapoor** dans *Celebrity Humanitarianism* et **Lilie Chouliaraki** dans *The Ironic Spectator* analysent l'importance du phénomène et ses envers.

Bibliographie

Abkar Ahmed, *The Thistle and the Drone. How America's War on Terror became a Global War on Tribal Islam*, Brookings Institution Press, Washington DC, 2013.

Mélanie Albaret, Emmanuel Decaux, Nicolas Lemay-Hébert et Delphine Placidi-Frot (dir.) *Les Grandes Résolutions du Conseil de sécurité des Nations unies*, Dalloz, Paris, 2012.

Madawi Al-Rasheed, Carool Kersten et Marat Shterin (dir.), *Demystifying the Caliphate. Historical Memory and Contemporary Contexts*, I.B. Tauris, Londres, 2013.

Hervé Ascensio, Emmanuel Decaux et Alain Pellet (dir.), *Droit international pénal*, Pedone, Paris, 2012 (2e ed.).

Andrew Bacevitch (dir.), *The Short American Century. A Postmortem*, Harvard University Press, Cambridge, Massachusetts, 2012.

Daniel Bar-Tal, *Intractable Conflicts. Socio-Psychological Foundations and Dynamics*, Cambridge University Press, Cambridge, 2013.

Omer Bartov et Eric D. Weitz (dir.), *Shatterzone of Empires. Coexistence and Violence in the German, Habsburg, Russian and Ottoman Borderlands*, Indiana University Press, Bloomington, Indiana, 2013.

Jean-Pierre Bat, *Le Syndrome Foccart. La politique française en Afrique, de 1959 à nos jours*, Gallimard, coll. « Folio », Paris, 2012.

Max Boot, *Invisible Armies. An Epic History of Guerilla Warfare from Ancient Times to the Present*, Liveright, New York, 2013.

John Breuilly (dir.), *The Oxford Handbook of the History of Nationalism*, Oxford University Press, Oxford, 2013.

Grégoire Chamayou, *Théorie du drone*, La Fabrique, Paris, 2013.

Deen K. Chatterjee (dir.), *The Ethics of Preventive War*, Cambridge University Press, Cambridge, 2013.

Monique Chemillier-Gendreau, *De la guerre à la communauté universelle*, Fayard, Paris, 2013.

Roger Chickering, Dennis Showalter et Hans Van Den Ven (dir.), *Cambridge History of War. Vol. 4 : War and the Modern World*, Cambridge University Press, Cambridge, 2012.

Lilie Chouliaraki, *The Ironic Spectator. Solidarity in the Age of Post-Humanitarianism*, Polity Press, Cambridge, 2012.

Andrew F. Cooper, Jorge Heine et Ramesh Takur (dir.), *The Oxford Handbook of Modern Diplomacy*, Oxford University Press, Oxford, 2013.

James Crawford et Martti Koskenniemi (dir.) *The Cambridge Companion to International Law*, Cambridge University Press, Cambridge, 2012.

Charles-Philippe David (dir.), *Théories de la politique étrangère américaine. Acteurs, concepts, approches*, Presses de l'université de Montréal, Montréal, 2013.

Kevin E. Davis, Angela Fisher, Benedict Kingsbury et Sally Engle Merry (dir.), *Governance by Indicators. Global Power through Quantification and Rankings*, Oxford University Press, Oxford, 2012.

Alain Dejamet, *L'Archipel de la gouvernance mondiale. ONU, G7, G8, G20*, Dalloz, Paris, 2012.

Donatella della Porta, *Clandestine Political Violence*, Cambridge University Press, Cambridge, 2013.

Jeffrey L. DUNOFF et Mark A. POLLACK (dir.), *Interdisciplinary Perspectives on International Law and International Relations*, Cambridge University Press, Cambridge, 2013.

Abdelasiem EL DIFRAOUI, *Al-Qaida par l'image. La prophétie du martyre*, PUF, Paris, 2013.

Bruce ELLEMAN, Stephen KOTKIN et Clive SCHOFIELD (dir.), *Beijing's Power and China's Borders. Twenty Neighbors in Asia*, M.E. Sharpe, Armonk, N.Y., 2013.

Bardo FASSBENDER et Anne PETERS (dir.), *The Oxford Handbook of the History of International Law*, Oxford University Press, Oxford, 2012.

Guy-Olivier FAURE (dir.) *Unfinished Business. Why International Negotiations Fail*, The University of Georgia Press, Athens, Géorgie, 2012.

Lawrence FREEDMAN et Jeffrey H. MICHAELS (dir.), *Scripting Middle East Leaders. The Impact of Leadership Perceptions on US and UK Foreign Policy*, Continuum, New York, 2013.

Fawaz A. GERGES, *Obama and the Middle East. The End of America's Moment ?*, Palgrave, New York, 2012.

John HALL et Sinisa MALESEVIC (dir.), *Nationalism and War*, Cambridge University Press, Cambridge, 2013.

Jussi M. HANHIMÄKI et Bernhard BLUMENAU (dir.), *An International History of Terrorism. Western and Non-Western Experiences*, Cambridge University Press, Cambridge, 2013.

Sohail H. HASHIMI (dir.), *Just Wars, Holy Wars, and Jihads. Christian, Jewish and Muslim Encounters and Exchanges*, Oxford University Press, Oxford, 2012.

Béatrice HIBOU, *La Bureaucratisation du monde à l'ère néolibérale*, La Découverte, Paris, 2012.

Richard H. IMMERMAN et Petra GOEDDE (dir.), *The Oxford Handbook of the Cold War*, Oxford University Press, Oxford, 2013.

Fred KAPLAN, *The Insurgents. General Petraeus and the Plot to Change the American Way of War*, Simon & Schuster, New York, 2013.

Ilan KAPOOR, *Celebrity Humanitarianism*, Routledge, Londres, 2012.

Pauline KERR et Geoffrey WISEMAN (dir.), *Diplomacy in a Globalizing World. Theories and Practices*, Oxford University Press, New York, 2012.

Jeffrey R. MACRIS et Saul KELLY (dir.), *Imperial Crossroads. The Great Powers and the Persian Gulf*, Naval Institute Press, Annapolis, Maryland 2012.

Mark MARZETTI, *The Way of the Knife. The CIA, a Secret Army and a War at the Ends of the Earth*, Penguin, New York, 2013.

Matt K. MATSUDA, *Pacific Worlds. A History of Seas, Peoples and Cultures*, Cambridge University Press, Cambridge, 2012.

Mark MAZOWER, *Governing the World. The Rise and Fall of an Idea, 1815 to the Present*, Penguin, New York, 2012.

Moises NAÏM, *The End of Power. From Boardrooms to Battlefields and Church to States, Why Being in Charge Isn't What It Used to Be*, Basic Books, New York, 2013.

Vali NASR, *The Dispensable Nation. America's Foreign Policy in Retreat*, Doubleday, New York, 2013.

Andrew J. Nathan et Andrew Scobell, *China's Search for Security*, Columbia University Press, New York, 2012.

Roger Owen, *The Rise and Fall of Arab Presidents for Life*, Harvard University Press, Cambridge, Massachusetts, 2012.

Marc-Antoine Pérouse de Montclos, *Les Humanitaires dans la guerre*, La Documentation française, Paris, 2013.

Franck Petiteville et Delphine Placidi-Frot (dir.) *Négociations internationales*, Presses de Sciences Po, Paris, 2013.

Douglas Porch, *Counterinsurgency. Exposing the Myths of the New Way of War*, Cambridge University Press, Cambridge, 2013.

Thomas Risse, Stephen C. Ropp et Kathryn Sikkink (dir.), *The Persistent Power of Human Rights. From Commitment to Compliance*, Cambridge University Press, Cambridge, 2013.

Frédéric Ramel, *L'Attraction mondiale*, Presses de Sciences Po, Paris, 2013.

Eugen Rogan, *Histoire des Arabes. De 1500 à nos jours*, Perrin, Paris, 2013.

Emily S. Rosenberg (dir.), *A World Connecting, 1870-1945*, Harvard University Press, Cambridge, Massachusetts, 2012.

Jeremy Scahill, *Dirty Wars. The World as a Battlefield*, Nation Books, New York, 2013.

David Shambaugh, *China Goes Global. The Partial Power*, Oxford University Press, Oxford, 2013.

Brendan Simms, *Europe : The Struggle for Supremacy, from 1453 to Present*, Basic Books, New York, 2013.

Lisa Stampnitzky, *Disciplining Terror. How Experts Invented « Terrorism »*, Cambridge University Press, Cambridge, 2013.

Emmanuelle Tourme-Jouannet, *Le Droit international*, PUF, Paris, 2013.

Justin Vaïsse, *Barack Obama et sa politique étrangère (2008-2012)*, Odile Jacob, Paris, 2012.

Zheng Wang, *Never Forget National Humiliation. Historical Memory in Chinese Politics and Foreign Relations*, Columbia University Press, New York, 2012.

Thomas G. Weiss, *Humanitarian Business*, Polity Press, Cambridge, 2013.

Odd Arne Westad, *Restless Empire. China and the World since 1750*, Random House, Londres, 2012.

Annexes statistiques

Tableau 1 – **Dépenses militaires mondiales**

	Total 2000-2012	Moyenne annuelle entre 2000 et 2012
Amérique du Nord	**7 773 915**	**597 993**
dont États-Unis	7 522 539	578 657
Amérique du Sud	**700 634**	**53 895**
dont Brésil	393 120	30 240
Amérique centrale et Caraïbes	**79 921**	**6 148**
dont Mexique	63 932	4 918
Europe	**5 144 310**	**395 716**
dont France	839 795	64 600
dont Royaume-Uni	753 273	57 944
dont Russie	745 932	57 379
Asie de l'Est	**2 765 572**	**212 736**
dont Chine	1 184 534	91 118
dont Japon	783 346	60 257
Asie du Sud	**928 553**	**71 427**
dont Inde	494 380	38 029
dont Australie	295 362	22 720
Asie centrale	**17 660**	**1 358**
dont Kazakhstan	15 355	1 181
Moyen-Orient et pays du Golfe	**1 271 815**	**97 832**
dont Arabie saoudite	495 791	38 138
dont Israël	207 995	16 000
Afrique du Nord	**115 707**	**8 901**
dont Algérie	62 878	4 837
Afrique subsaharienne	**194 847**	**14 988**
dont Afrique du Sud	56 086	4 314
Total mondial	**37 968 209**	**2 920 631**

Unité : millions de dollars constants (2011).
Source : Sipri.

Tableau 2 – **Les 20 premiers exportateurs mondiaux d'armements conventionnels**

	2012	Moyenne annuelle 2000-2012	Total 2000-2012
1 **États-Unis**	8 760	7 241	94 136
2 **Russie**	8 003	6 057	78 742
3 **Allemagne**	1 193	1 858	24 152
4 **France**	1 139	1 688	21 941
5 **Royaume-Uni**	863	1 083	14 082
6 **Chine**	1 783	789	10 255
7 **Pays-Bas**	760	531	6 909
8 **Ukraine**	1 344	484	6 288
9 **Italie**	847	516	6 708
10 **Suède**	496	470	6 104
11 **Israël**	533	490	6 375
12 **Espagne**	720	447	5 813
13 **Suisse**	210	248	3 226
14 **Canada**	276	227	2 945
15 **Biélorusie**		83	1 077
16 **Corée du Sud**	183	112	1 461
17 **Afrique du Sud**	145	95	1 231
18 **Pologne**	140	84	1 097
19 **Norvège**	169	86	1 114
20 **Belgique**	21	76	983

Unité : en millions de dollars constants de 1990.
Source : Sipri, base de données des transferts d'armement.

Tableau 3 – **Les 20 premiers importateurs mondiaux d'armements conventionnels**

	2012	Moyenne annuelle 2000-2012	Total 2000-2012
1 **Chine**	1 689	29 995	2 307
2 **Inde**	4 764	29 784	2 291
3 **Corée du Sud**	1 078	15 335	1 180
4 **Émirats arabes unis**	1 094	12 161	935
5 **Grèce**	35	11 046	850
6 **Australie**	889	10 688	822
7 **Pakistan**	1 244	10 601	815
8 **États-Unis**	1 297	9 440	726
9 **Turquie**	1 269	9 129	702
10 **Singapour**	627	8 225	633
11 **Algérie**	650	7 853	604
12 **Égypte**	226	7 835	603
13 **Royaume-Uni**	598	7 509	578
14 **Arabie saoudite**	923	6 764	520
15 **Israël**	387	6 459	497
16 **Japon**	239	5 572	429
17 **Chili**	56	4 438	341
18 **Vénézuela**	643	4 030	310
19 **Canada**	188	4 014	309
20 **Malaisie**	53	3 906	300

Unité : en millions de dollars constants de 1990.
Source : Sipri, base de données des transferts d'armement.

Tableau 4 – **Les 11 premières entreprises productrices de matériel militaire en 2011**
(à l'exclusion de la Chine)

	Sociétés	Pays d'origine	Secteurs	Ventes d'armes En millions de dollars	Ventes totales En millions de dollars	Part de l'activité armement En pourcentage	Chiffre d'affaires total En millions de dollars	Effectifs salariés En nombre de personnes
1	Lockheed Martin	États-Unis	Aviation, électronique, missiles, technologies spatiales	36 270	46 499	78	2 655	123 000
2	Boeing	États-Unis	Aviation, électronique, missiles, technologies spatiales	31 830	68 735	46	4 018	171 700
3	BAE Systems	Royaume-Uni	Aviation, artillerie, électronique, véhicules militaires, missiles, armes légères, munitions, technologies spatiales, bateaux	29 150	30 689	95	2 349	93 500
4	General Dynamics	États-Unis	Artillerie, électronique, véhicules militaires, armes légères, munitions, bateaux	23 760	32 677	73	2 526	95 100
5	Raytheon	États-Unis	Électronique, missiles	22 470	24 857	90	1 896	71 000
6	Northrop Grumman	États-Unis	Aviation, électronique, missiles, technologies spatiales, bateaux	21 390	26 412	81	2 118	72 500
7	EADS	Consortium européen	Aviation, électronique, missiles, technologies spatiales	16 390	68 295	24	1 442	133 120
8	Finmeccanica	Italie	Aviation, artillerie, électronique, véhicules militaires, missiles, armes légères, munitions	14 560	24 074	60	– 3 206	70 470
S	BAE Systems Inc.	Royaume-Uni et États-Unis	Artillerie, électronique, véhicules militaires, armes légères, munitions	13 560	14 417	94	5 178	37 300
9	L-3 Communications	États-Unis	Électronique	12 520	15 169	83	956	61 000
10	United Technologies	États-Unis	Aviation, électronique, moteurs	11 640	58 190	20	5 347	199 900
11	Thales	France	Électronique, véhicules militaires, missiles, armes légères, munitions	9 480	18 111	52	787	68 330

Source : Sipri.

Tableau 5 – **Indice du développement humain**

	1980	1990	2000	2010	2011	2012	Évolution 1980-2012
Très haut développement humain	0,773	0,817	0,867	0,902	0,904	0,905	0,13
Haut développement humain	0,605	0,656	0,695	0,753	0,755	0,758	0,15
Développment humain moyen	0,419	0,481	0,549	0,631	0,636	0,64	0,22
Faible développement humain	0,315	0,35	0,385	0,461	0,464	0,466	0,15
Norvège	0,804	0,852	0,922	0,952	0,953	0,955	0,15
États-Unis	0,843	0,878	0,907	0,934	0,936	0,937	0,09
Japon	0,788	0,837	0,878	0,909	0,91	0,912	0,12
France	0,728	0,784	0,853	0,891	0,893	0,893	0,17
Grèce	0,726	0,772	0,81	0,866	0,862	0,86	0,13
Russie		0,73	0,713	0,782	0,784	0,788	0,06
Turquie	0,474	0,569	0,645	0,715	0,72	0,722	0,25
Chine	0,407	0,495	0,59	0,689	0,695	0,699	0,29
Afrique du Sud	0,57	0,621	0,622	0,621	0,625	0,629	0,06
Inde	0,345	0,41	0,463	0,547	0,551	0,554	0,21
Niger	0,179	0,198	0,234	0,298	0,297	0,304	0,13

Lecture : 0 --> IDH très faible à 1 ---> IDH très élevé.
Source : PNUD.

Tableau 6 – **Capitalisation boursière au 31 décembre**

	1980	1990	2000	2010	2012
NASDAQ et NYSE	**1 190 534**	**2 692 123**	**15 020 976**	**17 283 452**	**18 668 333**
Reste Amérique du Nord	**214 221**	**319 056**	**315 798**	**1 547 101**	**1 228 934**
Amérique du Sud	**135 298**	**286 593**	**1 011 310**	**3 342 336**	**3 296 193**
Europe dont :	**313 202**	**2 087 312**	**8 455 825**	**13 564 610**	**12 870 249**
Londres	*35 976*	*849 848*	*2 576 991*	*3 613 064*	*3 396 505*
Francfort	*71 716*	*370 600*	*1 270 243*	*1 429 719*	*1 486 315*
NYSE Euronext Europe				*2 930 072*	*2 832 189*
Zurich	*42 731*	*157 635*	*792 316*	*1 229 357*	*1 233 439*
Asie du Sud-Est	**24 418**	**102 591**	**322 012**	**1 694 035**	**2 109 494**
Asie du Sud dont :	**0**	**0**	**1 074**	**3 248 379**	**2 514 801**
Inde	*0*	*0*	*27 760*	*3 335 020*	*2 605 797*
Asie de l'Est	**39 013**	**182 313**	**896 980**	**7 714 967**	**7 493 931**
dont Chine				*6 739 156*	*6 529 322*
Japon-Corée du Sud	**772 584**	**5 967 369**	**3 305 583**	**5 298 574**	**4 860 419**
Moyen-Orient pays du Golfe	**4 808**	**8 274**	**66 743**	**717 494**	**660 440**
Afrique dont :	**55 830**	**136 869**	**204 301**	**1 078 436**	**1 019 385**
Afrique du Sud	*55 830*	*136 869*	*204 301*	*925 007*	*907 723*

Unité : dollars.
Source : World Federation of Exchanges (WFE) – Fédérations mondiales des bourses de valeurs (FMBV).

Tableau 7 – **Commerce mondial (exportations) en 2011**

	Total	Échanges intrarégionaux En milliards de dollars	En %	Échanges extrarégionnaux En milliards de dollars	En %
Europe	**6 612**	**4 667**	*71*	**1 945**	*29*
Asie	**5 538**	**2 926**	*53*	**2 612**	*47*
Amérique du Nord	**2 282**	**1 103**	*48*	**1 180**	*52*
Amérique du Sud et centrale	**750**	**200**	*27*	**550**	*73*
Pays de l'ex-URSS	**789**	**154**	*20*	**635**	*80*
Afrique	**594**	**77**	*13*	**517**	*87*
Moyen-Orient	**1 251**	**110**	*9*	**1 140**	*91*
Total	**17 816**	**9 238**		**8 578**	

Unité : en milliards de dollars et en pourcentage.
Source : OMC.

Tableau 8 – **Exportations et exportations mondiales**

Exportations mondiales de marchandises (en milliards de dollars et en pourcentage)								
	1948	**1953**	**1963**	**1973**	**1983**	**1993**	**2003**	**2011**
Monde	**59**	**84**	**157**	**579**	**1 838**	**3 676**	**7 377**	**17 816**
Europe	**35,1**	**39,4**	**47,8**	**50,9**	**43,5**	**45,4**	**45,9**	**37,1**
dont Union européenne			*24,5*	*37,0*	*31,3*	*37,4*	*42,3*	*33,9*
Asie	**14,0**	**13,4**	**12,5**	**14,9**	**19,1**	**26,1**	**26,2**	**31,1**
dont Chine	*0,9*	*1,2*	*1,3*	*1,0*	*1,2*	*2,5*	*5,9*	*10,7*
Amérique du Nord	**28,1**	**24,8**	**19,9**	**17,3**	**16,8**	**18,0**	**15,8**	**12,8**
dont États-Unis	*21,7*	*18,8*	*14,9*	*12,3*	*11,2*	*12,6*	*9,8*	*8,3*
Moyen-Orient	**2,0**	**2,7**	**3,2**	**4,1**	**6,8**	**3,5**	**4,1**	**7,0**
Pays de l'ex-URSS	**2,2**	**3,5**	**4,6**	**3,7**	**5,0**	**1,5**	**2,6**	**4,4**
Amérique du Sud et centrale	**11,3**	**9,7**	**6,4**	**4,3**	**4,4**	**3,0**	**3,0**	**4,2**
Afrique	**7,3**	**6,5**	**5,7**	**4,8**	**4,5**	**2,5**	**2,4**	**3,3**
Importations mondiales de marchandises (en milliards de dollars et en pourcentage)								
Monde	**62**	**85**	**164**	**594**	**1 882**	**3 786**	**7 695**	**15 077**
Amérique du Nord	**18,5**	**20,5**	**16,1**	**17,2**	**18,5**	**21,4**	**22,4**	**17,1**
dont États-Unis	*13,0*	*13,9*	*11,4*	*12,3*	*14,3*	*15,9*	*16,9*	*12,5*
Amérique du Sud et centrale	**10,4**	**8,3**	**6,0**	**4,4**	**3,8**	**3,3**	**2,5**	**4,0**
Europe	**45,3**	**43,7**	**52,0**	**53,3**	**44,2**	**44,6**	**45,0**	**38,1**
dont Union européenne	*25,5*	*37,1*	*31,4*	*35,3*	*41,3*	*34,6*		
Pays de l'ex-URSS	**1,9**	**3,3**	**4,3**	**3,6**	**4,3**	**1,2**	**1,7**	**3,0**
Afrique	**8,1**	**7,0**	**5,2**	**3,9**	**4,6**	**2,6**	**2,2**	**3,1**
Moyen-Orient	**1,8**	**2,1**	**2,3**	**2,7**	**6,2**	**3,3**	**2,8**	**3,8**
Asie	**13,9**	**15,1**	**14,1**	**14,9**	**18,5**	**23,7**	**23,5**	**30,9**
dont Chine	*0,6*	*1,6*	*0,9*	*0,9*	*1,1*	*2,7*	*5,4*	*9,7*

Unité : en milliards de dollars et en pourcentage.
Source : OMC.

Tableau 9 – **Les 20 premières multinationales non financières dans le monde en 2011**

	Multinationales	Secteur	**Actifs** En millions de dollars	**Chiffre d'affaires** En millions de dollars	**Effectif salarié** En nombre de personnes
1	General Electric Co (États-Unis)	Équipement électronique	717 242	147 300	301 000
2	CITIC Group (Chine)	Divers, investissement	383 375	38 978	125 215
3	Toyota Motor Corporation (Japon)	Automobile	372 566	235 200	325 905
4	Royal Dutch Shell Plc (Pays-Bas, Royaume-Uni)	Pétrole	345 257	470 171	90 000
5	ExxonMobil Corporation (États-Unis)	Pétrole	331 052	433 526	82 100
6	EDF SA	Énergie (électricité, gaz)	322 084	90 780	156 168
7	GDF Suez	Énergie (électricité, gaz) et eau	296 650	126 040	218 873
8	BP Plc (Royaume-Uni)	Pétrole	293 068	386 463	83 433
9	Enel SpA (Italie)	Énergie (électricité, gaz) et eau	236 037	110 528	75 360
10	Total SA (France)	Pétrole	228 036	256 732	96 104
11	Volkswagen Group (Allemagne)	Automobile	221 486	221 486	501 956
12	E.ON AG (Allemagne)	Énergie (électricité, gaz) et eau	212 499	157 011	78 889
13	Chevron Corporation (États-Unis)	Pétrole	209 474	236 286	61 000
14	Daimler AG (Allemagne)	Automobile	205 910	148 096	271 370
15	Eni SpA (Italie)	Pétrole	198 700	153 631	78 686
16	Pfizer Inc. (États-Unis)	Pharmacie	188 002	67 425	103 700
17	Vodafone Group Plc (Royaume-Uni)	Télécommunications	186 176	74 089	83 862
18	Wal-Mart Stores Inc. (États-Unis)	Grande distribution	180 663	421 849	2 100 000
19	Telefonica SA (Espagne)	Télécommunications	180 186	87 346	286 145
20	Ford Motor Company (États-Unis)	Automobile	179 248	136 264	164 000

Source : Cnuced.

Tableau 10 – **Les 20 premières multinationales dans les pays en voie de développement et les pays en transition en 2011**

	Multinationales	Secteur	Actifs En millions de dollars	Chiffre d'affaires En millions de dollars	Effectif salarié En nombre de personnes
1	China National Petroleum Corporation	Pétrole	397 100	254 182	1 587 900
2	CITIC Group (Chine)	Divers	383 375	38 978	125 215
3	Petroleo Brasileiro SA	Pétrole	308 683	150 852	80 492
4	Petróleos de Venezuela SA	Pétrole	151 765	95 242	99 867
5	Petronas – Petroliam Nasional Bhd (Malaisie)	Pétrole	145 099	76 822	41 628
6	Vale SA (Brésil)	Mines	129 139	46 481	70 785
7	Samsung Electronics Co., Ltd. (Corée du Sud)	Équipement électronique	118 337	133 756	190 464
8	Hyundai Motor Company (Corée du Sud)	Automobile	104 052	97 391	103 909
9	Formosa Plastics Group (Taïwan)	Chimie	102 696	75 010	99 332
10	China National Offshore Oil Corp	Pétrole	93 192	52 400	97 767
11	Hutchison Whampoa Limited (Chine)	Divers	92 762	26 924	240 000
12	Lukoil OAO (Russie)	Pétrole et gaz	84 017	86 078	130 000
13	América Móvil SAB de CV (Mexique)	Télécommunications	70 947	48 105	148 058
14	Posco (Corée du Sud)	Métallurgie	59 875	52 452	33 557
15	China Railway Construction Corporation Ltd	Infrastructures, construction	52 876	67 403	229 070
16	Jardine Matheson Holdings Ltd (Chine)	Divers	48 076	30 053	270 000
17	Hon Hai Precision Industries (Taïwan)	Équipement électronique	47 327	102 574	935 000
18	Sun Hung Kai Properties Ltd (Chine)	Services	45 366	4 285	32 000
19	Sistema JSFC (Russie)	Télécommunications	44 109	28 098	135 000
20	Cemex S.A.B. de C.V. (Mexique)	Produits minéraux non métalliques	41 684	14 107	46 533

Source : Cnuced.

Les auteurs

Pierre Alonso est journaliste indépendant, ancien collaborateur du site Owni.fr. Il travaille principalement sur la sécurité nationale (antiterrorisme, surveillance, cyberdéfense).

Paul Ariès est politologue, co-organisateur du Forum mondial de la pauvreté et rédacteur en chef des revues *La vie est à nous !* et les *Z'indigné(e)s*.

Matthieu Auzanneau est journaliste et auteur du blog « Oil Man. Chroniques du début de la fin du pétrole » sur le site du *Monde*.

Bertrand Badie est professeur des universités à l'Institut d'études politiques de Paris (Sciences Po).

Jean-Joseph Boillot est conseiller économique au Club du Centre d'études prospectives et d'informations internationales (CEPII).

Laurent Bonnefoy est chercheur CNRS au Centre d'études et de recherches internationales (CERI, Sciences Po).

Vicken Cheterian est chercheur en relations internationales. Il enseigne à la Webster University à Genève et est *research associate* à la School of Oriental and African Studies (SOAS) à Londres.

Hélène Claudot-Hawad est anthropologue, directrice de recherche au CNRS.

Augusta Conchiglia est journaliste. Elle collabore à *Afrique Asie* et au *Monde diplomatique*.

Youssef Courbage est directeur de recherches à l'Institut national d'études démographiques (INED).

Marie Delcas journaliste, est correspondante du *Monde* à Bogota (Colombie).

Jean-Luc Domenach est directeur de recherche au CERI (Sciences Po).

Sébastien Fath est historien, chercheur au CNRS (Groupe Sociétés Religions Laïcités). Il anime le blog <http://blogdesebastienfath. hautetfort.com>.

Dominique Foray est professeur à l'École polytechnique fédérale de Lausanne.

Régis Genté est journaliste, correspondant au Caucase et en Asie centrale du *Figaro*, de Radio France Internationale, France 24. Il collabore également au *Monde diplomatique*.

Nilüfer Göle est directrice d'études à l'École des hautes études en sciences sociales (EHESS).

Philip S. Golub est professeur à l'Université américaine de Paris (AUP).

Andrei Gratchev est journaliste et politologue. Il fut le dernier porte-parole de Mikhaïl Gorbatchev au Kremlin.

Pierre Grosser est historien. Il enseigne l'histoire des relations internationales et les enjeux mondiaux contemporains à Sciences Po Paris.

Bernard Hourcade est directeur de recherche émérite au CNRS.

Raphaël Kempf est avocat et collaborateur au *Monde diplomatique* et à la *Revue des livres*.

Stéphane Lacroix est chercheur au CERI et professeur associé à l'École des affaires internationales de Sciences Po (PSIA).

Corine Lesnes est journaliste, correspondante du *Monde* à Washington (États-Unis) et animatrice du blog « Big Picture. Croquis d'Amérique » sur le site du *Monde*.

Roland Marchal est chargé de recherche CNRS au CERI (Sciences Po).

Stéphane Paquin est professeur à l'École nationale d'administration publique (Québec), titulaire de la chaire de recherche du Canada en économie politique internationale et comparée.

Dominique Plihon est économiste au Centre d'économie de Paris-Nord.

Jean-Luc Racine est géographe et géopolitologue, directeur de recherche émérite au CNRS.

Philippe Rekacewicz est géographe, cartographe et journaliste.

Jean-François Sabouret est directeur de recherche émérite au CNRS.

Rocco Sciarrone est professeur de sociologie à l'université de Turin (Italie).

Jean-Marc Siroën est professeur de sciences économiques à l'université Paris-Dauphine.

Dominique Vidal est journaliste et historien, auteur de nombreux ouvrages sur le Proche-Orient, spécialiste des questions internationales.

Jean-Claude Willame est professeur émérite à l'Université catholique de Louvain (UCL).

Olivier Zajec est chargé de recherches à l'Institut de stratégie et des conflits – Commission française d'histoire militaire (ISC – CFHM).

Composition Facompo, Lisieux.
Impression réalisée par CPI Bussière
à Saint-Amand-Montrond (Cher)
en août 2013.
Dépôt légal : septembre 2013.
N° d'impression : 2004285.
Imprimé en France